Fogo em meus ossos

Fogo em meus ossos

A biografia de Eugene H. Peterson

WINN COLLIER

Traduzido por Susana Klassen

Copyright © 2021 por Winn Collier
Copyright do mapa do Lago Flathead © 2021 por Emily A. Pastor
Publicado originalmente como *A Burning in my Bones* por WaterBrook, selo da Random House, uma divisão da Penguin Random House LLC. Autor representado pela Alive Literary Agency, Colorado Springs, Colorado, EUA, www.aliveliterary.com.

Os textos bíblicos foram extraídos de *A Mensagem*, de Eugene Peterson, publicado pela Editora Vida, salvo indicação específica.

Todas as fotografias, com exceção das creditadas, são cortesia do espólio de Eugene Peterson, inclusive a fotografia de capa, de Peter Davis.

Todos os direitos reservados e protegidos pela Lei 9.610, de 19/02/1998.

É expressamente proibida a reprodução total ou parcial deste livro, por quaisquer meios (eletrônicos, mecânicos, fotográficos, gravação e outros), sem prévia autorização, por escrito, da editora.

Edição
Daniel Faria

Revisão
Natália Custódio

Produção e diagramação
Felipe Marques

Colaboração
Ana Luiza Ferreira
Marina Timm

Capa original
Joe Montgomery

Adaptação de capa
Ricardo Shoji

CIP-Brasil. Catalogação na publicação
Sindicato Nacional dos Editores de Livros, RJ

C672f

Collier, Winn
Fogo em meus ossos : a biografia de Eugene H. Peterson / Winn Collier ; tradução Susana Klassen. - 1. ed. - São Paulo : Mundo Cristão, 2022.
312 p.

Tradução de: A burning in my bones
ISBN 978-65-5988-120-8

1. Peterson, Eugene H., 1932-2018. 2. Presbiteriano - Biografia. I. Klassen, Susana. II. Título.

22-77577

CDD: 922.5
CDU: 929:275.6

Gabriela Faray Ferreira Lopes - Bibliotecária - CRB-7/6643

Publicado no Brasil com todos os direitos reservados por:

Editora Mundo Cristão
Rua Antônio Carlos Tacconi, 69
São Paulo, SP, Brasil
CEP 04810-020
Telefone: (11) 2127-4147
www.mundocristao.com.br

Categoria: Biografia
1ª edição: julho de 2022

Para meu pai, John Collier

Sumário

Prefácio	9
Introdução	11

PRIMEIRA PARTE

1. Montana	15
2. Mãe: aqueles domingos de inverno	20
3. Filho do açougueiro	26
4. A natureza da busca	34
5. Horizonte promissor em Seattle	48
6. Vá para o leste, rapaz	63
7. Vivência	79

SEGUNDA PARTE

8. Casados de longa data	99
9. Acho que sou pastor	115
10. No mesmo lugar	128
11. Misericórdia pura	139
12. Palavras encarnadas	157
13. Vida à margem	168
14. A longa obediência	179

TERCEIRA PARTE

15. Tão sortudo	193
16. Mosteiro em Montana	216
17. Uma forma desgastada, mas santa	235

Coda	271
Agradecimentos	275
Notas	277

As palavras queimam como fogo no meu coração,
incendeiam meus ossos.
Jeremias 20.9, *A Mensagem*

Prefácio

No voo de Montana para casa em outubro de 2016, imaginei que tivesse visto Eugene e Jan pela última vez. Ele estava fechando o círculo de convívio, reduzindo consideravelmente os compromissos a fim de dedicar suas energias cada vez mais escassas a Jan e à família. Comecei a refletir sobre como, um dia, a história de Eugene seria contada, sobre como eu esperava que essa narrativa fosse mais que um esboço dos fatos e pontos de destaque e oferecesse uma percepção de quem ele era, um encontro pessoal, ainda que apenas por meio de tinta e papel. Incentivado por um amigo, escrevi para Eugene e lhe falei de minhas ideias. Algumas semanas depois, quando atendi o telefone, ouvi a voz baixa e rouca de Eugene do outro lado da linha. Não havia nada que o interessasse menos que uma biografia ("Só de pensar nisso já me dá canseira", ele declarou inicialmente), mas, à medida que conversamos, sua voz ganhou força. Depois de quinze ou vinte minutos, ele disse: "Tudo bem. Creio que você deve levar o projeto adiante, Winn. Vou ajudá-lo". E foi o que ele fez. Eugene me deu pleno acesso a si mesmo, sua família e oito décadas de papéis, diários, manuscritos e cartas. E, durante três anos e meio, tive a alegria (e a trepidação) de pesquisar e escrever a história de Eugene. Sou imensamente grato.

Essa narrativa se apoia, em grande medida, em anotações e diários de Eugene e em inúmeras entrevistas pessoais. Quando cito uma obra publicada, ela aparece na seção de notas, organizada por capítulos no final do livro (para manter a fluência da narrativa e respeitar a aversão de Eugene à interrupção da beleza literária com notas corpulentas). A maior parte das palavras não publicadas de Eugene (cartas e anotações de seus diários) aparece em itálico, sem aspas. As muitas citações de Eugene que não aparecem nas notas finais foram extraídas de entrevistas que tive com ele pessoalmente (todas as outras entrevistas são apresentadas da mesma forma).

Introdução

Tornam-se o que contemplam.

William Blake, *Jerusalém: a emanação do gigante Albion*

Pouco depois das sete da manhã, enquanto raios de sol se derramavam pelas janelas da cozinha, anunciando um novo dia em Maryland, Jan enchia cinco pratos com ovos mexidos, acompanhados de linguiça e maçãs fritas.

— Eric, avise o papai que o café está pronto.

— Sim, senhora — Eric respondeu.

O filho mais velho da família Peterson saiu correndo, mas parou quando chegou junto às escadas que desciam para o escritório. Sabia que o pai estaria concentrado e imerso em silêncio. Com ar travesso, o garoto de 9 anos desceu nas pontas dos pés. O porão tinha cheiro de mofo e tinta velha. Caminhando sorrateiramente pelo piso frio, feito um ladrão, Eric chegou à porta do escritório do pai.

Quase todos os dias, Eugene passava uma hora antes do amanhecer lendo as Escrituras e mais uma hora lendo comentários bíblicos. Uma mesa de segunda mão ficava debaixo da única janela do cômodo, e uma estante tomava toda a parede, abarrotada até o teto. Seus livros eram, em sua maioria, organizados por autor: Barth, Dostoiévski, Newman, Teresa de Ávila. Uma cadeira de balanço, local predileto de leitura, ocupava um dos cantos. Embora houvesse lâmpadas fluorescentes no teto, Eugene raramente usava sua luz fria; uma luminária na escrivaninha provia claridade mais aconchegante. Sobre a mesa antiga da igreja deles, Cristo Nosso Rei, havia um cálice de cerâmica e uma pátena prontos para receber vinho e pão. Perto dos utensílios da Eucaristia, uma vela branca encaixada na boca de uma garrafa de Chianti havia muito vazia, com pelo menos um ano de respingos de cera sobre o cesto de palha que envolvia o vidro escuro. A cela de um monge. O espaço do papai, o espaço do Gene, o espaço do pastor Pete.

Com um gesto lento e silencioso, Eric virou a maçaneta. Espiou pela fresta da porta. Ainda hoje, lágrimas se formam em seus olhos enquanto ele conta para mim essa recordação. Sobre o piso frio diante da mesa de seu pai havia um tapete. A luz da vela bruxuleava sobre a garrafa de vinho. Eugene estava ajoelhado no tapete. Tinha um *tallit*, xale judaico de oração, sobre os ombros e um Saltério em hebraico à sua frente. Balançava levemente para a frente e para trás, envolto nas palavras das Escrituras, em total rendição às preces antigas.

Por um instante, Eric observou, calado. Então, bem devagar, fechou a porta e, a passos leves, subiu as escadas, de volta ao ruído de talheres em pratos.

Era apenas um menino, mas sabia que tinha acabado de testemunhar algo sagrado.

PRIMEIRA PARTE

1

Montana

Não havia nada além do empório e do bar, um de cada lado
da rua, e um rio serpenteante que fluía lentamente pelo vale
(via-se uma fêmea de alce com seu filhote no rio atrás do
empório) — e, ainda, nenhum sinal de vida humana, ninguém. [...] Soubemos de imediato que era onde queríamos
viver, onde sempre quisemos viver.
Jamais havíamos sentido tamanha magia.

Rick Bass, *Winter: Notes from Montana*

Em 1902, Andre e Juditta Odegard Hoiland colocaram em um baú e em
sacos de lona suas panelas e potes, algumas roupas e uns escassos pertences de família. Depois de vestir os nove filhos com casacos grossos para
protegê-los dos ventos do Atlântico e dos borrifos da gélida água salgada,
tomaram um barco a vapor em Stavanger, Noruega, e viram os penhascos
junto ao mar desvanecer na bruma. Andre já havia feito a viagem uma
vez. Tinha ido trabalhar em uma usina siderúrgica em Pittsburgh, nos
Estados Unidos, e guardado dinheiro para levar a família toda para lá. Os
avós maternos de Eugene navegaram, talvez na embarcação *Norge*, ou na
Thingvalla, até a Ilha Ellis, e aportaram sob o olhar bem-vindo da Estátua
da Liberdade. A cidade de Nova York, com o fervilhar de suas multidões,
encheu os Hoilands de um misto de empolgação e apreensão. Atraídos
pela migração para o oeste, juntaram trocados até conseguir comprar passagens de trem de Nova York para Saint Paul, no estado de Minnesota,
com várias baldeações ao longo do caminho. Ali, por fim, embarcaram em
um dos vagões que percorria a Grande Ferrovia do Norte, feito extraordinário de engenharia realizado por James Hill, o "Construtor do Império".

FOGO EM MEUS OSSOS

Amontoados em sua pequena cabine, os onze membros da família passaram junto aos lagos de Minnesota, atravessaram as planícies e as terras inóspitas de Dakota do Norte, até chegar a Kalispell, Montana, menos de cem quilômetros da fronteira com o Canadá.

A jovem Kalispell, fundada havia apenas dez anos, se orgulhava de ter uma estação ferroviária com trens de Saint Paul, Minneapolis, e da ferrovia canadense de Manitoba, além da serraria Mill Creek, o Hotel West (dois dólares pela diária de um quarto), um estábulo, e o Banco Nacional Conrad. Harry Stanford, primeiro delegado de Kalispell, registrou a existência de "23 bares, meia dúzia de casas de jogo e o mesmo número de cabarés, duas lavanderias chinesas e o mesmo número de restaurantes chineses, e quatro empórios". Certa manhã de Quatro de Julho, logo cedo, George Stanford, armeiro da cidade, levou para o meio da rua principal um canhão de cem quilos tirado do Forte Benton e acendeu o pavio. Os vizinhos correram em pânico para fora de casa, vestidos com roupões de banho. Ainda assim, Kalispell exerceu sobre os Hoilands uma fascinação primeva, com os picos denteados de seus montes de granito que transpassam os céus, a brancura do inverno que se apega ao solo congelado, as florestas verdejantes no verão e o lago de azul profundo. Era como se tivessem voltado para casa. Como pedreiro, Andre fez as primeiras calçadas de Kalispell e, como pastor, ajudou a formar a primeira igreja Assembleia de Deus da cidade. Além disso, também escrevia artigos pastorais para jornais noruegueses em Montana, Seattle e na Noruega.

Quando, porém, Andre e Juditta Hoiland contemplaram pela primeira vez o imenso e magnífico Vale Flathead, não imaginaram como esse lugar seria formativo para as gerações vindouras, como esse solo exerceria influência sobre seu neto, Eugene. A terra selvagem, de topografia acidentada e impenetrável, com um histórico de justiça feita com as próprias mãos, de acampamentos de mineiros valentões e desordeiros, e de violência entre colonos invasores e nações indígenas (Bitterroot Salish, Kootenai e Pend d'Oreilles), enterrou muitos desbravadores.

Kalispell ainda era um posto fronteiriço inóspito, com todo tipo de gente embrutecida e sórdida que se pode imaginar. Vários anos depois da chegada dos Hoilands, Fred LeBeau assaltou a casa da fazenda de William Yoakum e de seu filho Riley com a intenção de levar suas armas e provisões. No entanto, quando pai e filho resistiram, LeBeau atirou em ambos no estômago. Depois de receber o veredicto de culpado, foi enforcado pelo xerife em um cadafalso em frente à cadeia, e o jornal da cidade, *Kalispell Bee*, publicou a manchete: "Execução de Fred LeBeau não foi nada empolgante: nenhuma emoção e apenas um leve espernear da vítima da vingança da lei".

Um lugar inclemente, mas cuja beleza natural superava, em muito, os elementos humanos mais sórdidos. O Flathead, lago formado pelo derretimento de uma geleira e escondido entre a Serra Mission e as Montanhas Rochosas, lançava um feitiço encantador. O vale emanava beleza estonteante. Pioneiros vindos do leste, ao escrever para seus familiares, relataram que o Vale Flathead era como "o jardim do Éden". Em 1830, Joshua Pilcher, explorador que, sozinho, percorreu a vastidão do oeste canadense, enfrentando neve que ia até a cintura no inverno brutal, redigiu uma carta que acabou chegando às mãos do presidente Andrew Jackson. Pilcher descreveu as maravilhas da região: "O Lago Flathead e seu rico e formoso vale [...] concorre, em aparência, com os belíssimos lagos e vales da Suíça". Os Hoilands consideravam a magnificência da Noruega uma rival à altura, mas o efeito era o mesmo. Era uma terra vasta e cheia de esperança, uma terra que combinava com sua alma.

* * *

William Blake acreditava que nos tornamos aquilo que contemplamos. Essas palavras não poderiam ser mais verdadeiras que no caso de Eugene. A paisagem de Montana — o lugar que Eugene amava, pelo qual perambulou e com o qual se maravilhou ao longo de toda a vida — o moldou tão certamente quanto a água de degelo moldou a bacia entre as montanhas. A beleza avassaladora, a imensa solidão e as próprias características físicas do vale formaram em Eugene uma percepção visceral de lugar. Uma qualidade de *pé no chão*, uma de suas expressões prediletas.

Em longos dias de exploração, ele percorreu as partes mais recônditas de seus arredores. Quando menino, saía sozinho aos sábados, aprovisionado de ovos cozidos, *bacon* e alguns pãezinhos na mochila, "à procura de índios e à procura de pontas de flechas". A grandiosidade esplêndida dessa terra indômita, com todo o encanto e toda a santidade que evocava, alimentou nele uma imaginação espiritual tão formativa quanto o que ele encontrou em sua igreja pentecostal de infância. Talvez até mais. David McCullough, biógrafo de Harry Truman, explicou: "Se você deseja

FOGO EM MEUS OSSOS

compreender Harry Truman, precisa saber um bocado sobre o município de Jackson, Missouri". De modo semelhante, se você deseja compreender Eugene Peterson, precisa saber um bocado sobre o Vale Flathead, em Montana.

Quando me sentei com um Eugene idoso para ouvi-lo descrever o tempo que ele passava andando sozinho debaixo daquele céu amplo, ficou evidente que a beleza severa e solitária o moldou e o fundamentou em um rico silêncio da alma. Para Eugene, ser um garoto de Montana — nascido em uma terra de paisagem tão imponente e imerso na vida e na história de pessoas comuns, trabalhadoras, cuja existência era entremeada com o solo e despojada de qualquer artificialidade — não era apenas um detalhe biográfico, mas parte essencial de sua vida.

Décadas antes de Eugene admirar Gregório de Nissa ou Efraim, o Sírio, ou qualquer outro dos grandes pais e mães do cristianismo, ele vivenciou o que o ortodoxo russo Paul Evdokimov chamou "a imanência de Deus operando na criação". Em todos os escritos de Eugene, ele resistia ferrenhamente ao hábito comum da atualidade de separar a terra do céu, o mundo físico do espiritual. Essas convicções viriam a se alicerçar em uma teologia profunda, mas foram sentidas primeiro quando, na infância, ele se refestelava com o céu infinito de Montana, respirava o aroma das coníferas e bebia água refrescante de torrentes caudalosas. Montana foi o lugar em que Eugene nasceu. E foi o lugar que se tornou seu catecismo.

Eugene começou a vida imerso na realidade daquilo que ele viria a chamar "a Presença". A percepção de encontro tinha um epicentro: "Oito mil metros quadrados de solo sagrado" à beira das "*santas* águas" do Lago Flathead. Esse lugar envolvia Eugene com a realidade vibrante de um Deus vivo e presente.

Seu pai tinha comprado esses oito mil metros quadrados, e o terreno, bem como a casa que o pai construiu ali, arraigaram a fé jovem de Eugene e batizaram-no com "uma presença sagrada em que 'assim na terra como no céu' podia ser dito em oração e posto em prática". E, no panorama da vida de Eugene, tudo o que ele se tornou fluiu desse lugar. Em suas próprias palavras, "a geografia do Vale Flathead [...] se tornou tão importante para me nortear [...] quanto a Bíblia e a teologia. [...] Essa era a geografia de minha imaginação". Foi exatamente essa atenção a minúcias, a preocupação de honrar a presença de Deus manifestada de forma visível em um lugar, que, mais tarde, alimentou sua aversão à transformação da igreja em um bem de consumo, às abstrações da vida e da adoração impessoais e às abordagens desencarnadas e mecanizadas à vocação pastoral.

Em um campo não muito distante dessa propriedade da família à beira do lago, caçadores com armadilhas encontraram, muito tempo atrás, vestígios de um local de rituais do povo Kootenai, "um lugar de visões e curas". Eugene tinha ouvido as histórias de supostos lugares sagrados da tradição cristã, "solo santo [...] embebido em sacralidade, em que as condições eram propícias para cultivar a presença de Deus". Embora Eugene não soubesse o que pensar dessas histórias, sempre soube que a região onde ele cresceu pulsava com uma beleza sagrada. "Em minha adolescência", Eugene escreveu em suas memórias, "às vezes eu me perguntava se algo assim podia estar acontecendo neste lugar. Às vezes, ainda me pergunto se é o caso."

2

Mãe: aqueles domingos de inverno

Você acreditava em todas as belezas, forças e associações humanas do lugar; meu pai acreditava apenas em movimento. Você acreditava em uma vida feita de doação, e ele, em uma vida feita de aquisição. [...]

Quando eu tinha medo de empreender algo, você dizia: "Sua parte é tentar". Você me convenceu a realizar muitas coisas para as quais me teria faltado coragem sem seu incentivo. Você também me ensinou a aceitar a derrota quando ela entrava em cena, como é esperado que aconteça de vez em quando. Ensinou-me que, se algo não havia me matado, provavelmente havia feito bem para mim.

Posso ouvi-la rir enquanto diz essas palavras.

Wallace Stegner, "Letter, Much Too Late"

Evelyn colocou o pequeno Eugene em uma banqueta a seu lado na cabine da emissora de rádio. Ajeitando os fones de ouvido, bateu de leve no microfone e deu início a seu programa de sábado na rádio KGEZ. Durante o programa, Evelyn cantava, tocava discos de vinil e narrava histórias bíblicas de modo vívido, como se as tivesse testemunhado pessoalmente. Cotovias trilavam do lado de fora, e Evelyn fazia questão de deixar a janela do estúdio aberta para que outros pudessem ouvir "o cântico do Senhor em terra estrangeira". As ondas cheias de estática levavam para o vale inteiro a voz calmante e melódica de Evelyn, com timbres de fervorosa convicção.

Evelyn Peterson era sociável, intensa, vivaz. Uma mulher emocionalmente sensível, que transbordava de energia. "Ela era muito bonita", Eugene disse, irradiando afeto, "muito animada e hospitaleira." Evelyn teve

MÃE: AQUELES DOMINGOS DE INVERNO

uma juventude irrequieta; queria sempre mudar de casa, mudar para Seattle, mudar de ministério ou buscar outros desafios vocacionais.

Nunca encontrou alguém que ela considerasse desconhecido. Recebia visitas em casa com frequência e convidou uma série interminável de pessoas sem eira nem beira para morar por longos períodos com sua família. Sua amabilidade e carisma tinham um efeito magnético e encantador.

Embora mulheres raramente pregassem nos meios pentecostais, era impossível conter esse carisma de Evelyn. Além de seu trabalho na estação de rádio, começou uma classe de escola dominical bastante concorrida na Primeira Assembleia de Deus em Kalispell, a igreja que seu pai, Andre, tinha ajudado a formar em 1915. A liderança e a vitalidade espiritual de Evelyn atraíam muita gente, e com o tempo ela organizou várias pequenas congregações que se reuniam nas noites de domingo em centros comunitários em todo o vale. Nessas igrejas improvisadas feitas de tábuas rústicas, lenhadores e mineiros enchiam os bancos, procurando apegar-se ao fio tênue da vida durante a ruína da Grande Depressão. Ali, paravam por algumas horas para ouvir Evelyn proclamar as boas-novas: Deus não havia se esquecido deles.

Anos depois, Eugene não se recordava de nenhuma mulher nessas reuniões além de sua mãe. Lembrava-se apenas de fileiras de homens, sentados em bancos sem encosto. Muitos cuspiam fumo por uma janela aberta e, com frequência, erravam o alvo. Reuniam-se para ouvir essa jovem, com seu filho pequeno a tiracolo, oferecer orações destemidas, música entoada com sinceridade e palavras de esperança para sua alma e seu corpo exauridos. Evelyn os hipnotizava com sua voz inesquecível de contralto ao entoar cânticos como "A verdade é nosso guia" ou "Quando se fizer chamada" e tocar seu violão ou acordeão, enquanto "lenhadores e mineiros, calçando botas com tachas nas solas e trajando camisas de flanela e macacões, acompanhavam". Os homens "choravam, assoavam o nariz ruidosamente em lenços grandes e enxugavam lágrimas sem o menor constrangimento".

Aqueles centros comunitários em Montana faziam parte de um mundo estranho, cheio de conflitos. No entanto, quando Evelyn abria a Bíblia para pregar, algo inteiramente distinto ocorria. Com seu talento natural para contar histórias e uma imaginação brilhante, ela entretecia as Escrituras de modo quase imperceptível com a vida dura desses homens que passavam os dias cobertos de fuligem, neve e pó de serra. A paixão criativa de

Evelyn extrapolava as páginas do texto. Seus acréscimos eram tão vívidos que Eugene se recordava de ler as Escrituras sozinho anos depois e, muitas vezes, ficar "surpreso com claras omissões no texto. O Espírito Santo deixou de fora alguns dos melhores trechos". Quando sua mãe se empolgava, suas palavras eram fervorosas, poéticas, rítmicas. Foi só bem mais tarde, em igrejas afro-americanas, que Eugene voltou a ouvir sermões maravilhosos desse tipo.

Eugene gostava especialmente das noites de domingo no inverno, em que o vento açoitava as construções precárias e o fogão a lenha trabalhava para afastar a friagem. Com frequência, Eugene cuidava do fogo enquanto a mãe cuidava das almas. Por vezes, quando voltavam para casa no meio de uma nevasca, o carro derrapava para fora da estrada e ia parar em bancos de neve. Grupos de homens, ansiosos para ajudar a pregadora, empurravam o carro de volta para a estrada, soltando grunhidos e palavrões no ar gélido até darem conta de si e, com rosto ruborizado, pedirem mil desculpas.

"Ouvi as melhores pregações de minha vida naquelas noites, e também os palavrões mais arrepiantes", Eugene comentou. Ken, irmão mais novo de Eugene, concordou: "Eu adorava os sermões de mamãe. Lembro-me dela como uma das maiores pregadoras que conheço. Ela se expressava de forma singular, *cantava* durante o sermão. Era excelente contadora de histórias. Dramática. Mesmo sem formação nenhuma, era notável". A pregação de Evelyn era pessoal e cativava os ouvintes. Ela não tirava ilustrações de livros de referência impressos em papel brilhante, como faziam outros pastores. Relatava as próprias experiências, falava da vida *naquele* lugar, no meio *daquelas* pessoas, de uma forma que ficou gravada na memória do jovem Eugene enquanto ele colocava lenha no fogão durante aquelas noites frias. "Minha mãe, sem ter consciência, estava desenvolvendo em mim a imaginação para o pastorado."

Todavia, nem sempre era fácil conviver com toda essa energia. O fervor espiritual de Evelyn por vezes era intenso, perfeitamente adequado para a combinação pentecostal de entusiasmo emocional e austeridade cultural. Em sua fé vigorosa, ela estava decidida a se manter livre de todas as ciladas do mundo, mas essas ciladas eram estranhas e imprevisíveis. Quando Eugene era menino, por exemplo, nunca ganhou um bolo de aniversário e sempre foi proibido de ouvir "música para dançar". A busca de Evelyn por pureza bíblica se mostrou especialmente zelosa no Natal de 1939.

MÃE: AQUELES DOMINGOS DE INVERNO

Todos os anos, no início de dezembro, o pai de Eugene afiava o machado, colocava a família toda (e Brownie, o *cocker spaniel*) na caminhonete Ford A e os levava para o Lago Blaine, na Serra Swan. Eugene escolhia um pinheiro que, com alguns golpes certeiros do machado, logo caía na neve. Depois que o pai arrastava a árvore pela porta da frente da casa deles, Eugene ia até o sótão buscar uma caixa de luzinhas e enfeites. A família enfeitava a árvore enquanto o aroma de seiva se espalhava pela casa. Então, no momento mais especial das festas, Eugene corria para fora no escuro e atravessava a rua para apreciar o brilho que emanava da árvore iluminada junto à janela da sala.

O ano de 1939, porém, foi diferente. Para infelicidade de Eugene, palavras de Jeremias nunca antes observadas chamaram a atenção de Evelyn: "Os costumes dos povos são vaidade; pois cortam da floresta uma árvore, obra das mãos do artífice, com um machado. Enfeitam-na com prata e ouro; firmam-na com pregos e martelo, para que não se mova".

O profeta havia olhado pelo telescópio da história e condenado com precisão o Natal americano da família Peterson. Naquele ano, não houve passeio ao Lago Blaine, nem balanço do machado, nem enfeites, nem pinheiro iluminado para alegrar a vizinhança. Em lugar das tradições festivas, Evelyn leu para Eugene e sua irmãzinha, Karen, a advertência sinistra de Jeremias e deixou a Bíblia, aberta na história do nascimento de Jesus, sobre uma mesa no canto que normalmente era ocupado pelo pinheiro enfeitado. Todos os anos, os garotos da vizinhança iam de casa em casa inspecionar os presentes amontoados debaixo das árvores uns dos outros. Humilhado, Eugene inventou uma série de desculpas criativas para não receber ninguém em sua casa.

Embora a árvore tivesse sido cancelada, outras festividades de final de ano seguiram a pleno vapor, entre elas, o encontro anual em que parentes de Evelyn chegavam em bandos à casa dos Petersons para celebrar um Natal norueguês tradicional. Nessa ocasião, a língua materna e os aromas de *lutefisk* ("bacalhau do qual todos os nutrientes foram removidos por semanas de batismo em um barril de salmoura") e *lefse* ("um pão fino, sem fermento, com textura e sabor de um pedaço de camurça") enchiam a casa.

Tio Ernie, o predileto de Eugene, chegou com toda a sua glória impetuosa. Era ateu, com uma irreverência que encantava o sobrinho. Era a única pessoa que Eugene tinha ouvido falar um palavrão em sua casa e, sem dúvida, o único em seu círculo de convívio que contava, em tom de brincadeira, que havia tirado vinte dólares do cesto de oferta da igreja. Momentos depois de entrar pela porta da frente, tio Ernie fez a única pergunta verdadeiramente importante: "Eugene, que diabos aconteceu com a árvore de Natal? Que porcaria de Natal norueguês vai ser esse sem uma árvore?".

"Não temos árvore este ano, meu irmão. Somente Jesus", respondeu Evelyn. "Não estamos celebrando um Natal norueguês; estamos celebrando um Natal cristão." Em seguida, pegou a Bíblia do canto sem árvore e começou a ler Jeremias. A cada frase apocalíptica, os olhos de tio Ernie se arregalavam mais. Suas invectivas, abafadas por bocados de *lutefisk*, se prolongaram por toda a ceia. (Sem qualquer explicação, e para imensa gratidão de Eugene, a árvore de Natal voltou a seu devido canto no ano seguinte.)

Apesar de todo o literalismo severo, porém, Evelyn não era uma desmancha-prazeres. Enchia a casa com seu riso, sua energia e sua música. A mãe de Eugene tocava acordeão, enquanto o pai tocava saxofone tenor. Todos os domingos, às cinco da tarde, Evelyn reunia a família para um pequeno ritual: ouvir o programa de rádio de Charles Fuller, *Hora do reavivamento à moda antiga*. "Eu sempre ficava meio entediado com as pregações de Charles Fuller", Eugene comentou, "e considerava uma chatice a leitura semanal de cartas pela 'Querida', a esposa de Charles, mas quando o quarteto cantava, fazia tudo isso valer a pena. E eu gostava demais quando Rudy Atwood tocava no piano 'Este mundo não é meu lar' e 'A velha arca está navegando'".

Evelyn também era a responsável pela disciplina dos filhos. Mantinha uma espátula de madeira, nêmesis das crianças, pendurada na parede, onde o instrumento era alvo de jovens olhares desconfiados. Um dos amigos de Eugene que morava na vizinhança tinha ampla experiência com castigos e dividiu seu conhecimento a esse respeito: "Coloque um pedaço fino de madeira no bolso de trás da calça. Amortece a surra". Infelizmente, Eugene não conseguiu enganar a mãe. "Quando ela percebeu meu artifício, deu uma coça 'daquelas'", ele recordou entre risos.

Todos os filhos de Evelyn se lembravam nitidamente de sua rica vida de oração. Ela passava horas ajoelhada em um quartinho. A cada dia da semana, concentrava as orações em um dos filhos: Eugene às segundas-feiras, Karen às terças e Ken às quartas. O que os marcou, porém, não foi apenas a disciplina de oração de sua mãe, mas também o jeito que suas conversas com Deus eram integradas a tudo o que ela fazia. "Mamãe gostava de se expressar em voz alta", Ken lembrou. "'Louvado seja o Senhor' e 'Obrigada, Jesus' eram frases que se ouvia com frequência em nossa casa. Alguns de meus amigos se assustavam."

Em 2003, ao refletir sobre o ministério pastoral, Eugene escreveu em seu diário:

> *Aniversário da mamãe — tenho quase o tempo todo a sensação de que estou vivenciando seu legado; praticamente tudo o que faço é congruente com suas aspirações e paixões. Mas libertei-me do gueto sectário e tenho muito mais espaço, um círculo muito mais amplo de amigos [...] que atravessa inúmeras fronteiras.*

E, na anotação de outro ano ele observa:

> *Aniversário da mamãe — que medida de sua vida estou vivendo, continuando, estendendo? Sou imensamente grato. [...] Por vezes, contudo, fico triste por causa da infelicidade com a qual ela conviveu. A igreja rígida. O casamento tacanho. Graças ao legado dela, tenho vivido com muito mais beleza, amor e alegria.*

Um legado que produz beleza, amor e alegria. Ninguém, nenhum teólogo, intelectual ou erudito, influenciou Eugene mais que sua mãe, essa mulher de oração, fervor e compaixão. Durante muito tempo, sua mãe era a primeira pessoa que lhe vinha à mente quando ele ouvia ou dizia a palavra *pastor*.

3

Filho do açougueiro

Conhecer a história de sua gente em detalhes, como os que aparecem em fofocas, é ser capaz de citar o nome de pelo menos alguns de seus parentes mais próximos e associá-los ao que foi chamado "a essência das coisas". É saber o nome de lugares, quem lhes deu esse nome e o que aconteceu ali. Com isso, o mundo incessante fica mais próximo de se tornar um território em que você talvez consiga encontrar algum descanso.

William Kittredge, *Hole in the Sky*

Herman e Matilda Wilson, avós paternos suecos de Eugene, também atravessaram o Atlântico. Com promessas de trabalho, apoio da comunidade escandinava reunida na região de Ballard, em Seattle, Washington, e o anseio por uma vista do mar com a qual estavam habituados, os Wilsons lançaram raízes nos Estados Unidos. Em 1923, noruegueses de Ballard fundaram o Tabernáculo Freemont, uma igreja da Assembleia de Deus em East Stanwood, Washington, onde os Petersons tinham ido morar. É provável que sinais e maravilhas tenham ocorrido sob o teto daquele templo, talvez nenhum maior do que quando a linda e sociável Evelyn (que havia se mudado para aquela região) chamou a atenção de Donald, filho de Herman e Matilda. Aos 18 anos, Don era o mais jovem gerente de um supermercado MacMarr (posteriormente, Safeway) no país, mas depois que ele e Evelyn se casaram, Harry, irmão de Evelyn, convidou Don para abrir um açougue no novo mercado de Harry. Quando Eugene tinha 1 ano, portanto, a família voltou para a cidade natal de Evelyn.

FILHO DO AÇOUGUEIRO

Don Peterson era um empreendedor criativo e irrequieto, que teve quatro ou cinco mercados antes de abrir o Meat Supply Co., empreendimento bem-sucedido do qual foi dono até se aposentar em 1963. Don começou seu negócio do nada e, a duras custas, sobreviveu à Grande Depressão. Aqueles anos de escassez foram difíceis; fregueses davam cheques sem fundo e, certa vez, dois malandros se aproximaram sorrateiramente da caminhonete Dodge que Don usava para fazer entregas e fugiram com o quarto traseiro de um boi que ele tinha deixado no banco da frente.

Don, que vinha de uma família de imigrantes com poucos recursos e tinha sofrido as privações da Depressão, estava decidido a construir para sua família um futuro estável. Toda a sua vida era dedicada aos negócios, e não sobrava tempo para esposa e filhos. "Meu pai era *workaholic*", Eugene observou. Eugene se lembrava de que, na volta da igreja aos domingos, Don parava no restaurante local para pegar os pedidos de carne. "É só um minuto", ele dizia, sapatos sociais pisando o cascalho enquanto fechava a porta do carro. Do estacionamento, a família via Don cumprimentar os funcionários da cozinha e bater papo com eles sentado em uma banqueta giratória junto ao balcão. Uma das garçonetes sempre colocava diante dele uma fatia de torta e uma xícara de café preto bem quente. Don contava piadas e conversava efusivamente, enquanto a família inteira esperava, a barriga rocando. Por fim, Evelyn mandava Eugene ir chamá-lo.

Quando Eugene completou 5 anos, começou a fazer sozinho o percurso de algumas quadras de sua casa até a avenida principal para ajudar o pai no açougue. Todos os anos, sua mãe costurava para ele um avental novo, de pano de saco de farinha, para proteger suas roupas. Eugene limpava os vidros do açougue, varria pó de serra do piso e levava o lixo para fora. "Um dos açougueiros do papai me pegava no colo e me colocava sobre um caixote cor de laranja em frente ao imenso moedor vermelho de carne Hobart", Eugene relatou, "e eu empurrava pedaços de carne na boca do moedor." Depois de vários anos em que Eugene se mostrou confiável no trabalho do açougue, seu pai lhe deu uma faca afiada e apontou para um fígado que precisava ser fatiado. Com o tempo, o menino aprendeu a manusear carne de porco, cervo e boi, limpando e cortando com precisão meticulosa antes de embalar as peças.

O açougue descortinou para Eugene um novo panorama. Além de lhe dar a oportunidade de participar do universo de seu pai, era um lugar de companhia e comunidade, onde outros o viam, cuidavam dele e o acolhiam. Os açougueiros eram mais que funcionários de seu pai; torna-ram-se mentores de Eugene. Eddie Nordcrist, verdadeiro artífice, ensinou a Eugene que, se alguma vez ele se cortasse, era porque não "conhecia" sua faca. De acordo com Eddie, o trabalho do açougueiro era uma arte que exigia paciência, atenção e anos de prática. "Cortar carne de boi em bifes e peças para assar não era uma questão de impor minha vontade, fortalecida por uma faca, sobre simples matéria inerte", Eugene recordou, "mas, sim, entrar na realidade dela com respeito e reverência." Quem não respeitava o trabalho, suas ferramentas e o caráter singular de cada peça de carne sobre a mesa de corte, era objeto de desprezo do pai de Eugene. "Incompetentes", Don resmungava.

O mentor predileto de Eugene no açougue, porém, era Herb Thiel, su-jeito "de rosto achatado, sem expressão, desfigurado por um olho leitoso e afundado". Uma vez que ele não usava um tapa-olho, "seu rosto parecia uma lápide de túmulo, com aquele olho morto gravado nela, e isso lhe rendeu o apelido de Lápide". Seu outro apelido, porém, preferido entre os açougui-ros, era Matador. O Matador era durão. Nas palavras de Eugene, "havia um quê de malandragem em andar com um sujeito chamado Lápide, também conhecido como Matador". Certa vez, Eugene estava ao lado do Matador en-quanto ele cortava um lombo de porco com uma serra de fita. O Matador calculou errado o movimento da serra e cortou fora dois dedos. Com toda calma, parou o trabalho e olhou para os dois pedaços de dedo. Em silêncio, sem qualquer expressão no rosto, embrulhou-os em papel pardo e atraves-sou a rua até o consultório do médico. "Costure-os de volta", ordenou.

O açougue acompanhava as rotinas de cidade pequena, e seus fregue-ses eram gente comum, despretensiosa, sem vocabulário rebuscado. "Não cresci cercado de linguagem sofisticada", Eugene observou. Essas influên-cias diversas, pé no chão, significaram que, quando a Bíblia se tornou real para ele, não foi como um artefato elisabetano, mas como um livro vivo, apropriado para a rotina árdua de açougueiros, pedreiros, mães que pregavam no rádio e bêbados que ficavam à toa no beco atrás do açougue, em meio a garrafas vazias de uísque Thunderbird.

"O açougue foi minha introdução ao conceito de congregação", disse Eugene. "Aqueles que entravam ali não eram apenas fregueses. Algo mais os definia. Sempre me pareceu mais uma congregação que um comércio." E, embora o distanciamento passivo de seu pai fosse palpável em casa, no açougue Eugene o via (e aprendia com ele) em sua melhor forma. Seu

FILHO DO AÇOUGUEIRO

pai tratava todos com bondade, tanto os que se tornavam amigos quanto os que reclamavam incessantemente do *bacon* ou vigiavam enquanto a carne era limpa e pesada. Don Peterson recebia todos os seus fregueses como eram e os valorizava, quer entregassem cédulas novas para pagar por cortes caros, quer tirassem do bolso algumas moedas e saíssem do açougue com um pacote de salsichas. Tratava todos com dignidade, desde o presbítero da igreja metodista até uma das mulheres que trabalhavam no bordel a algumas quadras de lá (Eugene se recordava de fazer entregas para Mary, Grace e Veronica).

Mais tarde, Eugene percebeu que o trabalho de Don era trabalho sacerdotal e o considerou uma das grandes dádivas de seu pai para ele. Essa associação com o sacerdócio ocorreu de forma visceral, à medida que Eugene viu imagens veterotestamentárias da igreja (sacerdotes abatendo animais para os sacrifícios) entretecidas no trabalho que seu pai realizava seis dias por semana. O açougue era um lugar, como ele posteriormente descreveria a igreja, "cheio de gente esquisita e desajustada". Colocava-o diariamente em um contexto da simplicidade corriqueira, e ele aprendeu a considerá-la santa.

É interessante que a única pessoa que não parecia se encaixar no cenário do açougue era o pastor de Eugene. Ele não ia lá com frequência, mas, quando o fazia, chegava com ares de santarrão e usava linguagem afetada, que destoava da franqueza dos demais. Convém observar que essas visitas costumavam ocorrer sempre que um evangelista itinerante ou missionário visitava a cidade. O pastor "chamava [seu] pai de lado, colocava o braço sobre seu ombro e dizia com a mesma voz 'espiritual' que ele sempre usava para orar: 'Irmão Don, o Senhor colocou em meu coração que esse pobre servo de Deus não tem se alimentado bem e que ele seria grandemente abençoado por um de seus excelentes cortes de carne'". Eugene lembrava que seu pai, "habitualmente generoso, sempre lhe dava duas peças. Nunca o ouvi se queixar dessa situação, mesmo quando os outros açougueiros trocavam olhares expressivos e eu morria de vergonha do pastor, que parecia tão deslocado naquele local santo de trabalho".

* * *

À medida que os negócios de Don Peterson foram prosperando, seus compromissos na comunidade aumentaram. Foi nomeado membro do conselho do Exército da Salvação, do conselho da Faculdade Evangel e, por muitos anos, trabalhou com os Gideões. Além de tocar saxofone na igreja, também era superintendente da escola dominical. Durante um breve envolvimento com a política, chegou a trabalhar no comitê de finanças de um candidato ao congresso.

Aquilo que Don tinha de melhor a oferecer nunca era dedicado a seu lar. Sua prosperidade ofuscou aquilo de que Eugene mais precisava: um pai que conhecesse e amasse seu filho. "Eu trabalhava para meu pai sempre que podia, depois das aulas e nos finais de semana", recordou Eugene. "Gostava do trabalho. Papai cuidava bem de seus funcionários. Tratava-os de forma generosa e atenciosa. Mas ele não se saía muito bem como pai." Embora Eugene se destacasse como corredor e jogador de basquete no ensino médio, seu pai nunca ia ao ginásio nas noites de sexta, nem aparecia na arquibancada para assistir às corridas do filho. Certo dia, depois de uma competição em que Eugene quebrou um recorde estabelecido de longa data, ele e seu pai caminhavam pela avenida principal de Kalispell quando um amigo de Eugene correu até ele e, todo empolgado, bateu em suas costas e gritou: "Gene, sua corrida hoje foi *espetacular!*". "Obrigado", Eugene respondeu.

Enquanto o amigo se afastava, Don lançou um olhar perplexo para o filho. "Do que ele estava falando, Eugene?" Aquela pergunta foi a gota d'água. O ressentimento, em fervura lenta havia tempos, entrou em plena ebulição, e Eugene simplesmente foi embora, sem responder. Muitos anos depois, Eugene lamentou o fato de que seu pai lhe escreveu apenas uma carta em toda a sua vida, e que foi para expressar preocupação com um desentendimento que teve com a mãe de Eugene e pedir conselho do filho. Ele não tinha nenhuma lembrança de ser abraçado pelo pai, ou de ouvi-lo dizer "Te amo" ou "Estou orgulhoso de você".

Mesmo depois que Don se aposentou, continuou a trabalhar meio período como corretor de imóveis em um pequeno escritório no centro da cidade. Estava sempre atendendo clientes, sempre fechando algum negócio. Décadas depois, Eugene percebeu que tinha a mesma compulsão de buscar realizações e reconheceu a ameaça que essa exigência de alcançar sucesso representava para sua vida. Como seu pai, queria vencer, fazer e acontecer, ser respeitado e considerado bem-sucedido e competente; queria estar no centro de tudo. Mas, ao refletir sobre o vazio que ficou no lugar que deveria ter sido ocupado pelo amor do pai, resistiu

FILHO DO AÇOUGUEIRO

tenazmente ao efeito desumanizador e prejudicial para os relacionamentos que o modelo de negócios americano poderia exercer sobre sua alma e sobre a igreja. Trabalho e realizações podiam ser um vício sedutor, tão ardente e profundo quanto uma garrafa de uísque Thunderbird.

* * *

Muitas vezes, educamos nossos filhos tal como fomos educados por nossos pais, e a verdade é que o pai de Don Peterson também não se saiu muito bem nesse papel. Matilda, mãe de Don da qual ele mal se lembrava, passou anos em um manicômio em Sioux City, Iowa, onde faleceu. Sua existência foi praticamente apagada da história da família. O pai de Don, Herman, que também lidava com vários problemas, procurava alívio para a dor no álcool. Herman era um artífice de grande habilidade, exímio carpinteiro que produzia belas peças de pinho, carvalho e abeto, aptidão que Don, e depois Eugene, também herdaram. Mas Herman só conseguia permanecer sóbrio por breves períodos. Morava parte do tempo com sua filha em Seattle, e parte em Kalispell com Don. Não era raro a irmã de Don lhe telefonar e pedir que fosse buscar o pai quando tinha outra recaída. De acordo com Eugene, tanto seu avô quanto o irmão de seu pai "eram dois bêbados".

Durante uma das estadias do vovô Herman com a família de Eugene em Kalispell, ele construiu uma garagem e uma varanda fechada para a casa. Enquanto Eugene o observava, ia aprendendo o ofício de carpinteiro. Vovô Herman tinha um canivete, que ele usava para "transformar carretéis em piões e entalhar animais em restos de madeira" como presente para Eugene. Ele dormia na cama do quarto de Eugene, e Eugene dormia no chão. Eugene se recordava de uma noite especialmente malcheirosa, em que vovô Harman voltou para casa depois de muitas horas estacionado com a barriga junto ao balcão do bar. Eugene acordou com o fedor de vômito e fezes espalhados pelo chão, e o avô deitado sobre a própria sujeira. Segurando o nariz para não sentir o mau cheiro, Eugene foi tomado não de nojo, mas de tristeza por aquele homem que ele amava.

Certa manhã, Don recebeu uma ligação desesperada de sua irmã e levou Eugene consigo na viagem para Seattle. Quando chegaram, o vovô Herman havia falecido, vítima de uma briga de bar. No funeral, Helen, tia de Eugene, "se atirou sobre o caixão e, segurando o rosto do pai com as duas mãos, repetiu entre lágrimas: 'Papai, papai, papai, ah, papai...'". Anos depois, Eugene refletiu sobre o impacto dessas circunstâncias: "Creio que todos os alcoólatras com os quais deparei eram meu avô".

No caminho de volta para Kalispell, o pai de Eugene permaneceu em silêncio, o olhar fixo adiante. No banco ao lado, Eugene olhava pela janela, confuso e triste. Duas almas solitárias percorreram em silêncio quilômetros vazios.

Essa solidão mesmo quando estavam juntos se tornou um tema. Todos os anos, Don convidava amigos para caçar cervos nas montanhas. Diante de tendas enfileiradas, o grupo se reunia ao redor do fogo crepitante e contava histórias. A cada manhã, Eugene acordava com o aroma de linguiça chiando no calor da frigideira de ferro e panquecas fritando na chapa. Eram dias de grande prazer, mas, ainda assim, ele caminhava sozinho pela floresta silenciosa. "Quase todos os dias, eu via um cervo", relatou, "mas não tinha coragem de atirar nele." Em vez disso, atirava para o alto e assustava o cervo, que fugia e se escondia no mato. À tarde, Eugene voltava para o acampamento e dizia, cabisbaixo: "Ele escapou". Eugene nunca contou para ninguém que estava apenas dispersando os cervos por vários quilômetros ao redor.

* * *

Don Peterson jurou que não repetiria a vida trágica de seu pai e, portanto, nunca bebeu. Além de diligente, Don também era exemplo de generosidade efusiva. Muitas vezes, ficava sabendo de alguém que precisava de um lugar para morar e entregava aos vizinhos pasmos as chaves de uma casa pequena, ou fazia um contrato de aluguel com valores reduzidos. Ainda assim, o distanciamento entre Don e Eugene persistia.

Certa vez, Don chegou em casa com um filhote de *cocker spaniel* em uma caixa de papelão. Para desalento de Eugene, seu pai já havia escolhido um nome para o filhote, um nome que o jovem Eugene detestou. "Era um péssimo nome", comentou. Eugene se desmanchou em lágrimas de desespero, e não havia quem pudesse consolá-lo. Depois de meia hora de choro e protestos, o pai cedeu. "Dê o nome que quiser", disse. E Brownie se tornou o companheiro fiel de Eugene.

É possível que aquele filhote tenha sido a tentativa do pai de consolar o filho em meio a uma tristeza arrasadora. Quando Eugene tinha 4 anos, sua irmã, Lois, de 2 anos, pegou pneumonia e passou dias agonizantes no hospital antes de falecer. Eugene tinha enorme afeição por Lois e, para diverti-la, plantava bananeira e virava estrelas no quintal. Quando os pais de Eugene voltaram para casa, abatidos com a terrível notícia, a tristeza tomou conta de seu lar. Alguns dias depois da morte de Lois, a mãe de Eugene o encontrou no quintal, virando estrelas e plantando bananeira, com pausas entre uma exibição e outra de ginástica em que olhava para o céu e, acenando, perguntava: "Você viu, Lois? Viu só?".

Em 1946, Don Peterson comprou um terreno de oito mil metros quadrados à beira do Lago Flathead, em Kalispell, e começou a construir uma casa para a família. Embora Eugene tivesse apenas 13 anos, buscava os materiais na Madeireira O'Neil, colocava-os na caminhonete da GMC e os levava para o terreno junto ao despenhadeiro. Foi ali que aprimorou sua técnica com serra e martelo ao trabalhar ao lado do pai. No fim do dia, o restante da família chegava e, depois que as ferramentas eram guardadas, todos se sentavam para contemplar o espelho de água e comer frango e salada de batata.

Sentado na mesma casa, cabelos grisalhos e mãos enrugadas, Eugene falou das memórias daquele verão que passou trabalhando na construção com seu pai, de como foi a única experiência de ligação mais próxima entre os dois, trabalhando lado a lado, suor salgado escorrendo pelo rosto durante as longas horas do verão de Montana, fazendo pausas para tomar fôlego, descansar os ombros e apreciar, daquele lugar silencioso e santo, a vista esplendorosa formada por lago e montanhas. Foi um verão de poucas palavras, mas poucas eram necessárias. Talvez esse tempo seja mais um motivo pelo qual a casa junto ao lago sempre foi, de modo tão cativante, o verdadeiro lar de Eugene, o lugar ao qual ele pertencia e ao qual sempre voltava quando precisava fugir da notoriedade e de outras seduções e retornar aos fundamentos. Talvez ainda permanecesse ali um pouco de sua ligação com o pai. Talvez essa ligação fizesse parte da paz e do senso de vínculo associados à casa. Talvez fosse um dos fios da trama do lugar que, um dia, ele chamaria Casa Selah.

4

A natureza da busca

"Qual é a natureza da busca?", você pergunta.

Na verdade, é bastante simples, pelo menos para um sujeito como eu; tão simples que é fácil não enxergá-la.

A busca é o que qualquer um empreenderia se não estivesse afundado na banalidade da própria vida. Hoje cedo, por exemplo, senti como se houvesse recobrado a consciência em uma ilha desconhecida. E o que faz esse náufrago? Ora, ele vasculha seus arredores e não perde nenhum detalhe.

Tornar-se consciente da possibilidade da busca é descobrir algo. Não descobrir nada é estar em desespero.

Walker Percy, *The Moviegoer*

Dois anos depois da morte da pequena Lois, Eugene, então com 6 anos, ficou encantado quando outra irmã, Karen, nasceu. Kenneth, o irmãozinho de olhos cintilantes, completou o trio quando Eugene tinha 12 anos.

Eugene gostava de ser o mais velho e de cuidar dos irmãos. Certa vez, colocou Karen na garupa de sua bicicleta para passear pelas ruas menos movimentadas de Kalispell, pedalando a toda velocidade. No entanto, as pernas de Karen se cansaram, e ela enroscou o pé nos raios da roda. Com a parada repentina, ambos foram atirados ao chão, e Karen ralou a pele descoberta no metal e no cascalho. "Eu gritava como se alguém estivesse me matando", recordou ela. Pedregulhos salpicavam sua carne e via-se um pedaço de osso. Em pânico, estirada junto à rua, Karen berrava a plenos pulmões. Então, Eugene a tomou nos braços e a carregou o caminho todo até em casa. Assim era ele como irmão, impelido naturalmente a agir diante do sofrimento. Levava a sério seu papel de primogênito de dedicar atenção e cuidado à família.

Seu cuidado abrangia a mãe, cujo exterior corajoso e efervescente escondia uma angústia profunda. Embora Evelyn fosse uma importante presença emocional no lar dos Petersons, não abrandava a dor de Eugene pela ausência do pai. "Mesmo naquela época, eu sabia que desejava mais afeto de meu pai, mas nunca falava sobre ele com minha mãe", Eugene comentou. Ao que parece, Evelyn também sentia a ausência de Don e sofria grande solidão no casamento. Quando Eugene tinha 10 anos, Evelyn levou Eugene e Karen para Weldon, Saskatchewan, no Canadá, para passar um tempo com a irmã dela em uma tentativa drástica de chamar a atenção do marido. A viagem foi uma aventura, mas também fortemente inquietante, com sua mãe encenando uma separação escândalosa de seu pai. O primo de Eugene, um garoto de 15 anos, foi buscá-los na estação de trem em Prince Albert à meia-noite e os levou para casa (de trenó puxado por um cavalo), onde passaram seis semanas. "Minha mãe era extremamente sensível", Eugene me contou. "Falava de meu pai para mim. Ele trabalhava muito e costumava chegar tarde em casa. Ele adorava trabalhar, e ter um negócio bem-sucedido significava trabalho árduo." Mas é claro que essas longas horas de trabalho causavam sofrimento em casa, e a solidão conjugal de Evelyn era um peso adicional para Eugene. "A certa altura, percebi que, durante algum tempo (talvez desde a metade do ensino médio até a faculdade), ela me tratava mais como marido que como filho: fazia confidências e dependia de meu apoio emocional. Eu imaginava que fosse natural, algo que as mães fazem."

* * *

Claro que havia uma história complicada por trás dessa dinâmica. Evelyn tinha se desiludido com outro homem, que a havia abandonado de forma completamente diferente quando ela era bem jovem. Enquanto Ernie, o tio ateísta, era o predileto de Eugene, ele nunca conheceu o irmão predileto de sua mãe, Sven. Com histórias vívidas e empolgantes, Evelyn retratava Sven como o irmão gregário, que a levava para andar a cavalo e que a encantava com contos mágicos da Noruega. Sven era o leiteiro da cidade e sempre cumprimentava a todos com grande animação. Se não fosse pela carroça de leite, seria fácil imaginar que ele era o prefeito.

FOGO EM MEUS OSSOS

E onde ele estava? Sven havia falecido, e Eugene tinha uma porção de perguntas a seu respeito. Mais tarde, desejoso de saber o que havia debaixo do manto de tristeza e segredos que envolvia Sven, o jovem Eugene buscou respostas fora da família. Em meio aos livros empoeirados da biblioteca de Kalispell, edições amareladas do jornal *Daily Inter Lake* o ajudaram a juntar as peças da história de seu tio.

Myrtle, tia de Eugene, perdeu o primeiro marido, assassinado na balsa *Eureka*, na Califórnia. Depois desse terrível capricho do destino, ela vendeu tudo o que tinha, pegou suas economias e foi para Montana, onde se casou com Sven, então um rapaz de 23 anos. De imediato, Sven começou a torrar o dinheiro de Myrtle e, certa vez, ela o surpreendeu no quarto deles com outra mulher. A noite de núpcias do casal, porém, foi especialmente infausta. Depois de Sven sumir e beber até altas horas, voltou às quatro da manhã para sua noiva transtornada e furiosa. Chegou com uma atitude agressiva, um revólver no cinto, e espancou a esposa. Sven disse a Myrtle que iria "domá-la, como havia domado tantas outras mulheres", uma ameaça que ele fez em mais de uma ocasião.

Quando estavam casados fazia seis semanas, Sven ficou até tarde no bar e voltou para o quarto deles no Hotel Bienz embriagado e ainda mais hostil que de costume. Ao ir para a cama, enfiou o revólver debaixo do travesseiro. Os ânimos se exaltaram. Sven, bravo porque o dinheiro estava acabando, disse a Myrtle que fosse à rua e usasse seu corpo como fonte de renda. Myrtle se recusou a fazê-lo. A briga se intensificou, e Sven bateu em Myrtle, que pegou o revólver e atirou em Sven. O tiro acertou a orelha direita. Com sangue correndo pelo rosto, Sven contra-atacou e Myrtle atirou mais três vezes, até Sven cair no chão. Quando o xerife chegou, encontrou Myrtle de camisola, em pé junto ao corpo de Sven e horrorizada com o que havia feito.

Quatro meses depois, quando seu julgamento teve início, o tribunal estava abarrotado de expectadores, muitos em pé junto às paredes. O juiz Thompson advertiu que os testemunhos não seriam "apropriados para os mais sensíveis [...] se há mulheres presentes que desejem sair, façam-no agora". Exceto por uma moça conduzida para fora por um dos funcionários, a sala permaneceu lotada com o povo da cidade que se inclinava para ouvir melhor cada detalhe sórdido. O júri absolveu Myrtle e, no dia seguinte, ela embarcou no primeiro trem que partiu da cidade. A família nunca mais teve notícias dela.

A NATUREZA DA BUSCA

Essa tragédia revelou partes mais sombrias da história da família de Eugene e o fez deparar intimamente com a complexidade humana: podemos ser bons e, ao mesmo tempo, violentos. Uma pessoa pode dar ao mundo alegria e tristeza. No ensino médio, quando Eugene sonhava tornar-se escritor de ficção, imaginou que a história de Sven poderia ser transformada em um livro emocionante. Embora ele nunca tenha escrito nenhuma obra de ficção, a triste história de Sven apareceu em um de seus textos:

Quando por fim me tornei pastor, fiquei surpreso de ver que Sven havia me inoculado completamente contra os sistemas de cuidado espiritual de "uma resposta só". [...]

Graças a Sven, estava sendo preparado para entender a igreja como uma congregação de pessoas que requer um contexto amplo como a Bíblia para tratar das ambiguidades da vida nas circunstâncias reais em que são vivenciadas. [...] Para mim, a igreja viria a ser uma obra em andamento, um romance em que tudo e todos são interligados em um enredo de salvação no qual Jesus tem a última palavra. Nada de reduzir outros a estereótipos.

* * *

A preocupação de Eugene com as pessoas se estendia além de sua família biológica. Quando ele era adolescente, sua mãe o encarregou de visitar a Irmã Lydron, uma senhora da igreja. A Irmã Lydron morava em uma casa coberta de samambaias e com cortinas de renda sempre fechadas. Evelyn pedia ao filho que fosse ver como estava a senhora idosa e sempre mandava algum prato quente ou biscoitos. Eugene relatou: *Certa vez, estava sentado na cadeira de balanço na casa da Irmã Lydron, conversando sobre amenidades, o que com certeza não era meu forte [...], e ela pediu que eu orasse por ela. Ainda me lembro da sensação de "adequação", de que era isso que eu havia sido criado para fazer, de que esse era o cerne de meu ser.* Relacionamento próximo, que se desdobra sem pressa. Naturalidade em oração e presença. Logo cedo, Eugene sentiu os primeiros movimentos interiores de sua verdadeira identidade, muito antes de ter o vocabulário para explicá-los.

* * *

Eugene se aproximava instintivamente daqueles que estavam à margem. Costumava caminhar pela Rodovia Meridian para jogar xadrez com um garoto da vizinhança que usava cadeira de rodas. No grupo de jovens da igreja, Eugene sempre acabava sentando-se perto de quem estava sozinho. Cuidava até de cachorros abandonados. Um velho buldogue chamado Sarge marcava ponto diante do Bar Pastime, na avenida principal da cidade. Bêbados enchiam a tigela de Sarge de cerveja e, lá pelo meio-dia, o cachorro estava tão embriagado quanto os frequentadores do bar. Sempre que Eugene fazia uma entrega de carne no Pastime, encontrava maneiras de ajudar o pobre Sarge.

Quando Eugene tinha 10 anos, um escândalo explodiu na vizinhança. Um homem que morava na casa do outro lado da rua dos Petersons pegou o filho fazendo sexo com um bode. Entre Eugene e seus amigos só houve sussurros, mas todos sabiam que o garoto havia sentido a plena medida do furor de seu pai. Naquela noite, o garoto se enforcou. Eugene nunca se esqueceu dessa história, e sempre se entristecia ao se lembrar do isolamento e da vergonha do menino. Enquanto a maioria dos rapazes teria transformado um episódio desses em piada ou reprimido qualquer sentimento, a angústia da tragédia despertou compaixão no jovem coração de Eugene.

Durante o ensino médio, todas as tardes de sábado Eugene enchia a caminhonete com lixo do açougue e carregava para o lixão caixas e pedaços de papel pardo cheios de sangue. O zelador que cuidava do lixão era um senhor idoso, com dificuldades cognitivas. Morava em um casebre ali mesmo e sempre convidava Eugene para entrar e ver as bugigangas que ele havia juntado. Na maioria dos sábados, Eugene levava consigo um rifle calibre .22 para praticar tiro ao alvo nos ratos que corriam por sobre os montes de lixo. Eugene atirava nos ratos, e o senhor aplaudia. "Em alguns aspectos, ele parecia uma criança", Eugene se recordaria anos depois.

Em uma dessas tardes, aquele senhor tentou tocar em Eugene de forma sexual. Estarrecido, Eugene o repeliu. Ainda assim, escolheu não se afastar completamente do homem solitário. E, embora sua decisão por certo não seja exemplo de prudência nem de como se deve lidar com alguém que demonstra comportamento predatório, Eugene voltava de vez em quando ao lixão e atirava nos ratos para dar um pouco de alegria ao zelador. "Como não aceitar uma pessoa como essa em sua vida?", Eugene explicou.

A NATUREZA DA BUSCA

* * *

Nem sempre, contudo, Eugene era tão generoso. Cecil Zachary, o valentão da escola, morava em uma casa de madeira rústica, em "um terreno cheio de caminhonetes e carros tomados de ferrugem", duas quadras da casa dos Petersons. Eugene havia se aventurado a ir à casa da família Zachary apenas uma vez, quando, em um dia de frio intenso, a mãe de Cecil convidou Eugene e dois amigos que estavam com ele para entrar, aquecer-se junto ao fogão a lenha e comer uma tigela de ensopado de alce. Eugene tinha certa reverência, e certo terror, do garoto imenso que vestia uma camisa de flanela vermelha até no verão e "andava com uma ginga que [Eugene] admirava e tentava imitar". No início do primeiro ano, Cecil zombava de Eugene e, em diversas ocasiões, foi atrás dele e lhe deu uma surra depois da aula. Eugene suportou essa situação ao longo de meses, repetindo para si mesmo mantras bíblicos para abençoar quem nos persegue e dar a outra face. Por fim, em um dia de vento forte em março, quando, mais uma vez, Cecil atormentava Eugene em um terreno baldio, Eugene explodiu.

Foi quando aconteceu. Nada premeditado. Completamente atípico. Algo estalou dentro de mim. Por apenas um momento, os versículos bíblicos desapareceram de minha consciência, e eu o agarrei. Para minha surpresa, e dele, percebi que eu era mais forte que ele. Derrubei-o no chão, sentei sobre seu peito e prendi seus braços com meus joelhos. Era inacreditável: ali estava ele, debaixo de mim. Impotente. À minha mercê. Era bom demais para ser verdade. Dei alguns socos em seu rosto. Foi tão bom que o soquei novamente. Sangue escorria de seu nariz, um lindo carmesim na neve. A essa altura, outras crianças torciam e diziam para eu bater mais. "Acerta no olho!", "Quebra os dentes dele!". Os espectadores derramavam uma torrente de imprecações bíblicas.

Mas o melhor ainda estava por vir.

Eu disse [a Cecil]: "Pede água!". Ele se recusou a pedir. Bati nele novamente. Mais sangue. Mais torcida. Agora, a plateia fazia aflorar o que havia de melhor em *mim*. Foi então que minha educação cristã se reafirmou. Ordenei: "Diga: 'Creio em Jesus Cristo como meu Senhor e Salvador'". Nada.

Bati nele novamente. Mais sangue. Tentei outra vez: "Diga: 'Creio em Jesus Cristo como meu Senhor e Salvador'".

E ele disse. [Cecil Zachary] foi meu primeiro convertido a Cristo.

Em 2006, Eugene pregou em uma igreja episcopal em Bigfork, Montana, e contou a história dessa briga de infância. Depois do culto, uma mulher veio falar com ele e lhe informou que Cecil morava a apenas algumas quadras da igreja e que, seis semanas antes, tinha falecido, firme na fé em Cristo. "Senti-me um tanto justificado em minhas estratégias de evangelismo", disse Eugene. Mas essa foi a primeira e a última vez que ele socou o evangelho em alguém.

* * *

Talvez Eugene fosse atraído por aqueles que viviam à margem porque se identificava com eles. Desde menino, passava longas horas sozinho, caminhando pela floresta ou cercado de livros no prédio de tijolos vermelhos da Biblioteca Carnegie, em Kalispell, uma das 2.500 bibliotecas que Andrew Carnegie construiu em diversas regiões dos Estados Unidos. Eugene não gostava da escola, mas amava livros e tinha curiosidade insaciável. Aos 11 ou 12 anos, encontrou na rotunda da biblioteca a *Crítica da razão prática*, de Kant, e *A história da filosofia*, de Durant. Absorto, não se dava conta da passagem das horas. Embora mal conseguisse ligar devidamente uma palavra à outra, a absoluta profundidade e audácia das ideias o encantavam. Eugene descobriu os naturalistas John Muir e Henry David Thoreau, que expressaram as profundezas de espírito encontradas no mundo selvagem. Emily Dickinson deu início a seu caso de amor vitalício com a poesia. E por onde começar a falar das obras de ficção? Ele foi cativado. James Fenimore Cooper, Liev Tolstói, Charles Dickens, A. B. Guthrie Jr., Nathaniel Hawthorne e Herman Melville. Esses autores alimentaram no jovem Eugene a paixão por histórias. Anos a fio ele se imaginou como futuro escritor de ficção que teceria narrativas com as palavras de sua mente. Na Carnegie, a imaginação de Eugene alçou voo em uma vasta e indômita região interior.

Mesmo quando Eugene mal sabia andar, sentia-se atraído pelo amplo panorama selvagem de Montana, bem como pela solitude. Quando sua mãe se distraía, muitas vezes ele saía furtivamente para o quintal e ia explorar a vizinhança. (Sua mãe exasperada por fim elaborou um plano: amarrou uma corda na cintura dele e a prendeu com um gancho no varal. Eugene podia caminhar à vontade, mas apenas no quintal.) Depois que Don, com o filho adolescente a seu lado, construiu a casa na beira do lago, Eugene passava dias ali na companhia apenas de seus pensamentos e da água.

Na adolescência, durante um breve ano em que a família voltou a Seattle, nas horas vagas Eugene pegava um ônibus e ia sozinho para o centro da cidade. Todos os sábados, recebia $1,50 de mesada e pegava o ônibus para a Torre Smith, um arranha-céus de 38 andares, o prédio mais alto da Costa Leste antes da construção da Space Needle, em Seattle. Eugene caminhava pelas ruas à sombra do prédio, um garoto solitário a observar as pessoas e sentir o pulso da cidade. Quando Eugene entrava pelas portas imponentes da loja de departamentos Bon Marché e passava pelo balcão de perfumes, o departamento de roupas e fileiras e mais fileiras de sapatos, era impossível não arregalar os olhos diante de sete andares de *glamour* e sofisticação. Dali, ele prosseguia para outra loja, a Frederick & Nelson, com seus balcões de vidro cheios de brincos de prata e relógios, e lançava um olhar demorado em direção às sobremesas de chocolate servidas no salão de chá. Em seguida, percorria as lojas de filatelia e acrescentava um ou dois selos a sua coleção. Junto ao porto, observava os navios. Seattle era um mundo mágico, que parecia muito distante de Kalispell, e Eugene o explorou completamente sozinho. O ambiente urbano abriu seus olhos para outras culturas e para um mundo mais amplo. Enquanto ele caminhava despercebido pelas ruas apinhadas de gente, Seattle também lhe ensinou que não são necessários céus abertos e florestas para experimentar silêncio interior. É possível vivenciar solitude mesmo no meio da multidão efervescente.

* * *

A cidade tocou algo dentro do menino. Mas era a natureza de Montana que sempre o chamava de volta. "Eu era um andarilho", Eugene recordou, com um cintilar da velha liberdade nos olhos. Ao norte de Kalispell, havia uma comunidade indígena constituída das tribos confederadas de Salish e Kootenai, que procuravam preservar ao menos um pouco de seu modo de vida anterior ao período em que os brancos dizimaram os búfalos e criaram a Reserva Flathead.

FOGO EM MEUS OSSOS

Fileiras de tendas feitas à mão ladeavam o Rio Stillwater, abrigando a comunidade que caçava na Serra Mission, trabalhava com couro, confeccionava peças com miçangas, e trocava carne, peles, couro e artesanatos por outros produtos na cidade. Embora essas tribos fossem vizinhas de Eugene, ligadas à história da região muito antes de Kalispell existir, Eugene se lembrava das nítidas divisões. A única pessoa indígena de quem Eugene sabia o nome era Pena Bela, uma mulher que ia ao açougue todos os sábados, com mocassins nos pés e um cobertor tecido à mão nos ombros. De um saquitel de couro pendurado no pescoço, Pena Bela tirava moedas para pagar por joelho, pés, fígado e bucho de porco e chouriço. Essa era o único contato de Eugene com as tribos, e seu pai tinha uma regra rígida: fique longe do acampamento. A curiosidade, porém, cutucava Eugene.

Em uma tarde de primavera, essa curiosidade venceu. Eugene e o filho do pastor saíram às escondidas e pedalaram em direção ao norte proibido, o coração batendo forte. Influenciados por uma imaginação excessivamente ativa, imersa em estereótipos absurdos, seu grande medo era que fossem descobertos e massacrados por guerreiros de cara pintada. Ainda assim, criaram coragem e se aproximaram sorrateiramente para dar uma espiada. Depois de alguns minutos observando do meio do mato o que se passava no acampamento, os dois rastejaram de volta até onde haviam deixado as bicicletas e rumaram para casa. Eugene não estava mais com medo de cair em uma emboscada de guerreiros. O que o fez pedalar como louco foi a possibilidade de ser descoberto por seu pai.

Cada vez que os garotos avistavam um carro ao longe na estrada, iam mais devagar e tentavam identificar quem estava dirigindo. Se o sujeito tinha uma vaga semelhança com o pai de Eugene, os dois atiravam as bicicletas na vala junto à estrada e se escondiam ali até o carro passar. Depois de vários sustos, mais um veículo surgiu no horizonte. Eugene, procurando aguçar a vista, percebeu que não era da mesma cor que o carro de seu pai e, aliviados, Eugene e seu amigo pedalaram adiante. O que eles não sabiam era que o carro de Don estava na oficina. Ele havia tomado emprestado o carro de um amigo e, por acaso, estava voltando para a cidade naquela mesma hora fatídica. "Foi a primeira vez que meu pai me deu uma surra", Eugene comentou. "Bem ali, na beira da estrada." Eugene fez uma pausa, lembrando-se da parte mais lamentável: "Mas o filho do pastor nem sequer levou uma bronca".

A NATUREZA DA BUSCA

* * *

Volta e meia Eugene partia em uma aventura, e muitas vezes levava um amigo. Jerry Olsen foi um companheiro frequente na época do ensino médio. Jerry era filho do barbeiro, um senhor que impunha respeito, fumava um charuto atrás do outro enquanto conversava com os clientes e usava a tesoura com movimentos rápidos, fazendo cabelo cair ao redor como folhas de outono. Como o açougue, a barbearia Olsen era um lugar simples, de calor humano. Para Eugene, portanto, era um lugar santo.

Jerry e Eugene ficaram extasiados quando a estação de esqui Big Mountain foi inaugurada em Whitefish, pouco mais de quarenta quilômetros ao norte. Na época, Eugene dirigia um Chevrolet cupê, com um assento que se abria da parte traseira do carro. "Eu era o único garoto da turma que tinha carro", Eugene disse com um sorriso discreto. Assim que a estação em Big Mountain começou a funcionar, aos sábados, Eugene, Jerry e mais cinco amigos lotavam o carro minúsculo e serpenteavam pelas estradas cobertas de gelo na montanha traiçoeira. Embora Big Mountain tivesse apenas um teleférico para levá-los ao topo, eles esquiavam sempre que podiam, um bando de malucos cheios de espinhas no rosto, voando montanha abaixo.

* * *

No ensino médio, Eugene tinha uma porção de amigos, e todo mundo gostava dele. Era atlético, amigável e, já naquela época, tinha um porte de líder sereno. Todavia, nunca se desvencilhou da sensação de alheamento que o acompanhava desde a infância. Não se enturmava plenamente.

Não era introvertido. Pelo contrário. Fez parte do elenco da peça de Natal da escola. Tocava cornetim na banda. E participou de um julgamento simulado durante uma assembleia geral, sob o pesado martelo de Vossa Excelência, o juiz John Engebretson.

E, é claro, ele era *veloz*. Era a estrela da equipe de atletismo nas corridas de meia distância, descrito no jornal *Daily Inter Lake* como campeão com "reviravoltas espetaculares" nas corridas de 440 e 880 jardas da competição em Polson. A página de esportes chegou a lamentar a ausência de Eugene dos treinos em razão de sua viagem a Columbus, Ohio, para o congresso do Key Club (organização nacional de liderança estudantil).

E, não se sabe como, Eugene ainda encontrava tempo para jogar na defesa do time de basquete, o que lhe rendeu um prêmio por sua excelência.

Ainda assim, sentia-se um intruso. É possível que essa sensação se devesse, em parte, à rígida educação pentecostal que recebeu e que o levou a ver os outros com suspeitas. Mas a dificuldade também dizia respeito a *ele*. A impressão de que não pertencia a nenhuma turma fazia parte de sua realidade interior, era uma qualidade interna que, com o tempo, deu forma a seus talentos e a seu legado.

Quando Eugene tinha 73 anos, uma tarde remando em um caiaque o levou de volta à infância.

Ontem levamos os caiaques para o Lago Tally [...], o mais profundo (150 metros) de Montana. Foi minha primeira visita. [...] Quando era menino, no verão, todos os meus amigos que participavam do grupo escoteiro falavam do Tally, pois era onde os escoteiros acampavam. Quando Jan me perguntou por que eu queria ir a esse lago, respondi espontaneamente: "Porque nunca fiz parte da turma". Essa ideia não havia me ocorrido antes. Mas parece verdadeira: a velha sensação de ser um intruso pentecostal, de nunca estar "dentro" do grupo, nunca sumiu completamente. Essa sensação e a indiferença de meu pai em relação a mim explicam muita coisa a respeito de quem sou, de quem me tornei.

E algumas coisas se tornaram ainda mais claras depois do reencontro de quarenta anos de sua turma de ensino médio.

Ontem fomos ao 40º reencontro do ensino médio, em Big Mt. [...]. Estar no meio da turma e falar de amenidades com ex-colegas trouxe de volta os velhos sentimentos de desolação social, de ser um forasteiro, sentimentos dos quais escapei quando saí de Kalispell. Queria muito fazer parte daquele grupo de amigos chegados (e provavelmente teria sido aceito), mas a mentalidade sectária, tão fortemente gravada em mim, não permitiu. E, portanto, senti o isolamento e a dor emocional, a impressão de exclusão. Pergunto-me o quanto desse alheamento ainda está presente em minha psique, o quanto ainda me sinto um exilado que vive à margem.

* * *

A NATUREZA DA BUSCA

Durante a infância e a adolescência, Eugene também se sentia uma espécie de exilado espiritual. Entre os pentecostais, falar em línguas (glossolalia) era a experiência que servia de critério para os verdadeiramente fiéis. E Eugene ansiava ser fiel. No entanto, apesar de várias tentativas, não conseguia orar em línguas. Seu "fracasso" o atormentava.

John Wright Follette, pregador pentecostal, hospedou-se na casa dos Petersons quando Eugene tinha 15 anos. Follette, "um homem franzino, que lembrava um passarinho", era um místico pentecostal, mestre de coisas profundas da alma e da vida com Deus. Eugene, que tinha grande reverência por Follette, disse a sua mãe que desejava conversar com ele, e Evelyn sugeriu que o filho fosse até a varanda, onde Follette estava descansando em uma rede. Eugene se aproximou timidamente e perguntou: "Dr. Follette, como o senhor ora?".

O mestre nem sequer abriu os olhos. Apenas sorriu e resmungou: "Não oro há quarenta anos!".

"Fiquei aturdido", Eugene relatou décadas depois. "Saí de lá totalmente perplexo."

Ao longo dos anos, porém, o choque daquele momento revelou profunda sabedoria.

> A verdade é que eu teria imitado qualquer coisa que ele dissesse. Teria seguido as instruções dele e concluído que sabia o que era orar. Ele arriscou algo para me ensinar o que era oração, e sou grato por isso. A oração não era algo que ele fazia, mas algo que ele era. Ele vivia uma vida de oração. Levei uns seis ou sete anos para entender o que ele havia feito. Mas, com certeza, foi melhor que perder tempo tentando imitá-lo.

Nas férias antes de começar a faculdade em Seattle, Eugene conseguiu emprego no Departamento de Manutenção das Vias Públicas. Trabalhava sozinho no turno da noite, nas ruas escuras e sob as estrelas. Regava os canteiros que dividiam as ruas principais, nos quais havia bordos e alguns choupos. De vez em quando, um caminhão passava voando, sem respeitar o limite de velocidade, e buzinava, fazendo Eugene saltar para o meio-fio. Eugene tinha acabado de se formar no ensino médio, mas sua fome e sua consciência espirituais revelavam uma notável intuição. Nesses ritmos solitários do meio da noite, era como se ele fosse um frade cumprindo a vigília com o abade.

Os monges sabem o que estão fazendo quando se levantam às duas da madrugada para orar as *Laudes*. [...] Ao longo de todo aquele verão, guardei a vigília e aprendi lições sobre a vida de um monge, presente para ouvir o primeiro canto dos pássaros, para ver os primeiros raios de luz surgindo por trás da Serra Swan nas Montanhas Rochosas.

Não me tornei monge, mas, naquelas férias, tive um gosto de como seria.

Afinal de contas, o que ele fazia naquelas noites, enquanto arrastava mangueiras de um lado para o outro e regava a grama? Ele memorizava salmos e ia ao encontro da noite escura como se ela fosse sua versão pessoal do deserto que aparece no Saltério, vendo o sol despontar no leste da mesma forma que o salmista desejava que Deus rompesse a nova alva. De algum modo, esses textos se tornaram mais que linhas para memorização ou para aquisição de benefícios espirituais; abriram um mundo vasto no qual Eugene ingressou. Como Israel, Judá e Canaã, Kalispell também era um lugar sagrado.

"Quando saí de casa e fui para a faculdade depois de trabalhar naquelas férias", Eugene escreveu posteriormente, "deixei uma terra santa. Ruas e trilhas, colinas e montes, rios e lagos, tudo era solo santo, o vale em que eu havia crescido era um espaço sagrado. E ainda é". No entanto, Eugene também encontraria Deus em uma nova geografia. Seattle seria o próximo cisco de solo santo, o lugar em que sua busca teria continuidade.

Eugene tinha ouvido muita coisa a respeito da Faculdade Seattle Pacific (hoje, Universidade Seattle Pacific). Sentia-se atraído por aquele lugar. Seattle era território conhecido e repleto de maravilhas. Outro ponto a favor da instituição era sua fama crescente de integrar fé com estudo rigoroso. Embora Eugene ainda não conseguisse dar nome ao fogo que ardia em seus ossos, sentia um magnetismo que o puxava para a verdade e a beleza que ele imaginava que existisse no cerne das coisas. Ao fazer uma retrospectiva de sua vida, percebo que ele estava buscando algo que ampliasse seus horizontes, algo que fortalecesse seu desejo de conhecer, ou melhor, de *participar* daquilo que era real.

Esse anseio por aquilo que era real não constituía, para Eugene, apenas a autodescoberta da adolescência; antes, era um elemento essencial de seu tecido interior. Nesses anos formativos — com seus irmãos e amigos, com sua curiosidade sobre as dificuldades da vida na reserva indígena, com as perguntas para o Rev. Follette na rede, com as tardes da infância vagando sozinho pelas ruas abarrotadas de Seattle, com Cecil no terreno baldio

— Eugene tinha um desejo insaciável por aquilo que era real, concreto. Aquilo que ia além de qualquer artificialidade. Além da superfície. Além de tudo o que fosse trivial ou teórico. Eugene estava sempre buscando, sempre receptivo, sempre à procura de coisas verdadeiras e sólidas. Sempre tinha mais perguntas — e um poço profundo de admiração diante das muitas possibilidades com as quais poderia deparar — que respostas. Esse era um dos motivos pelos quais relutava tanto (para frustração de muitos) em aconselhar outros, um dos motivos pelos quais tinha aversão à celebridade: ele sabia que os posicionamentos de especialistas motivados pelo ego eram mentiras e ilusões. Por isso, Eugene preferia orar com alguém a discutir teologia; por isso, ficava ansioso para receber a ligação de um vizinho ao mesmo tempo que figuras proeminentes deixavam recado em sua caixa postal: a amizade (com Deus e com a outra pessoa) era *real*.

Ao longo dos anos que interagi com Eugene, perdi as contas das vezes que ele *não* respondeu a alguma de minhas perguntas, alguma ardente preocupação e que parecia exigir uma resolução. Não era exatamente uma recusa de Eugene em responder; simplesmente acabávamos falando de outra coisa. De algum modo (não sei explicar como acontecia), meia hora depois estávamos tratando de um assunto completamente diferente. Hoje, vejo que Eugene não estava sendo reservado ou obstinado; antes, estava à procura de perguntas mais verdadeiras, tentando enxergar como Deus estava se manifestando em nossa vida em si, em nossa conversa em si... naquele momento, naquele lugar. Eugene estava empreendendo uma busca e queria que eu o acompanhasse. Uma de minhas imagens prediletas de Eugene é da ocasião em que o vi de bermuda no deque de sua casa, pele enrugada e branca feito um lírio, prestes a mergulhar no lago. Foi assim que Eugene viveu toda a sua vida: mergulhando de cabeça nas profundezas, no que era real.

* * *

Naquele momento, contudo, a busca estava apenas começando. A família de Eugene e seu lar em Montana tinham lhe proporcionado amor, bem como sofrimento. Ele havia aprendido a se abrir e se deixar maravilhar. Conhecia a dor do desejo intenso e o aroma da impetuosidade tão bem quanto conhecia os contornos do Monte Aeneas e o cheiro de pinho.

Ainda assim, ele ansiava por algo. E seu anseio, como a corrente lenta mas contínua de um riacho, o levou adiante.

5

Horizonte promissor em Seattle

O céu em Seattle é tão baixo que Deus parecia ter colocado sobre nós um paraquedas de seda. Todos os sentimentos que já experimentei estavam ali, naquele céu.

Maria Semple, *Cadê você, Bernadette?*

Em setembro de 1950, caminhando contra o vento frio, Eugene embarcou em um trem da Great Northern Railway, a mesma linha que havia levado sua família para Montana quase meio século antes. Enquanto o trem se movia pesadamente por longos trechos de terreno difícil, Eugene observava da janela, perdido em pensamentos, quilômetros passando por ele ao ritmo das rodas nos trilhos. Planícies douradas se estendiam em direção a montes escarpados envoltos em florestas cor de esmeralda; baforadas da locomotiva pontuavam com pequenas nuvens cinzas o vasto céu azul. A temperatura cada vez mais baixa e os dias cada vez mais curtos preparavam a região para sua capitulação anual. A terra, como Eugene, estava no limiar, no momento em que um tipo de vida termina e outro começa.

As aulas só teriam início em 27 de setembro, mas os calouros da Universidade Seattle Pacific (SPU, na sigla em inglês) tinham de chegar mais cedo para a semana de recepção e orientação. Eugene, uma mala em cada mão, as folhas de outono se esfacelando ruidosamente debaixo dos pés, se encaminhou para o prédio Alexander Hall, seu novo lar. "Eu não conhecia ninguém", lembrou ele posteriormente, durante o último ano de faculdade. "Havia uma imensa sensação de vazio dentro de mim." E no entanto, ao entrar no *campus*, Eugene já levava consigo uma dúvida persistente: *Como será que alguém se torna presidente do grêmio estudantil?*

HORIZONTE PROMISSOR EM SEATTLE

Ken recorda que seu irmão era "ambicioso, de personalidade forte". E Miles Finch, cunhado de Eugene, garantiu-me que a humildade de Eugene era "uma característica aprendida". Na faculdade, Eugene explicou suas motivações e aspirações: "Gosto de pessoas que agem como quem sabe para onde está indo. Gosto de pessoas que vivem de forma assertiva, que têm um propósito. Quero ser esse tipo de pessoa". E com as novas ambições veio uma pequena mudança de imagem. No alto de seu formulário de matrícula do primeiro semestre de 1951, Eugene escreveu *Eugene Hoiland Peterson*, sua tentativa de fugir do apelido Gene, pelo qual era conhecido por familiares e amigos. "Gosto só quando Jan usa esse apelido", ele me disse.

As primeiras semanas em Seattle Pacific foram um turbilhão de atividades. A vida no *campus*, os esportes e a pesada carga horária de aulas lotavam seus dias. Além de todos esses compromissos, os colegas de classe de Eugene o elegeram representante dos alunos do primeiro ano no grêmio estudantil. Ele também tocava cornetim no Trumpet Trio. Foi aceito no time de basquete dos calouros e mostrou seu talento na pista de corrida de 440 jardas. Um dia, o mundo conheceria Eugene como pastor e escritor, mas seus colegas de faculdade se lembram dele como um aluno atlético e popular. A foto de Eugene no anuário do primeiro ano é assustadoramente parecida com Archie, personagem de história em quadrinhos tipicamente americano: cabelo ondulado, queixo forte e um sorriso quilométrico.

* * *

Eugene logo fez amizade com Ben Moring, um de apenas dois alunos negros em sua turma. Ben passou a infância e adolescência nas ruas da Filadélfia, onde colocava sua caixa de engraxate em uma esquina e lustrava sapatos em troca de moedas. Voltava para casa faminto, as mãos cobertas de manchas pretas e marrons e com um cheiro de graxa que não saía com água e sabão. Talvez algo mágico tivesse acontecido pelo manuseio de tantos sapatos, pois quando Ben entrou no ensino médio, os técnicos descobriram que ele era rápido como o vento. Depois de uma temporada decepcionante na Universidade Eastern Michigan, Ben foi para a Seattle Pacific. Eugene se destacava na corrida de uma milha, e Ben era o rei das 440 e 880 jardas. Os dois participaram de uma corrida de revezamento que se tornou lendária na SPU. Vagando pelo *campus* naquele primeiro semestre, eram apenas dois rostos novos na multidão, mas encontraram um ao outro.

49

FOGO EM MEUS OSSOS

Quando Eugene e Ben chegaram, a SPU havia acabado de contratar Ken Foreman, formado na Universidade do Sul da California e bicampeão nacional de ginástica, para ser o técnico do time de basquete, organizar o programa de atletismo e ressuscitar o departamento esportivo, que estava em petição de miséria. Naquela primeira temporada, com a chegada de Ben, de Eugene e de alguns outros membros da equipe, Foreman percebeu o tesouro que tinha a seu dispor e anteviu uma realidade que outros ainda não eram capazes de imaginar. Estava decidido a conquistar um lugar para seu time na competição Revezamentos Drake (na época, o principal evento de atletismo dos EUA) da Universidade Drake, em Des Moines, Iowa. No entanto, a SPU não tinha orçamento para uma competição desse nível. Os alunos, cheios de entusiasmo com o futuro promissor da equipe de corrida, angariaram quase cem metros de moedas de um centavo, rolos cor de cobre enfileirados ponta a ponta. A equipe conseguiu viajar para a competição graças a essas contribuições e a um acordo com algumas concessionárias de automóveis. Os atletas viajaram primeiro até Detroit; em caravana, levaram carros de lá para Des Moines e, então, voltaram para Seattle. A nova equipe de atletismo surpreendeu a todos e terminou em quarto lugar na corrida de revezamento de duas milhas.

* * *

Nas férias do primeiro ano, quando Eugene foi visitar a família, levou um amigo para Montana: Bob Finney Stiles. Os colegas o chamavam Finney, mas graças a sua imensa estatura, que o ajudou a conquistar a posição de pivô do time de basquete, também era conhecido como "Grande Fin". Eugene levou Finney para esquiar em Big Mountain, e os longos esquis de madeira mais pareciam palitos nos pés de um gigante. A mãe de Eugene preparou sanduíches de rosbife, e os dois rapazes almoçaram no alto da montanha, respirando o ar puro da serra. Finney deu uma mordida no sanduíche e se surpreendeu de encontrar geleia de morango escorrendo pelas beiradas. "Nunca havia comido nada parecido", Finney comentou. Eugene não queria perder o condicionamento físico durante as férias, mas, uma vez que as noites eram como breu, Finney seguia Eugene de carro, faróis cortando a escuridão enquanto Eugene corria um quilômetro após o outro.

O pai de Finney, J. E. Stiles, foi uma figura proeminente no início do pentecostalismo e escreveu um livro conhecido, *O dom do Espírito Santo*, que conduziu muitos a sua primeira experiência de falar em línguas. Sentados no deque junto ao lago, Eugene contou para Finney que nunca havia conseguido falar em línguas, e Finney explicou o que sabia sobre glossolalia. Eugene pronunciou uma série de sons. Quando a mãe dele soube, ficou encantada. "Mas não fazia meu gênero", disse Eugene. "Tive a impressão de que estava fingindo." Durante anos, essa experiência espiritual foi algo complicado. "O que mais me entristecia, contudo, era ter decepcionado minha mãe", ele refletiu.

Para Eugene, porém, a verdadeira educação espiritual em seu primeiro ano na SPU foi a diversidade com a qual ele deparou. Havia passado boa parte da vida em um mundo sectário, em que todos fora do âmbito pentecostal eram vistos com suspeita, e a oportunidade de interagir com presbiterianos, batistas, católicos e metodistas abriu seus olhos para uma nova realidade. Alguns anos depois de terminar a faculdade, ele escreveu em um artigo: "O mais desconcertante foi perceber [...] que eles eram cristãos *melhores* que eu".

* * *

Três semanas antes de Eugene voltar para a SPU a fim de começar o segundo ano, uma tragédia sobreveio a Kalispell. Em um anoitecer frio de setembro, Patti Schumacher, de 18 anos, que dirigia o carro de seus pais, deu carona para duas amigas. No lusco-fusco, Patti não viu a faixa de pedestre e deixou no asfalto marcas escuras de pneu e um corpo caído. Quando, em lugar de homicídio culposo, o procurador Ed Schroeter indiciou Patti por condução irresponsável (passível de uma multa de trezentos dólares e trinta dias de reclusão), cartas enfurecidas inundaram o jornal *Daily Inter Lake*. Um editorial com o título "Morte a preço reduzido" declarou, sem rodeios, que "[Schroeter] merece ser o alvo das muitas críticas geradas pelo modo como esse caso foi conduzido". Um leitor exasperado alimentou medo: "Considerando-se o grupo com o qual Patti tem andado por aí nos últimos dois anos, era apenas uma questão de tempo até que uma tragédia dessas acontecesse. [...] E agora que aconteceu, tudo indica que Patti escapará impune. [...] Aceitaremos isso calados?".

Apesar da imensa tragédia, para Eugene, Schroeter e Schumacher haviam sido transformados em bodes expiatórios, vítimas de reações exageradas e implacáveis. Os mesmos instintos pastorais que ele seguiu ao longo do restante de sua vida o levavam a desconfiar de toda retórica de ódio e asseveração moral e a se compadecer daqueles que eram alvo da multidão irada. Aos 18 anos, Eugene enviou ao jornal seu primeiro texto a ser publicado, uma carta para o editor na qual elogiava o posicionamento impopular de Schroeter e argumentava com veemência a favor de misericórdia e graça, uma perspectiva contrastante com a opinião da maioria:

Esta não é uma defesa das ações do procurador Ed Schroeter no caso de Patti Schumacher; ele não precisa de defesa. Na conduta a esse respeito, Schroeter se eleva acima de seus acusadores. Seria fácil ele se deixar influenciar pela opinião geral e pelas emoções. A instauração de processo seria o caminho mais simples. Porém, Ed Schroeter rejeitou uma abordagem ignóbil, fez uma tentativa brilhante de agir conforme o espírito da lei [...] e foi bem-sucedido.

Este é um elogio de sua atitude e de suas ações nas presentes circunstâncias. Sua decisão lhe custou popularidade, amigos e [...] talvez seu emprego. Mas sua integridade avultou imensuravelmente. Ele aplicou justiça com uma medida de misericórdia e, como recompensa, recebeu apenas críticas. Tenho admiração por ele.

Vocês falam de justiça. O que é justiça? É justo destruir a esperança, as expectativas e o futuro de uma jovem para vingar a morte de outra pessoa? Sou jovem e falo da perspectiva da juventude. Ao destruir o futuro e remover as qualidades de esperança e ambição, resta apenas amarga tragédia. Schroeter deixou de lado os aspectos mesquinhos da letra da lei e captou seu espírito profundo e sua intenção e, então, teve a coragem de levar essa decisão adiante. A honestidade e integridade de suas motivações justificam sua ação.

* * *

Quando o segundo ano em Seattle começou, Eugene desfez as malas em um velho barracão de madeira antes usado por oficiais do exército e comprado pela universidade para alojamento temporário de alunos. Em um dos lados, morava o zelador do *campus* com sua família. O lado de Eugene

HORIZONTE PROMISSOR EM SEATTLE

tinha três "quartos", cada um com cerca de nove metros quadrados, com beliches junto às paredes. Eram acomodações espartanas, com piso de linóleo cinza e apenas um chuveiro que, na maioria dos dias, tinha água morna. Sobre a porta de entrada do modesto alojamento, um colega colocou uma placa: Barracão onde se dorme com apreensão. Durante dois anos importantes, Eugene chamou de lar o alojamento cheio de frestas por onde passava friagem.

O barracão abrigou algumas figuras memoráveis: Eugene, Finney e Ed Dillery, que se tornou o amigo mais próximo de Eugene na faculdade e, mais tarde, embaixador dos Estados Unidos. Dillery também foi marido da primeira mulher a ser CEO de um grande hospital, pai de um repórter muito benquisto da rede de televisão ABC e prefeito de Tempe, Arizona. Um dos colegas de quarto de Eugene mostrou seu empreendedorismo logo cedo (posteriormente, ele fundou uma grande empreiteira) ao comprar uma das primeiras televisões do *campus* da SPU e cobrar dos alunos 25 centavos para assistir a cada programa. O barracão era frio nos invernos de Seattle, mas aquecia o coração de Eugene com riso e amizade.

* * *

Apesar da energia das novas amizades, da empolgação dos treinos esportivos e do incentivo espiritual contínuo, a alma de Eugene definhou. Ele atribuiu seu deserto estéril à exaustão. Assim que respirasse mais uma vez o ar de Montana e refestelasse os olhos com o horizonte acima das montanhas, estava certo de que se sentiria revigorado.

No entanto, quando Eugene voltou a Kalispell nas férias, seu torpor só se intensificou. "Eu me sentia morto por dentro." Convencido de que algo sério estava errado, foi procurar o pastor. "Era um sujeito jovem, de trinta e poucos anos, bom pregador. Eu lhe disse o que estava sentindo e perguntei se ele poderia me ajudar." Sem hesitar, o jovem pastor lhe passou um longo sermão sobre sexo, convicto de que as dificuldades de todos os rapazes eram, em seu cerne, associadas a problemas sexuais. "Não me importei de ele falar sobre sexo", Eugene lembrou, rindo, "mas não creio que esse fosse o problema." Ele marcou mais uma reunião de aconselhamento, mas o pastor continuou a martelar na condenação ao sexo, e Eugene nunca mais voltou. O sujeito não estava disposto a ouvir e tentar entender.

Aborrecido com a situação, uma noite Eugene chamou sua mãe de lado e disse: "O pastor não me conhece. Não tem ideia das lutas que estou enfrentando. O que devo fazer?". Evelyn sugeriu que ele conversasse com o Irmão Ned. Quarenta anos antes, o Irmão Ned tinha levado um tiro nas costas durante um assalto em Cleveland e ficado paralítico. Confinado a uma cadeira de rodas, era conhecido por sua piedade, uma figura sábia e santa da igreja. O Irmão Ned convidou Eugene para visitá-lo. "Vamos falar sobre a Bíblia", explicou. Os dois combinaram de se reunir às quartas-feiras durante as férias. Eugene ia à casa do Irmão Ned, que sempre tinha uma enorme Bíblia com capa de couro preto aberta sobre a manta que cobria seu colo. "Ele olhava para mim como se eu fosse alguém que não sabia nada. Seu objetivo era enfiar a verdade goela abaixo", Eugene disse. "Ele falava sem parar e quase me matava de tédio. Eu não fazia ideia de que a Bíblia podia ter tão chata. Depois de três semanas, concluí que não aguentava mais."

Um amigo surpreendeu Eugene com a sugestão de que ele conversasse com Reuben Lance, um homem grosseiro, "de sobrancelhas que mais pareciam imensos tufos sobre os olhos, e uma barba ruiva e desgrenhada. Ele parecia malvado". Reuben carregava sua corpulência e sua rabugice a todos os lugares em que trabalhava como encanador, carpinteiro, pedreiro e eletricista. Sabia consertar de tudo; também podia, com facilidade, dar uma sova em quase qualquer outro homem; era o tipo de sujeito que você queria ter ao lado ao deparar com bandidos em um beco escuro. Reuben *não* era o sujeito que você procurava quando estava com o coração pesaroso. Eugene comentou: "Relutei em falar com ele, pois não queria correr o risco de ser objeto de zombaria. Imaginei que ele consideraria meus problemas bobeira de adolescente, envolta em véus de seda de uma metafísica pretensiosa que eu havia aprendido na faculdade [...] [Tive] medo de que, com um comentário sarcástico, ele fizesse essa pretensão em frangalhos".

Eugene foi falar com Reuben e, com uma boa dose de nervosismo, explicou o que estava sentindo. Será que os dois poderiam conversar? A resposta de Reuben foi abrupta: "Se é o que você quer. No porão da igreja, às terças e quintas depois do jantar". Reuben Lance, o homem que "nunca sorria [...] nunca orava em voz alta na igreja [...] [e] desprezava quase tudo o que se passava por religião", tornou-se o primeiro mentor espiritual de Eugene. Os encontros se repetiram duas vezes por semana até o final das

HORIZONTE PROMISSOR EM SEATTLE

férias. Nada de linguagem piedosa. Nada de teologia pesada. "Ele simplesmente conversava comigo. Tratava-me como uma pessoa. E, quando voltei para a SPU, algo havia mudado".

Levou anos para Eugene conseguir descrever sua experiência com Reuben naquelas férias, e levou anos para que ele tivesse outro mentor espiritual à altura de Reuben. Durante o seminário, Eugene escreveu sobre seu discipulado com Reuben para a revista *Pentecostal Evangel* e descreveu como um homem simples, sem qualquer formação teológica, que conversava com Eugene a maior parte do tempo sobre "coisas banais, como ferramentas, trabalho, jardinagem, estudos", exerceu impacto tão forte. Reuben tão somente ouviu e tratou Eugene com dignidade. Não via Eugene como uma "oportunidade para ministrar", mas, sim, o acolhia com "uma atitude de curiosa admiração".

Décadas depois, Miles Finch, cunhado de Eugene e pastor em Montana que conhecia Reuben, deu a Eugene o número de telefone de Reuben. Eugene ligou para ele, e Reuben, então com mais de oitenta anos, atendeu. Quando Eugene explicou para Reuben o quanto havia sido profundamente influenciado por ele, seguiu-se uma longa pausa. Por fim, a voz fraca de Reuben quebrou o silêncio: "Estou aqui, de cama. Não estou bem de saúde e não consigo fazer muita coisa. E você liga para me dizer que aquelas noites de quinta-feira na igreja mudaram sua vida? Ninguém nunca falou isso para mim. As pessoas gostavam quando eu consertava as coisas para elas. Mas não pareciam ter interesse em minha companhia". E Reuben começou a chorar.

* * *

Os dois últimos anos de Eugene na faculdade passaram tão rápido quanto a água de degelo nos rios caudalosos de primavera. Novas responsabilidades. Novas amizades. O olhar parcialmente voltado para o próximo capítulo. Não faltavam possibilidades, e o horizonte que se descortinava diante de Eugene era, verdadeiramente, promissor. Ele recebeu até um superlativo sarcástico (Homem Mais Feio de 1953) com bom humor.

Seu grande amor por palavras também se agitava dentro dele. No penúltimo ano da faculdade, Eugene aceitou o cargo de editor-chefe do *Tawahsi*, o anuário da universidade. Foi considerado um jovem que "combinou inteligência, originalidade e humor com horas incontáveis de trabalho para que o *Tawahsi* de 1953 se tornasse realidade". Eugene convenceu Ben Moring a trabalhar com ele na equipe do anuário, o que deu aos dois amigos a oportunidade de se revezar não apenas na pista de corrida, mas também na máquina de escrever.

E, em meio a tantos acontecimentos, um romance despontou. Ed, colega de quarto de Eugene, namorava uma garota chamada Marita e, desde o internato, Marita era amiga de Carol Rueck. Os quatro jogavam tênis e tomavam *milk-shakes* na lanchonete do *campus*, e logo Carol e Eugene se tornaram um casal. No penúltimo ano, os dois foram eleitos para o grêmio estudantil e, quando se aproximava o banquete de 1954, do qual todos os alunos participavam, Eugene publicou um poema divertidamente floreado como convite para Carol:

> *E agora, bela Rainha de meu coração,*
> *Donzela de Atenas e das flechas do Cupido,*
> *Com uma palavra me libertarás da prisão*
> *E ao banquete irás comigo?*
>
> *Minhas moedas, todos os meus trocados,*
> *E até o meu cavalo, coloco a teu dispor,*
> *Só para ouvir que outros serão desprezados,*
> *E serei eu a te buscar tão logo o sol se pôr.*

O fotógrafo do anuário registrou a presença do casal Eugene e Carol no banquete. Na foto, Eugene é retratado com um largo sorriso, uma camisa branca imaculada debaixo do paletó escuro, gravata borboleta torta, um pedacinho do lenço branco aparecendo no bolso e um cravo branco na lapela. O vestido branco de Carol, com uma discreta estampa de amor--perfeito, contrasta com o arranjo de flores primaveris coloridas sobre seu ombro. Depois da festa, Eugene enviou para sua família uma carta em que descreveu Carol naquela noite: *meiga, sensível e sincera [...] uma garota afetuosa e cordial.*

* * *

A pista de corrida, porém, continuou a ser o lugar em que Eugene encontrava imensa alegria não apenas na competição, mas também no

HORIZONTE PROMISSOR EM SEATTLE

vínculo com seus amigos. Ele e Ben consolidaram sua reputação de dupla impressionante, e Gordon Fee (que posteriormente se tornou um renomado estudioso do Novo Testamento) passou a integrar a equipe na corrida com obstáculos. Quantas aventuras, e *proezas*, realizaram juntos! Em uma das viagens épicas de carro para disputar os Revezamentos Drake (eles continuaram a levar carros para concessionárias em Seattle a fim de reduzir os custos da viagem), o técnico Foreman ia adiante do comboio que atravessava a planície. Dirigia um carro esporte vermelho e, atrás dele, vinham cinco Buicks reluzentes. Uma tarde, os rapazes tinham de trocar de roupa antes de um evento e, portanto, a caravana parou no acostamento de uma rodovia no meio do nada em Dakota do Sul. Malas espalhadas junto à estrada, roupas penduradas nas portas dos carros, os rapazes estavam apenas de cuecas quando viram passar uma picape com um fazendeiro e a esposa na frente e crianças de olhos arregalados no banco de trás. Pasmada com a cena, a família deu meia-volta com a picape e parou junto aos carros, e o fazendeiro perguntou: "O que aconteceu?".

Um dos rapazes branquelos, pensando que estivesse fazendo uma piada (ou talvez sem pensar), respondeu na lata: "É um funeral. A gente atropelou uma formiga e vai sepultá-la".

O fazendeiro e sua família permaneceram em silêncio na picape com o motor ligado. Depois de alguns momentos de silêncio estupefato, a esposa do fazendeiro observou: "Que coisa triste". E, sem pressa, o fazendeiro seguiu viagem.

Eugene colecionou medalhas, reduzindo um segundo aqui e outro ali de seu tempo ao treinar no Parque Queen Anne, uma velha pedreira em Seattle transformada em área de recreação e tomada por gaivotas. Eugene bateu recordes nas seiscentas jardas e competiu no campeonato universitário nacional em 1953 e 1954. Chamou a atenção de organizadores de competições e foi convidado para participar de uma corrida de apresentação em Vancouver, para competir com Roger Bannister, o primeiro homem a quebrar o recorde de uma milha em menos de quatro minutos em Oxford. A competição serviria de abertura para os jogos da Comunidade Britânica das Nações em 1954 (evento lembrado pela Milha Magnífica, a corrida de Roger Bannister e John Landy, os dois primeiros corredores a bater o recorde do percurso de uma milha). Ao longo dos anos, a história da corrida de Eugene e Bannister ganhou ares de lenda, e Eugene ficou conhecido como o homem que "quase venceu Roger Bannister". Eugene ria dessa ideia absurda. "Ele terminou quase quarenta metros à frente."

* * *

No último ano, os colegas de Eugene o elegeram presidente do grêmio estudantil, realizando a esperança que ele havia expressado em sua primeira semana no *campus*. Toda quinta-feira, às 12h30, Eugene batia uma colher em um copo com água até a metade e dava início à reunião do conselho, acompanhada de sopa de ervilha, gelatina de morango e café frio. Eugene descobriu que liderança não era apenas uma questão de ter uma personalidade dinâmica, que lançava mão de recursos e impunha objetivos, mas de ser como "um timoneiro em uma competição de remo sincronizado, responsável por manter o ritmo dos remadores". Naquele ano, Eugene começou a refletir seriamente sobre o que significava ser líder, mas creio que o fato mais revelador foi o compromisso extraordinário que ele assumiu de aprender o nome de todos os alunos no *campus*, oitocentas pessoas ao todo. Décadas depois, Eugene falou de sua convicção de que a boa saúde da igreja dependia de seu tamanho, que devia ser administrável. Propôs como diretriz geral que essa igreja não devia ser maior que a universidade em que ele estudou, do tamanho que um pastor (pelo menos de um pastor com a memória aguçada como a dele) ainda conseguisse memorizar o nome de todos os membros. Na época que fez esse comentário, ele mencionou equivocadamente que o número de alunos no *campus* ficava na casa dos quinhentos. Em razão desse comentário, incontáveis pastores que entenderam Eugene de modo bem mais literal do que ele teria desejado se lamentaram porque ainda faltavam trezentos membros pra completar esse número em suas igrejas.

Um dos indícios mais curiosos do talento de Eugene para escrever nessa época em que foi presidente do grêmio estudantil é um conjunto de 25 artigos de sua autoria para a "Caneta Presidencial", uma coluna do *Falcon*, o jornal da universidade. Os textos nos dão vislumbres do poeta e pregador que ele se tornaria anos depois. O que fica mais evidente nessa coluna, porém, é o senso de humor de Eugene, sua natureza espirituosa, seu destemor de falar coisas bobas e passar vergonha.

Em janeiro de 1954, por exemplo, Eugene explicou que, no Natal, havia recebido a visita do Fantasma do *Campus* Futuro (como no célebre conto

HORIZONTE PROMISSOR EM SEATTLE

natalino de Dickens), que anunciou "uma palavra de condenação solene, um portento de ruína iminente que sobreviria aos alunos da Faculdade Seattle Pacific" se não fizessem algumas mudanças de imediato. Eugene apresentou, em seguida, uma citação direta das exigências do fantasma para os alunos:

I. Pegar todos os pedaços de papel, embrulhos de chiclete e sacos vazios e depositá-los, sem demora, no receptáculo apropriado mais próximo.

II. Sair com pelo menos uma garota por trimestre durante os próximos dois trimestres e vivenciar a imensa alegria e boa-vontade produzidas quando se divide um refrigerante de dez centavos (gelo incluso no preço) com uma pessoa amiga.

III. Comparecer às competições esportivas e torcer com entusiasmo incontido a fim de elevar o ânimo dos alunos a níveis nunca antes vistos e também espantar os pombos que ficam nas vigas da cobertura do ginásio.

IV. Ocupar fielmente um lugar em um dos bancos da capela todos os dias da semana. (Este item é a pedido do sr. Dillon, da lanchonete do *campus*, segundo o qual o piso da lanchonete está começando a ceder em razão do tráfego intenso de viciados em café no local todos os dias às 10h.)

V. Abrir regularmente todos os meus livros de estudo e deixá-los expostos a luz intensa por pelo menos vinte minutos por dia, um exercício com propósito duplo: primeiro, evitar que as páginas fiquem amarelas e, segundo, ter certeza de que não há nenhuma nota de um dólar esquecida entre as páginas.

Prometo solenemente cumprir essas resoluções e discipular os outros ao meu redor para que façam o mesmo.

(x) assinado com sangue

* * *

O trabalho para a coluna "Caneta Presidencial" não era remunerado e, a certa altura, Eugene se deu conta de que não tinha dinheiro. Respondeu, portanto, a um anúncio de emprego de uma lavanderia no bairro Queen Anne Hill. Trabalhava no único tempo livre que tinha, no expediente da noite entre 23h e 7h. Nas madrugadas, Eugene se mantinha acordado com muito café e lutava contra acessos de bocejo enquanto entregava fichas a clientes, separava roupas deixadas por acidente nas máquinas e varria o chão encardido.

Talvez tenha sido uma dessas longas noites, em que ficava bêbado de sono, que levou Eugene a fazer uma tatuagem. O técnico Foreman, homem que vivia a todo vapor, tinha o corpo coberto de tatuagens desenhadas por ele próprio. "Ele era doido", Eugene lembrou, um brilho nos olhos. Foreman morava em Queen Anne Hill. Uma tarde de sábado, quando Ben e Eugene estavam na casa de Foreman, o técnico tirou a camisa e explicou a história por trás de cada obra-prima. Ele se orgulhava especialmente do camundongo que havia desenhado. "Vocês querem um igual?", ele perguntou; sem saber muito bem o que estava fazendo, Eugene e Ben acenaram que sim com a cabeça.

Foreman pegou uma caixa com agulhas e tintas, mandou que os dois tirassem a camisa, e ligou a máquina. Quando a agulha zunia e o sangue pingava do desenho do pequeno roedor, a campainha tocou. Foreman olhou pela janela e empalideceu. No degrau em frente à porta, o superintendente da escola dominical da Igreja Metodista Livre aguardava. "Vistam-se", Foreman ordenou enquanto colocava os materiais de tatuagem em um canto. Em seguida, abriu a porta para o superintendente, que tagarelava enquanto o sangue nos ombros de Ben e de Eugene coagulava. Felizmente, depois de um tempo, o senhor foi embora e Foreman terminou o trabalho.

No dia seguinte, durante o treino, vários jogadores foram procurar o técnico Foreman para fofocar: "Ben e Gene foram à Rua Pike e fizeram tatuagens". Foreman balançou a cabeça e observou: "A gente nunca sabe o que esses garotos vão aprontar".

Na próxima visita de Eugene a Montana, enquanto ele tomava sol à beira do lago, sua mãe reparou no camundongo preto desenhado em seu ombro. Sem dizer uma palavra, ela entrou em casa e voltou com a Bíblia. Soltou-a sobre o colo dele, convenientemente aberta em Levítico 19.28: "Pelos mortos não dareis golpes na vossa carne; nem fareis marca alguma sobre vós. Eu sou o SENHOR".

Eugene olhou para a página e, depois, para o rosto silencioso da mãe.

"Não sabia que dizia isso", ele sussurrou.

"Pois é", ela retrucou. "E agora não tem volta."

Ela nunca mais mencionou a tatuagem.

* * *

A tatuagem não foi a única tinta a se infiltrar na vida de Eugene. Ele cursava filosofia e tirava notas medianas, mas sua mente era voraz. Era fascinado por linguagem e pela habilidade de construir belas frases, e sua extensa leitura alimentou a chama de escritor em seus ossos esguios. Elva McAllester, professora de Literatura, era conselheira do jornal *Falcon*. Eugene nunca havia feito um curso de redação, mas McAllester se interessou pelo trabalho dele. Tornou-se a primeira editora de verdade do jovem escritor, e oferecia críticas construtivas enquanto Eugene datilografava.

Em um dos primeiros textos de Eugene para a coluna do jornal, em que ele se queixou de ter de fazer uma "escolha desanimadora" entre duas matérias: "Chaucer ou cálculo", McAllester chamou a atenção dele.

— Eugene, você alguma vez leu Chaucer?

— Não — ele respondeu.

McAllester foi até sua estante, de onde tirou *Os contos de Canterbury*.

— Tome. Leia. E não volte enquanto não tiver terminado *tudo*. — E para finalizar (e completar a humilhação), comentou: — Imagino que você também não entenda muito de cálculo.

Constrangido, Eugene leu as centenas de páginas do livro e o devolveu na semana seguinte. Sua avaliação? *Uau! Não tem nada de chato!* Seis meses depois, no entanto, Eugene desferiu mais um golpe sarcástico (talvez para ver a reação da sra. McAllester) contra o poeta: "É um daqueles dias [...] em que o mundo oferece a mesma perspectiva de aventura e emoção que uma noite na biblioteca, na companhia de Chaucer".

Ao que parece, McAllester tinha senso de humor. Ela manteve contato com Eugene durante décadas, incentivando-o à medida que ele aprimorava seu talento para escrever (e ler) e comentando sobre todos os textos dele que eram publicados.

* * *

Talvez Eugene tivesse razão de considerar Chaucer sem graça em comparação com uma companheira muito mais bela. "Casamento à vista para Rueck e Peterson", dizia a manchete do *Falcon* no primeiro semestre de 1954. Levados pelo entusiasmo da formatura (e pela animação de vários amigos que planejavam suas núpcias), Eugene e Carol decidiram se casar. Contudo, diante da incerteza do que os esperava, não marcaram uma data nem fizeram planos específicos além de dizer sim.

FOGO EM MEUS OSSOS

Não foi bom sinal. Eugene não havia pensado muito sobre o que faria depois da faculdade. Imaginava que poderia ser professor universitário (de filosofia ou, talvez, literatura), mas não tinha dinheiro para fazer pós-graduação. Dois amigos da SPU, Augustine Njojuobi e Elijah Odajara, ambos da Nigéria, conversaram com Eugene e Ben sobre a possibilidade de voltar com eles e lecionar em uma escola de ensino médio em Lagos, a maior cidade do país. Eugene não tinha outras perspectivas, e o relacionamento com Carol não ia bem (por motivos que ele não sabia definir) e, portanto, assim como Ben, aceitou o convite. No entanto, quando Ben mudou de ideia e decidiu ir para o seminário, Eugene percebeu que não desejava se mudar para a Nigéria sem ele.

Assim, quando chegou o grande momento de vestir a beca e o capelo, Eugene atravessou o palco do auditório em direção a um futuro incerto.

6

Vá para o leste, rapaz

Continua a se mover, mudando
o ritmo e a abordagem, mas
não a direção — "cada passo, uma chegada".
Denise Levertov, "Overland to the Islands"

Cinquenta e cinco anos depois dessa formatura, Eugene voltou à Seattle Pacific para falar na igreja presbiteriana da universidade. Recebeu o prêmio Levertov do periódico *Image* em 2009, e anotou em seu diário como foi importante ver no evento colegas de classe de um passado tão distante. O título da palestra de Eugene, "Decididamente acidental", vem de uma linha do livro de poemas "Overland to the Islands" [Por sobre a terra até as ilhas], de Levertov, texto ao qual Eugene voltava repetidamente, cativado pela imagem que a poetisa forma, de um cão que segue seu focinho sem direção clara.

Essa imagem o tocou tão fundo porque, durante décadas, ele havia sido esse cão. Sua vida e seu trabalho haviam consistido mais em ir atrás de um rasto que em seguir um mapa. Descoberta, e não direção. Em todos aqueles 55 anos, em nenhum momento Eugene havia, verdadeiramente, mapeado seu futuro, nem procurado traçar um caminho ordenado em direção a um alvo claro para sua carreira. Decidido? Com certeza. Mas também acidental. Toda a jornada serpenteante havia sido como de um cão que fareja o vento, e o cheiro seguinte é a única pista real. E o que foi esse rasto? Santidade? A Presença?

Evidentemente, não era algo novo, e a perambulação havia começado, com efeito, depois da faculdade. Era inquietante ser um jovem de 21 anos em 1954, com um diploma recém-impresso na mão, mas sem direção

FOGO EM MEUS OSSOS

clara, sem aptidões profissionais específicas e sem contatos que pudessem fornecer a tão cobiçada isenção do serviço militar. A Guerra da Coreia havia lançado uma sombra escura sobre os anos de estudo de Eugene. Estava habituado a ver caixões cobertos com a bandeira de listras e estrelas, consequência de uma guerra confusa e distante. Só naquele ano, o Serviço de Recrutamento dos Estados Unidos havia convocado mais 253 mil rapazes para entrar em combate. Eugene não queria ser um deles.

Essas duras realidades acrescentaram um ar lúgubre à formatura de Eugene. Com os estudos concluídos, era plenamente possível que o garoto incapaz de matar um cervo embarcasse para a Coreia com um fuzil M1 Garand nas costas. E, além do absoluto horror da guerra, perguntas difíceis assolavam Eugene: *Como o cristão deve se posicionar em relação à guerra e à violência? O que precisa acontecer para que um cristão se disponha a matar outra pessoa?*

Toda essa ambiguidade, confusão e medo pesavam sobre Eugene quando ele colocou a bagagem em seu Oldsmobile e partiu de Seattle rumo a Montana. Qualquer que fosse o próximo passo, se possível, seria longe da Coreia. Eugene resolveu ingressar no ministério. Restava o desafio de obter recursos para prosseguir com os estudos. Sua intenção era guardar para o futuro ministério tudo o que conseguisse ganhar trabalhando durante as férias.

Portanto, quando Eugene chegou a Kalispell, afiou seu cutelo e voltou a trabalhar atrás do balcão do açougue. Cortava carne, pesava, embrulhava, contava piadas e, quando não tinha movimento, olhava pela janela, pensamentos vultosos em sua mente.

* * *

Quando a mãe de Eugene soube dos planos dele, sugeriu que conversasse com Charles Jackson, que morava em Great Falls e era superintendente da Assembleia de Deus no estado de Montana. (Phil Jackson, famoso técnico de basquete da NBA, era filho de Charles e Elisabeth Jackson. Os Jacksons tinham amizade com os Petersons, e uma tarde Elisabeth ligou para Evelyn e comentou que estavam considerando permitir que Phil voltasse a jogar basquete. Elisabeth queria ouvir Evelyn lhe dizer que seu filho podia praticar esportes, como Eugene havia feito, sem cauterizar a alma.)

Eugene discou o número dos Jacksons. O telefone tocou repetidamente até que, por fim, Charles atendeu. Depois de conversar sobre amenidades, Eugene perguntou se alguma das igrejas da denominação estava precisando de pastor. Era verdade que ele não tinha as credenciais nem a experiência necessárias, mas no mundo pentecostal, zelo valia mais que protocolo.

Charles repassou mentalmente uma lista de todas as cidades pequenas em Montana à procura de uma vaga adequada. "Não há nenhuma igreja procurando pastor no momento, Eugene. Mas pensamos em começar uma nova igreja em Townsend, ou talvez em Fort Benton. Se você quiser se lançar nessa empreitada, fique à vontade". Sem um motivo claro, Eugene escolheu Townsend e pensou em começar o novo ministério em setembro. Antes de desligar, perguntou a Jackson: "O senhor tem algum conselho ou alguma orientação para mim?". E, embora um ou dois conselhos tenham sido oferecidos ao jovem pastor, anos depois, o que ficou gravado mais claramente na memória de Eugene foi o silêncio do outro lado da linha.

Em setembro, Eugene dobrou seu avental de açougueiro, juntou seus pertences e fez a viagem de cinco horas para Townsend. Era uma cidade nova, pouco menos de sessenta quilômetros a sudeste de Helena, capital do estado. A primeira coisa que Eugene fez foi procurar o açougue da cidade e oferecer seus serviços. Conseguiu emprego de imediato e prometeu voltar logo cedo na segunda-feira. Em seguida, encontrou um apartamento para alugar em um porão. Como humilde casa pastoral, o lugar era perfeito, um ponto de partida para o trabalho ministerial que ele visionava. Seus planos pareciam estar indo de vento em popa.

Havia chegado a Townsend fazia apenas algumas horas, mas tinha emprego e moradia. Era o momento, portanto, de procurar membros para sua igreja. Eugene foi de porta em porta, percorrendo a cidade inteira, e se apresentou em cada uma das casas. "Olá, meu nome é Eugene Peterson. Eu fui convidado para começar uma Assembleia de Deus aqui na cidade. Posso conversar com você sobre esse trabalho?". As portas se fecharam, literal e metaforicamente. Uma casa após a outra, nem uma pessoa sequer concordou em falar com ele. Os mórmons e os metodistas haviam tomado conta da cidade.

Eugene prosseguiu até o final desse corredor polonês de portas fechadas. Quando terminou, parou, exausto e desacorçoado, onde a cidade acabava. Não tinha mais portas nas quais bater. Cheio de dúvidas, caminhou em direção ao Rio Missouri. Contemplou o pôr do sol. O que fazer? Na luz do entardecer, andou a passos arrastados até uma lanchonete, onde encontrou uma mesa e examinou o cardápio engordurado. Depois de um hambúrguer e uma fatia de torta de maçã, voltou a sua "casa pastoral", onde abriu o saco de dormir. Na manhã seguinte, colocou todos os seus pertences de volta no carro e partiu. Eugene tinha sido pastor por cerca de dezoito horas.

Quando entrou em Kalispell, havia tomado uma decisão. Alguns dias antes, tinha parecido uma ideia tão provável quanto trabalhar no circo, mas agora sabia que era a coisa certa a fazer. Ele iria para o seminário e se prepararia para lecionar. Pentecostais sectários eram desconfiados de seminários; costumavam chamá-los "cemitérios" e advertiam que essas instituições frias acabavam com corações fervorosos. Quando estacionou em frente de casa, sua mãe, perplexa, saiu ao seu encontro.

— O que você está fazendo aqui?

— Não vou ficar em Townsend — Eugene respondeu.

— E o que é que você vai fazer?

Eugene hesitou, apenas por um momento.

— O que você pensa de eu ir para o seminário?

— Sempre imaginei que você fosse para o seminário — Evelyn respondeu tranquilamente.

Quaisquer que fossem suas convicções a esse respeito, ela sabia que seu filho precisava de algo mais.

* * *

O único seminário que Eugene conhecia era o Seminário Bíblico da Cidade de Nova York (atual Seminário Teológico de Nova York). Um amigo e dois professores da SPU tinham se formado lá e, melhor ainda, Ben Moring já estava matriculado. Só havia um problema: as aulas tinham começado fazia algum tempo. Contudo, um dos ex-professores de Eugene disse que conversaria com o pessoal do seminário; Eugene devia ir de imediato para Nova York.

No dia seguinte, portanto, sem desfazer as malas, Eugene pegou o carro e rumou para o leste. Quatro mil quilômetros separam Kalispell de Nova York. Durante quatro dias, Eugene dirigiu. À noite, desenrolava o saco de dormir e se deitava sob as estrelas, o mundo descortinado diante dele.

E então, a cidade. Eugene entrou no Túnel Holland e, quando saiu do outro lado do Rio Hudson, foi tragado pelo caos. Nunca tinha visto tanta energia, nem tanto tumulto. Seguiu cautelosamente o trânsito complicado, desviando de outros carros e de pedestres. Nova York era como um imenso formigueiro que fervilhava com movimento incessante, organizado de acordo com uma lógica entômica que ele não compreendia.

Quando Eugene tentou contornar o Central Park, acabou se perdendo. Enquanto procurava se localizar, parou o carro no meio do tráfego vespertino intenso de Manhattan. Um guarda percebeu que ele estava atravancando o trânsito e, ao ver a placa de Montana, aproximou-se a passos rápidos para vociferar uma boa dose de hospitalidade nova-iorquina. Com imprecações habilmente intercaladas com as demais palavras, o guarda perguntou a Eugene o que *exatamente* ele achava que estava fazendo. Taxistas buzinavam longamente enquanto Eugene, de olhos arregalados, era acometido por uma torrente de impropérios que jamais tinha ouvido, nem mesmo dos lenhadores.

Por fim, com os ouvidos zunindo e com seu dicionário de palavrões consideravelmente expandido, Eugene se encaminhou lentamente para seu destino: um prédio de tijolos aparentes com doze andares no número 235 da Rua 49 Leste. Entrou na secretaria e, quando conseguiu falar com a coordenadora, declarou:

— Estou aqui para estudar.

Ela olhou Eugene de alto a baixo, exausto depois de atravessar o país, calças *jeans* sujas e camiseta amassada, nem mesmo um formulário de matrícula na mão.

— Não é um tanto presunçoso de sua parte? — ela perguntou.

— Talvez seja — Eugene reconheceu. — Mas, ainda assim, quero estudar aqui.

Ele começou as aulas no dia seguinte.

* * *

Nova York não era Townsend, e portas se abriram para o jovem seminarista. Eugene conseguiu emprego na Associação Cristã de Moços (ACM), com um salário de 55 dólares por semana. Era responsável por oferecer assistência a estudantes de outros países recém-chegados a Nova York. Não faltavam mal-intencionados que rondavam a área de desembarque no aeroporto à procura de viajantes dos quais pudessem arrancar algum dinheiro. Por isso, o programa de recepção da ACM identificava esses estudantes, ajudava-os a evitar problemas e fornecia transporte confiável até seu destino. Eugene foi colocado para trabalhar com outro seminarista, que se tornou um de seus amigos mais chegados durante os anos que passou em Nova York, um rapaz chamado Pat Robertson.

O pai de Pat era A. Willis Robertson, senador proeminente de Virginia. A princípio, Eugene não ligou uma pessoa à outra, mas logo percebeu que Pat vinha de uma classe social completamente distinta daquela à qual pertenciam os açougueiros de Montana e seus familiares. Enquanto os dois esperavam estudantes no aeroporto, Pat identificava estrelas de cinema, grandes empresários e políticos; explicava quem eram e, por vezes, acrescentava uma ou outra fofoca picante. Pat Robertson parecia conhecer todo mundo e saber de tudo.

Pat era casado com Dede, estudante de enfermagem em Yale. Uma vez que Pat e Eugene fizeram amizade, o jovem casal convidou Eugene para jantar em seu apartamento em Queens. Esse gesto amigável foi apenas o início de uma movimentada vida social na cidade. Pat organizou um pequeno grupo de amigos, entre eles Eugene e Joo Sun Ae (primeira mulher a lecionar teologia no Seminário Teológico Presbiteriano em Seul) que se reunia para orar às 6h30 no dormitório do seminário. As histórias impressionantes de despertamentos religiosos na Coreia e na Escócia ardiam no coração dos alunos, e esses encontros promoveram o interesse fervoroso do grupo pelo reavivamento e pela renovação pentecostal que se propagavam por inúmeras denominações.

Pat e Eugene, juntamente com vários amigos do grupo de oração, foram a Connecticut, onde um amigo de Pat era dono de algumas terras, e acamparam ali durante três dias para jejuar e orar. Depois de armar o acampamento, saíram para explorar a floresta ao redor e encontraram uma placa afixada a algumas pedras cortadas de forma grosseira e empilhadas para marcar o lugar onde havia nascido o conhecido evangelista Charles Finney. Nas semanas anteriores o grupo tinha lido descrições de Finney de sua experiência com o "poderoso batismo do Espírito Santo". As palavras de Finney fizeram os seminaristas zelosos estremecer:

> O Espírito Santo desceu sobre mim de uma forma que pareceu atravessar corpo e alma. Tive a sensação de ser transpassado por uma onda de eletricidade. Sim, foi como uma sucessão de ondas de amor líquido. [...]

Parecia o fôlego de Deus. Lembro-me claramente de que parecia me abanar, como asas imensas.

Nenhuma palavra é capaz de expressar o maravilhoso amor que se propagou em meu coração. Chorei em alta voz, de alegria e amor. Literalmente berrei com o transbordamento inefável de meu coração. Essas ondas sobrevieram sucessiva e repetidamente, até que me recordo de ter clamado: "Se essas ondas continuarem a passar sobre mim, morrerei".

O relato de Finney atiçou as brasas vivas. E agora os seminaristas estavam acampados onde ele havia nascido! Pat se desmanchou em lágrimas. "Era como se estivéssemos em solo sagrado; tiramos os sapatos e começamos a rir e louvar a Deus. Eu sabia que o Espírito Santo havia permitido que fôssemos até lá para receber um sinal. Estava prestes a se derramar sobre nós, como havia feito sobre Finney."

A amizade de Pat e Eugene era próxima e mutuamente inspiradora. Passavam longos períodos em oração, ou caminhando pelas ruas de Nova York, horas conversando, abrindo o coração um para o outro, cada um procurando entender sua história e seu futuro.

Como acontece tantas vezes, porém, a intensidade desse relacionamento estava fadada a esmorecer. Embora Eugene mencionasse Pat com frequência nas cartas para a família em Montana e sua amizade tenha se estendido até a formatura, distância geográfica e ideias divergentes sobre o ministério afastaram um do outro. Os dois deixaram a cidade para seguir trajetórias contrastantes. Ainda assim, sempre houve afeição mútua na recordação do tempo em que foram amigos em Nova York.

Em 1960, Pat comprou uma pequena emissora de televisão em Virginia Beach, Virginia, que se transformaria no império de comunicação conhecido como Christian Broadcasting Network (CBN). Pat tentou convencer Eugene a participar desse empreendimento, mas, em retrospectiva, é impossível imaginar Eugene sentado sob holofotes, sorrindo para a câmera enquanto toca a música de abertura do programa *The 700 Club*.

* * *

Os relacionamentos que Eugene desenvolveu naquela época foram formativos. No entanto, ele estava no seminário para estudar. Ao entrar em sala de aula no primeiro dia, Eugene ingressou na experiência que mudou os contornos de sua vida e tocou milhões de outras vidas. O professor Robert Traina, em pé diante da turma, tinha publicado havia pouco tempo a obra *Methodical Bible Study* [Estudo bíblico metódico], que se tornaria o texto básico para estudiosos da Bíblia por sessenta anos ou mais. Durante as primeiras semanas, Traina foi o guia de Eugene no mundo estranho, incômodo e *emocionante* da Bíblia. Eugene lembrou: "Estava em sala de aula sob a direção de um professor que, nos três anos seguintes, mudaria profundamente minha percepção da Bíblia e, com ela, meu próprio ser, de maneiras que deram forma a tudo o que venho fazendo ao longo da vida. Não é exagero".

As Escrituras sempre haviam sido o centro espiritual de Eugene. Desde que se conhecia por gente, lia a Bíblia com rigor e disciplina e até memorizava longos trechos. A Bíblia havia sido o âmbito onde ele, como jovem pentecostal, tinha discutido (com toda afabilidade) doutrina com outros. Apesar da grande influência das Escrituras, porém, elas sempre pareceram *exteriores* a ele. "Para dizer a verdade, a Bíblia me entediava", ele comentou mais tarde.

A Bíblia, como Eugene a conhecia, apresentava princípios para a vida virtuosa, artilharia para batalhas teológicas e clichês usados como unguentos para aliviar a dor. Sua igreja havia empregado a Bíblia inquestionavelmente como livro didático e, ocasionalmente, até como arma. Contudo, ninguém o havia conduzido para a maravilha, a beleza, a maestria das páginas antigas. O texto bíblico tinha sido, até então, algo para usar, algo para dominar. Sob a instrução de Traina, ele passou a ver as Escrituras como um mundo no qual ingressar.

> Gradualmente, a cada semana e a cada semestre, minha leitura da Bíblia estava se tornando um diálogo. Não estava mais apenas lendo palavras; estava ouvindo as vozes, observando como essas palavras operavam em conjunto com todas as outras palavras da página. Estava aprendendo a atentar para essas vozes, para os escritores que eram, afinal de contas, *escritores*. Artistas da linguagem, habilidosos escritores, poetas e contadores de histórias. [...] Palavras não eram apenas palavras; palavras eram sagradas.

Essa jornada ao interior do mundo da Bíblia trouxe crescimento para todas as áreas de sua vida, abriu possibilidades inéditas e lhe conferiu imaginação renovada e dinâmica. O mundo das Escrituras daria forma a seus conceitos de amizade, a seu modo de se enxergar como marido e pai, a seu modo de viver como vizinho e pastor. Eugene descreveu a transformação sob a direção de Traina como uma mudança sísmica de paradigma, como a transição de Ptolomeu para Copérnico.

A história de Eugene, pelo menos como teólogo, tem sua origem naquela primeira aula no seminário:

> Entrei no seminário com pouco ou nenhum interesse em teologia. Minha vivência teológica era excessivamente contaminada por polêmica e apologética e, portanto, não era fonte de prazer. Sempre deixava um gosto ácido na boca. As magníficas e sublimes realidades de Deus e do Espírito Santo, das Escrituras, da Criação, da salvação e de uma vida santa pareciam ser reduzidas a controvérsias mesquinhas: predestinação e livre-arbítrio, graça e obras, calvinismo e arminianismo, liberais e conservadores, supra e infralapsarianismo. Na faculdade, tinha evitado tudo isso ao me refugiar no curso de filosofia, que me deu espaço e companheiros para cultivar o encanto e explorar o significado das coisas. Quando cheguei ao seminário, continuei a manter distância da teologia ao mergulhar nas línguas bíblicas e no estudo da Bíblia em inglês.

Recém-despertado para o prazer das Escrituras, Eugene se voltou, cheio de interesse, para as línguas bíblicas, hebraico e grego. Em meados de 1955, Eugene trabalhou na Sociedade Bíblica Americana (o principal grupo de tradutores da Bíblia nos Estados Unidos) na esquina da Rua 57 com a Avenida Park. Ali, recebeu treinamento imersivo no trabalho de tradução das Escrituras. Ao andar pelos corredores da instituição, Eugene via tradutores debruçados sobre textos, trabalhando para moldar as palavras de uma língua dentro do coração de outra.

Ele não sabia que aquele era seu primeiro vislumbre do trabalho que, um dia, se tornaria seu legado mais abrangente.

* * *

Perto dali, a Igreja Presbiteriana da Avenida Madison era uma congregação vibrante, na encruzilhada de grande opulência e horrenda pobreza. Quando Eugene começou a participar da igreja, encontrou o primeiro pastor (além de sua mãe) que considerou admirável: George Buttrick.

FOGO EM MEUS OSSOS

Na sala de aula, Traina mostrou a Eugene um novo mundo bíblico. Do púlpito, porém, Buttrick abriu para ele um novo universo. Era verdadeiro pastor, exímio pregador e luminar religioso. Havia anos sua grande variedade de aptidões pastorais cativava pessoas de todo o país. Um jornalista teve dificuldade de articular a abrangência de seu trabalho: "autor, estudioso, orador, pastor diligente dia e noite da maior igreja presbiteriana de Nova York". E tudo isso era verdade. Buttrick era uma voz profética que não fazia rodeios por medo de ofender os membros mais ricos da igreja. Quando o país mergulhou na Grande Depressão da década de 1930, mesmo depois que o orçamento da igreja encolheu um terço, Buttrick desafiou a igreja da Avenida Madison a redobrar seus esforços para atender ao convite do evangelho para amar os milhares de famintos e sem-teto ao redor de sua vizinhança abastada. Ele acreditava no papel essencial da presença pessoal em seu trabalho como pastor e visitava, em média, 25 lares por semana. Passava quatro horas por dia estudando, supervisionava os trabalhos assistenciais da igreja, lecionava no Seminário Teológico Union e era editor geral do periódico *The Interpreter's Bible* [A Bíblia do intérprete]. Sob sua liderança, a igreja na Avenida Madison cresceu e se tornou a maior igreja presbiteriana da cidade de Nova York, e Buttrick foi considerado um dos pregadores de maior destaque dos Estados Unidos (de acordo com a revista *Life*, um dos doze grandes pregadores do século 20, ao lado de Howard Thurman, Billy Graham, Robert James McCracken, Fulton J. Sheen e Norman Vincent Peale).

A cada ano, a igreja escolhia dez seminaristas para fazer estágio na Avenida Madison (cinco do Seminário Union e cinco do Seminário Bíblico). Eugene, que ainda tinha como alvo lecionar, e não se dedicar ao ministério pastoral, não estava interessado em um estágio ministerial, mas descobriu, para sua frustração, que todos os seminaristas precisavam fazer estágio em alguma igreja. Quando o seminário encaminhou Eugene para a Igreja Presbiteriana da Avenida Madison, ele percorreu a pé os 2,5 quilômetros até lá, passando pela Catedral de St. Patrick e pela luxuosa loja de departamentos Bonwit Teller (onde hoje fica a Trump Tower) até o escritório da igreja. Ali, foi submetido a uma rodada exaustiva de entrevistas: três reuniões com três membros da equipe pastoral. Os pentecostais de Montana olhavam com desconfiança para os presbiterianos de Nova York, e portanto Eugene aproveitou a oportunidade para dar seu testemunho a esses pastores que não suspeitavam de suas motivações. Fez questão de explicar o evangelho em detalhes para cada um deles e enfatizar a necessidade de conversão. Eugene voltou para o seminário repleto de fervor evangelístico, sonhando acordado e imaginando que, depois daquela demonstração de sua grande competência teológica, talvez fosse convidado a se revezar com Buttrick e com os outros pastores nas pregações de domingo. Quando o telefone tocou, a voz do outro lado da linha explicou o que ele faria durante seu estágio: seria o técnico do time de basquete masculino da igreja. Durante o próximo ano, portanto, em vez de fazer homilias profundas, Eugene correu para cima e para baixo na quadra, apitando enquanto homens suados treinavam bandejas e arremessos livres.

A pregação de Buttrick encantava Eugene. Sua abordagem delicada mas penetrante às Escrituras irradiava sutileza. Era um poeta que ocupava o púlpito, um homem que tinha reverência pela santidade das palavras. Os pregadores que Eugene tinha visto até então eram, em sua maioria, oradores estrondosos, que improvisavam diatribes cheias de digressões. Os sermões de Buttrick eram refletidos, lúcidos, imaginativos, potentes mas discretos. E as palavras apontavam, com convicção, para Deus. Décadas depois, ao refletir a esse respeito, Eugene continuava a considerar Buttrick um pastor extraordinário: "No ano de domingos que assisti a suas pregações, creio que não ouvi nem um só clichê passar por seus lábios".

Buttrick usava linguagem despretensiosa, mas incisiva. Em seu livro sobre homilética, ele escreveu: "Uma frase rutilante, afiada como um florete, é melhor que uma orgia de repreensões". Embora fosse um pregador brilhante, sua presença junto ao púlpito não impressionava muito. Seus sermões eram desprovidos de todo artifício teatral. Frederick Buechner comentou: "Ele ajeitava as vestes litúrgicas e murmurava as palavras, o que o tornava ainda mais marcante". Um dos alunos de Buttrick, John Killinger, acabou com qualquer ilusão de que seu professor tivesse uma forte presença oratória ao lembrar que ele "contrariava todas as regras para quem fala em público, gaguejando com frequência, caminhando de um lado para o outro e abaixando a cabeça quando falava". Mas todos que compareciam àquele magnífico santuário ouviam o crepitar do fogo na "voz estranha e rouca, a voz de uma velha ama-seca", como Buechner a descreveu.

Eugene jamais tinha visto um pastor como esse.

* * *

Além de Eugene, havia naquele mesmo ano outro rapaz sentado em um banco da igreja na Avenida Madison que ansiava ouvir Buttrick como um homem sedento anseia por água. Esse rapaz era Frederick Buechner, e Eugene e ele não sabiam da existência um do outro. Buechner tinha se mudado para Nova York em 1953 a fim de escrever ficção em tempo integral. O sucesso fenomenal de sua primeira obra, *A Long Day's Dying* [Um longo dia de morte], foi seguido de uma enorme decepção, *A Season's Difference* [A diferença de uma estação], e Buechner descobriu que sua vida, como sua obra, se encontrava em um estado de total confusão.

Ao contrário de Eugene, Buechner não era um homem religioso e não estava (ou, pelo menos, não imaginava que estivesse) à procura de Deus. No entanto, Buechner se sentia perdido e sozinho em Nova York e, depois de se mudar para um apartamento na mesma quadra da Igreja Presbiteriana da Avenida Madison, percebeu que era vizinho de um pregador que parecia estar causando grande *frisson* na cidade. Não tendo Buechner nada melhor para fazer aos domingos, saía de casa e ia à igreja e, sentado sob a cúpula, era envolto pela luz que atravessava os vitrais e inundava o santuário e pela música arrebatadora do imenso órgão de tubos Opus 1000.

Algo em Buttrick, que Buechner não conseguia identificar com precisão, transpassava seu coração.

> Não era apenas sua eloquência que me fazia voltar, embora ele fosse maravilhosamente eloquente, erudito e imaginativo; era imprevisível, cheio de surpresas, e seus óculos cintilavam na luz do púlpito. O que mais me atraía era a origem inefável de seus sermões e o elemento inefável dentro de mim que eles tocavam tão profundamente.

Uma frase ponderosa de Buttrick acendeu a fagulha que incendiou o coração do jovem Buechner. Em 15 de novembro de 1953, Buttrick pregou um sermão eletrizante com o título "Ele se recusou a ser rei" e proclamou que, se desejamos coroar Jesus para que seja rei de nosso coração, essa coroação acontecerá "em meio a confissão, lágrimas e grande riso". Foram essas palavras finais, com seu convite inequívoco à *alegria*, que produziram a fagulha. Com essas poucas sílabas, algo sagrado, cheio de vida e *penetrante* se abriu dentro de Buechner. "Por motivos que jamais compreendi de forma satisfatória", Buechner escreveu posteriormente, "a grande muralha da China ruiu e Atlântida se elevou do fundo do mar, e na Avenida Madison, na altura da Rua 73, lágrimas brotaram em meus olhos como se minha face tivesse sido esbofeteada."

Eugene e Buechner nunca se encontraram, mas, posteriormente, Eugene ficou sabendo de sua história em comum. Em um de seus diários, colou um recorte com a descrição feita por Buechner daquela manhã momentosa. Eugene reconheceu na lembrança de Buechner sua própria experiência profunda de sentar-se no mesmo santuário, o coração tocado em alguns daqueles mesmos domingos, ao ouvir os mesmos sermões.

Nas noites de domingo, Buttrick convidava os dez seminaristas estagiários para a cobertura de um membro da igreja na Quinta Avenida, com janelas enormes que se abriam para a vista majestosa do Central Park. Buttrick afrouxava a gravata, descalçava os sapatos sociais de seus pés cansados, colocava um par de chinelos e sentava-se no piso de tábuas corridas. Recostava junto ao aquecedor, que estalava e chiava enquanto bombeava ar quente para combater o inverno que remoinhava do lado de fora do vidro das janelas. Buttrick acendia seu cachimbo, puxava demoradamente e perguntava: "Sobre o que vocês querem falar?". A hora seguinte era tomada de conversa que fluía livremente. Nada de sermões. Em vez de despejar uma enciclopédia de informações ministeriais, Buttrick apenas abria sua mente e sua vida para os alunos.

Em uma dessas noites, um dos seminaristas lhe perguntou algo como: "Qual é a coisa mais importante que o senhor faz ao preparar o sermão a cada semana?". Sem hesitar, Buttrick respondeu:

> Durante duas horas, todas as terças e quintas à tarde, caminho pela vizinhança e faço visitas nos lares. É impossível pregar o evangelho a essas pessoas sem saber como vivem e sobre o que pensam e falam. Pregação é proclamação, é a palavra de Deus revelada em Jesus, mas só se torna evangelho quando é inserida nas conversas, em um ouvido atento e uma língua que responde.

Embora a igreja de Buttrick tivesse muitos membros que moravam do lado mais sofisticado da cidade, as quadras a leste da igreja formavam uma vizinhança em que o povo lutava para sobreviver, trabalhando até a exaustão para colocar batatas na mesa e sapatos nos pés dos filhos. A fim de pregar para essas pessoas e ser seu pastor, Buttrick sabia que precisava

FOGO EM MEUS OSSOS

tornar-se parte da vida delas. Sentado no piso de madeira, Buttrick compartilhava suas convicções. E Eugene tomava notas.

* * *

Eugene enviava pilhas de cartas para sua família: relatos de suas muitas experiências novas, parágrafos em que expunha ideias e dúvidas, e inúmeras expressões do quanto amava seus familiares e sentia saudades de Montana. Ken se lembra da empolgação que cercava a chegada das cartas semanais de Eugene. Sua mãe desdobrava as folhas de papel e lia em voz alta (com sua dramaticidade típica) as histórias sensacionais de Eugene sobre a cidade grande. Em uma das cartas, Eugene narrou seu encontro com uma mulher aflita, prestes a saltar da ponte no Brooklyn, e contou como conseguiu fazê-la mudar de ideia. Também houve aquela vez em que ele e alguns colegas tiveram um confronto assustador com uma das gangues da vizinhança. Para Ken, as cartas de Eugene eram mais interessantes que a televisão.

Evelyn sorvia as palavras de Eugene. Não entendia todas as experiências que ele estava vivenciando, tudo o que esse mundo novo lhe prometia. Mas tinha orgulho do filho. Lia as cartas com a voz cheia de prazer e depois as guardava perto de si.

* * *

Desde a formatura de Eugene, Carol Rueck e ele, em lados opostos do país, também trocavam cartas. No fim de 1955, contudo, o relacionamento não ia nada bem. A distância não tinha contribuído para reacender os sentimentos que já haviam arrefecido quando Eugene deixou Seattle. Sua correspondência meandrava, tépida e sem compromisso.

Ainda assim, mantiveram o plano de Carol passar o Natal em Nova York (embora Eugene tenha escrito para sua família, pouco antes da visita, que as coisas estavam "nebulosas"). Eugene programou passeios extravagantes pela cidade, na esperança de que aqueles dias mostrassem se havia futuro para eles como casal. Encantou Carol com um jantar no Café Français, no Centro Rockefeller. Descreveu para sua família que se sentaram na parte inferior, com uma janela que dava para a calçada, "debaixo da resplandecente árvore de Natal, com mais de dezoito metros de altura, e com uma vista interessante dos patinadores do lado de fora". Impressionante. Mas era só o começo. Também jantaram no Toffenetti, na Times Square, com lugar para mil pessoas e conhecido como "Catedral de Todos os Restaurantes". E no Longchamps, bistrô com toalhas brancas que servia ragu de rabada e torta de frutas secas. Outra refeição foi na Taverna Fraunces, o bar e restaurante mais antigo da cidade, que George Washington havia frequentado. O ápice do *tour* gastronômico, porém, foi o jantar no Peacock Alley, restaurante no hotel Waldorf Astoria. Entre uma refeição e outra, visitaram o museu Metropolitan, o anfiteatro Radio City, a bolsa de valores em Wall Street e o prédio Empire State. Eugene mostrou a Carol as lojas de roupas femininas de grife na Quinta Avenida, seguidas de passeios nas lojas de departamentos Macy's e Gimbels. Assistiram ao espetáculo *Plain and Fancy* [Simples e sofisticado], na Broadway. O supervisor dos lanterninhas no auditório da rede de televisão CBS era amigo de Eugene e reservou lugares na primeira fila para que eles assistissem ao *show* de variedades *Arthur Godfrey and His Friends* [Arthur Godfrey e seus amigos].

A aventura mais memorável da viagem, porém, foi no dia de Natal. Os dois foram a Washington, D.C., passar as festas com Ed e Marita Dillery e, na manhã de Natal, a caminho da Igreja Presbiteriana Nacional, comentaram de brincadeira que esperavam ver o presidente no culto. Para sua felicidade, um diácono os conduziu até um banco *praticamente em frente ao púlpito*. A felicidade se transformou em espanto. Em uma carta para sua família, Eugene descreveu aquele momento incrível: *Às 10h55, adivinhem quem foi conduzido até a mesma fileira que nós, do outro lado do corredor? Ike e Mamie!*. John, filho do presidente, em seu uniforme militar, sentou-se ao lado de Carol e Eugene. John Foster Dulles, secretário de Estado de Eisenhower, sentou-se na fileira na frente deles. *Não poderíamos ter pedido um espetáculo melhor.*

Ao voltar a Nova York, Eugene e Carol passaram a última noite juntos em Times Square, aguardando a virada do ano com a multidão festiva que jogava confete para o alto e cantava a tradicional cantiga "Auld Lang Syne" [Muito tempo atrás]. Foi a última vez que Eugene viu Carol. Apesar da programação suntuosa, a despedida no Aeroporto LaGuardia sinalizou o fim de seu relacionamento cheio de altos e baixos.

Não precisa mais orar sobre esse assunto, Eugene escreveu para sua mãe. *Sinto-me desobrigado do compromisso.*

*   *   *

Nova York era o último lugar em que Eugene esperava se encontrar. Mas a vida ebuliente e a diversidade cultural, as muitas novas amizades e a forma como o seminário vinha expandindo sua imaginação teológica e bíblica abriram várias possibilidades inéditas e inesperadas. O rasto que ele havia seguido até lá se tornava cada vez mais forte, o fogo em seus ossos gerava cada vez mais calor. A direção que ele havia procurado a passos trôpegos — e que raramente parecia clara, exceto em retrospectiva — estava, aos poucos, se revelando.

7

Vivência

Estudo e trabalho com pessoas: o paradoxo dialético de
Gene Peterson.

Eugene Peterson, carta para sua família

Depois do ano de estágio na Avenida Madison, o seminário enviou Eugene
para a Igreja Presbiteriana de West Park, uma igreja em crescimento na
esquina da Avenida Amsterdam e a Rua 86 Oeste. West Park havia acabado
de receber seu novo pastor, dr. William B. McAlpin, de Pittsburgh, em cuja
universidade havia pastoreado e lecionado filosofia. McAlpin era competente administrador e figura imponente que, quando não estava junto ao
púlpito de carvalho escuro maciço, fumava um longo charuto. Alcançou
proeminência como líder religioso e, ao morrer três dias antes do Natal em
dezembro de 1972, quando ainda pastoreava em West Park, foi honrado
com um obituário no *New York Times*. Em 1955, da primeira vez que Eugene parou diante da igreja, separada do seminário pelo Central Park, ma-
ravilhou-se com a torre impressionante de arenito vermelho que terminava
em uma cobertura em forma de sino, estendendo-se para o alto. No espaçoso auditório, tubos do órgão se erguiam até o teto como sentinelas acima
dos bancos de mogno, tudo iluminado pela claridade que atravessava os
vitrais. A luz cintilava suavemente, tocando de leve o espaço sagrado.

Durante os próximos dois anos, além de lecionar para meninos adolescentes na escola dominical, Eugene coordenou o ministério da igreja de
West Park com jovens profissionais (o Clube 20–30), em sua maior parte,
artistas com orçamento apertado que trabalhavam em empregos banais e
sonhavam ser vistos por donos de galerias ou esperavam um telefonema
de algum diretor da Broadway. Os encontros do clube eram de cunho

FOGO EM MEUS OSSOS

social, e poucos de seus membros expressavam interesse em questões de fé. Ainda assim, a igreja abria as portas nas noites de sexta e dava espaço para essas reuniões. Um sorridente Eugene, responsável pela organização, recepcionava os participantes.

Eugene gostava desses encontros. De vez em quando, os participantes dançavam quadrilha ao som de músicas que qualquer garoto de Montana conhecia. O grupo contratava um narrador e um violinista e, no arrasta-pé animado no salão de festas da igreja, os dançarinos de Nova York se entregavam sem inibição à coreografia. Embora pastores pentecostais não aprovassem que os crentes dançassem quadrilha, Eugene havia, *misteriosamente*, aprendido todos os passos. "Cresci em uma região em que todo mundo dançava quadrilha", ele me contou, dando risada. "Não era aceitável, mas eu não fazia alarde. E me saía bem."

Seu ministério cosmopolita em West Park permitiu que ele tivesse contato com culturas variadas e gerou novas perguntas. Mais uma vez, Eugene procurou pessoas comuns. Nunca se contentou com a cultura acomodada dos cristãos de longa data que só esquentavam os bancos da igreja. Em uma carta para a família, observou:

Ontem fui à casa de uma das moças do Clube 20–30. Ela convidou várias pessoas, e comemos, bebemos (café) e jogamos conversa fora, um bando de intelectuais amadores, durante umas seis horas. Eu não conhecia a maioria deles. Era um grupo internacional [...] com gente do Egito, da Índia, da China e da Europa, e até um caipira de Oregon [...] não sei como ele entrou na festa. Foi uma experiência interessante e uma boa oportunidade de cultivar algumas sementes já lançadas.

O maior presente que West Park deu a Eugene foi a oportunidade de treinar o que significava ser pastor, de verdadeiramente *estar* com as pessoas. Ele havia observado Buttrick imerso na vida de sua congregação, mas os professores do seminário "não tinham ideia do que era um pastor ou do que ele fazia. Apenas um deles havia pastoreado uma igreja, e era professor assistente". West Park o inseriu em experiências com gente real e permitiu que ele arregaçasse as mangas e se tornasse parte da vida das pessoas. As cartas de Eugene para sua família transbordavam de expressões de gratidão por esse espaço em que ideias e livros eram menos importantes que relacionamentos e conversas.

VIVÊNCIA

Passei a tarde nos arredores da igreja, visitando as pessoas em seus lares, algo que gosto bastante de fazer. Sempre fico um tanto apreensivo antes de sair, com medo do desconhecido, mas quando me lanço de cabeça nessa tarefa, é imensamente prazerosa. Tenho sobre a escrivaninha uma pilha de cartões com o nome das pessoas que devo visitar e, quando canso do seminário e vejo que minha visão da realidade está se tornando empoeirada, como a de um monge, coloco alguns cartões no bolso, pego e metrô, e pronto! Estou de volta ao mundo real.

Os membros do Clube 20–30 recebiam Eugene de braços abertos e o consideravam seu amigo. Um casal pediu que ele ajudasse no casamento deles — na cozinha. *Ministrei oficialmente como lavador de louça na recepção*, ele escreveu. *O que Jesus disse sobre lavar a louça (ou foi os pés) das pessoas antes de liderá-las?*

Eugene encontrou algo que sempre quis ter, mas nem sempre soube descrever: a união verdadeira de sua fé dominical com o mundo cotidiano ao longo da semana. *Estou me divertindo à beça com o pessoal de West Park e pregando esse evangelho informal, acompanhado de xícaras de café.*

* * *

Se a vocação pastoral parecia, de certo modo, idílica para Eugene, um zelador de West Park logo lhe deu um vislumbre inesquecível e sinistro do lado sombrio do ministério. Willi Ossa limpava os pisos e lustrava os bancos da igreja, mas essa era apenas uma forma de pagar as contas. Era artista e fazia sua mágica com tinta e tela. Alemão, casou-se com a filha de um oficial americano durante a ocupação americana depois da Segunda Guerra Mundial. Quando Willi, a esposa e a filha de seis meses se mudaram para Nova York, foram morar em um apartamento no terceiro andar de um prédio a apenas algumas quadras de West Park.

Willi tinha visto com os próprios olhos os estragos que alguém pode fazer do púlpito. O pastor de sua infância havia se tornado nazista fervoroso, e todas as igrejas alemãs que Willi conhecia tiveram algum vínculo com o Terceiro Reich. A igreja lhe causava asco e, a seu ver, os cristãos eram todos corruptos. Willi não entendia por que Eugene, um rapaz claramente íntegro e sincero, fazia parte dessa instituição infame. À medida que os dois fizeram amizade, Willi advertiu Eugene repetidamente que a igreja acabaria com ele. "Ele dizia que as igrejas, todas elas, reduziam pastores a funcionários em uma burocracia na qual rótulos tomavam o lugar de rostos, e regras eram mais importantes que relacionamentos. Ele gostava de mim. Não queria que a igreja acabasse comigo."

Em pouco tempo, Eugene estava jantando todas as sextas-feiras com Willi e sua esposa, Mary. Depois de algumas semanas, Willi pediu que Eugene chegasse uma hora antes do habitual, pois queria pintar seu retrato. Eugene aceitou. Sentava-se imóvel a cada semana enquanto Willi, pincel entre os dedos, olhava para Eugene, para a tela, e de volta para Eugene. A intensidade fria de Willi se derramava sobre o cavalete, mas ele não permitia que Eugene acompanhasse o progresso da obra. Eugene percebeu, contudo, que algo estava errado. "Uma tarde, Mary entrou na sala, olhou para o retrato quase pronto e exclamou: *'Krank! Krank!'*". Eugene sabia apenas um pouco de alemão, mas conhecia essa palavra: "Doentio! Doentio!". Mary e Willi tiveram uma discussão feia, e Eugene traduziu de modo aproximado as palavras de Willi: "No momento, ele não está doente, mas esta será a aparência dele quando não houver mais compaixão, quando tiverem espremido dele toda a misericórdia".

Na pintura, o corpo emaciado de Eugene aparece coberto por um manto preto austero em contraste com um fundo pardo. Atrás de seu ombro, uma cruz longa, quase indistinta. Suas mãos esqueléticas se encontram dobradas sobre uma Bíblia vermelha em seu colo. Os olhos e o rosto não têm expressão. Há manchas escuras na pele. A forma é humana, mas não há humanidade nenhuma. *Krank*, de fato.

Depois de dois anos de amizade e jantares de sexta-feira, Willi se divorciou de Mary e voltou para a Alemanha. Eugene e Willi não mantiveram contato, mas Eugene guardou a pintura e olhava para ela sempre que precisava se lembrar daquilo que era possível, daquilo em que poderia se tornar se não guardasse sua alma.

* * *

Embora Eugene houvesse se tornado desconfiado de estudos teológicos, Karl Barth despedaçou sua reticência. É notável que seu primeiro encontro com Barth não tenha ocorrido em uma aula do seminário, mas por intermédio de um dos jogadores de basquete que ele havia treinado no ano anterior, um pós-graduando da Universidade Columbia que nem sequer era cristão.

VIVÊNCIA

Uma noite de sábado, enquanto os dois tomavam banho e se trocavam no vestiário depois do jogo, o estudante falou efusivamente das palavras inebriantes que estava lendo na obra *Epístola aos Romanos*, de Barth. Na segunda-feira de manhã, Eugene tomou emprestado um exemplar da biblioteca, e começou ali seu amor vitalício por esse grande teólogo. "O que eu tinha ouvido e lido sobre teologia até então era *a respeito de* Deus. Deus e as coisas de Deus eram temas de discussão a serem compreendidos; não tinham nenhuma vitalidade." Teologia desse tipo entediava Eugene. Parecia desligada da vida autêntica. Mas Barth era diferente.

> Ao ler Barth, percebi que, durante boa parte de minha vida, as pessoas com as quais eu convivia e que haviam me ensinado estavam interessadas, acima de tudo, em entender corretamente a verdade do evangelho e da Bíblia, explicá-la e defendê-la. (Meus pais foram bem-aventuradas exceções.) Barth não tinha muito interesse nessa abordagem. Ele era testemunha. [...] Não era indiferente à importância de "entender as coisas", mas sua grande paixão era "viver essas coisas".

Durante sessenta anos de ministério, Eugene estudou Barth continuamente e em profundidade; leu todos os volumes da gigantesca *Dogmática eclesiástica* pelo menos duas vezes. O que motivava seus estudos, porém, não era tanto a argumentação precisa e intricada (ainda que majestosa), mas a *forma* como Barth abordava a teologia, sua postura diante de Deus e de outros. Eugene me disse certa vez que ele se desmanchava diante da "visão de Deus [de Barth] e de como Barth nunca se levava a sério demais". Eugene absorveu Barth durante seis décadas. Aliás, o projeto no qual ele estava trabalhando antes de falecer, e que deixou inacabado, era um ensaio sobre Barth.

* * *

Esse mundo teológico em expansão criou forte tensão à medida que Eugene começou a repensar sua herança pentecostal. Imerso nos estudos filosóficos na SPU, o vínculo tênue que o mantinha ligado à educação que havia recebido na infância e na adolescência se enfraqueceu. "Comecei a ter a impressão de que vinha de um contexto religioso grosseiro, rústico e tosco. Comecei a exigir lógica e razão para todas as práticas religiosas."

FOGO EM MEUS OSSOS

Eugene havia sentido distanciamento crescente de "sessões ruidosas e aparentemente desgovernadas de oração e louvor, cultos informais de testemunho, liberdade emotiva e a prática de falar em línguas, elementos comuns em um culto pentecostal".

O amor de Eugene pela filosofia nunca esmoreceu (sua colega de seminário Sarah Arnold se recordou de passar horas sentada nas escadas do seminário com Eugene conversando sobre Kierkegaard). No entanto, ele também começou a sentir a atração exercida pela chama conhecida e voltou com gratidão a suas raízes pentecostais. As reuniões de oração no terraço com Pat Robertson e Joo Sun Ae despertaram em Eugene um anseio por proximidade, por intimidade com Deus integrada a toda a gama de experiências humanas. Ele desejava um "ressurgimento de poder" que, a seu ver, se encontrava entretecido com o Espírito Santo. A glossolalia, foco principal de atenção da teologia pentecostal e, de longa data, fonte de dúvidas e desconforto para Eugene, o fez meditar delongada e intensamente. Falar em línguas, algo que havia lhe causado constrangimento e confusão por muito tempo, agora começou a lhe oferecer uma ligação direta e vivificadora com Deus.

Eugene, em uma demonstração de que suas ideias sempre acabavam registradas em papel, refletiu sobre essa jornada em um artigo que escreveu para a revista *Pentecostal Evangel* com o título "Incuravelmente pentecostal". Explicou que havia analisado suas experiências (frustrações e conceitos equivocados que pareciam constituir incoerências no pensamento pentecostal) e redescoberto verdades perenes. No entanto, ao escrever para sua família depois de algumas discussões acaloradas com o editor da *Evangel*, Eugene expressou frustração: *Eles tiraram todas as frases mais incisivas, tudo o que tem até o mais tênue aspecto de originalidade e se desvia milimetricamente do discurso tradicionalmente aceito, e o resultado foi um artigo trivial e um tanto sem graça.* Seria fascinante ler o manuscrito não revisado. Que asserções teológicas de Eugene pareceram problemáticas? Em que aspectos ele se desviou do "discurso tradicionalmente aceito"? Em uma expressão final de melancolia, Eugene ecoou a voz de todo jovem escritor convicto de que seu brilhantismo literário é tolhido pelos cortes insensíveis da caneta de um editor cruel: *Espero que chegue um dia em que eu possa ter textos publicados da forma que os escrever.*

Ao mesmo tempo que Eugene começou a fazer as pazes com sua herança religiosa, as aventuras vergonhosas de um pentecostal famoso que

84

VIVÊNCIA

vieram a lume complicaram esse processo. O espalhafatoso evangelista pentecostal Oral Roberts causou consternação eclesiástica e foi tema de conversas animadas entre seminaristas quando, para desprezo geral, pagou quarenta mil dólares de frete para transportar uma tenda de circo e dezoito mil cadeiras para seus encontros na Austrália. Eugene escreveu para sua família, aborrecido porque o termo "pentecostal" se encontrava associado a tamanho vexame público. Essa foi a amostra inicial do quanto Eugene ficaria desgostoso posteriormente com escândalos ligados a celebridades religiosas.

Apesar disso tudo, Eugene também se exasperou consideravelmente com o antipentecostalismo com o qual deparou no seminário, uma atitude que ele considerou ignorância esnobe disfarçada de convicção bíblica. Se havia uma coisa que irritava Eugene, era elitismo. Quando um professor advertiu que práticas pentecostais levam, inerentemente, a excessos como Pai Divino (líder espiritual de meados do século 20 que dizia ser Jesus Cristo), Eugene escreveu para sua família:

Perdi as estribeiras. Disse: Sou pentecostal, e fui a vida inteira [...] participei de congressos e reuniões de oração desde que me conheço por gente e ainda estou para ver alguém que expresse sua adoração de modo tão pleno quanto os pentecostais [...]. O sangue sobe à cabeça quando as pessoas fazem declarações absurdas como essa. Que bom que estou aqui para manter esse pessoal na linha, não é mesmo?

Apesar da tendência de Eugene de tomar a defensiva, à medida que seus estudos no seminário avançaram, seu apego ao pentecostalismo esfriou. Sua teologia o empurrou para fora da "linha do partido", mas essa mudança foi apenas mais um caso em que seguiu o rasto. Os presbiterianos lhe ofereceram estágios. Continuaram a acolhê-lo. Entrementes, os pentecostais demonstraram pouco interesse, e as interações superficiais que teve com eles (como na ocasião em que escreveu para a revista *Evangel*) o deixaram insatisfeito. Quanto mais tempo ele trabalhava em West Park, mais a ordenação no presbitério de Nova York fazia sentido.

Ele escreveu para seus familiares:

Nos últimos tempos, tenho pensado seriamente [...] em me tornar presbiteriano. Tudo parece apontar nessa direção. Sinto que meu ministério é

85

igualmente pleno e a necessidade é igualmente grande — e as portas estão abertas. [...] Reluto em tomar essa decisão, mas estou prestes a concluir que a Assembleia de Deus é uma rua sem saída para mim. Em coisas desse tipo, não tenho dúvida de que o Senhor me conduzirá e mostrará o caminho de forma clara. Portanto, não tomarei nenhuma decisão forçada. Orem comigo a esse respeito.

Para Eugene, essa mudança não era o abandono de uma tradição em favor de outra. Antes, ele havia começado a construir uma ponte entre dois mundos, a encontrar o próprio caminho. Em uma carta apenas algumas semanas antes da formatura do seminário, Eugene escreveu de modo vívido sobre suas experiências com o Espírito Santo. Falou de uma reunião de pequeno grupo com Harald Bredesen, ministro luterano que, posteriormente, se tornou conhecido como "Sr. Carisma" no canal CBN de Pat Robertson. Nessa reunião, vários amigos de Eugene (e futuros líderes proeminentes) sentiram um anseio intenso pelo Espírito Santo.

Mais adiante no ministério, Eugene pareceu se esquecer de algumas de suas experiências (ou talvez, em um momento posterior da vida, entendeu-as de formas diferentes), mas esse foi pelo menos um breve período em que a glossolalia, tão fugidia, mas tão desejada em sua juventude, fez parte de sua vida espiritual. De qualquer modo, Eugene estava incandescente com os ventos do Espírito, e desejava atrair outros para essa vida exuberante.

Tenho me reunido logo cedo todas as manhãs com Donn e Dick a pedido deles para orar pelo E. S. [Espírito Santo]. Concordei em participar dessas reuniões desde que eu pudesse fazer o que quisesse, como orar em línguas, cantar, orar em voz alta [...] qualquer coisa. Dick nunca tinha ouvido nada parecido, mas concordou, e agora faz pouco mais de um mês que temos nos reunido. [...] Esse é o tipo de ministério ao qual fui conduzido, de levar outros a uma experiência mais profunda com o E. S. Estou começando a entender a utilidade do dom de línguas. Nos últimos três meses, tenho cultivado essa prática diariamente em oração com muito enriquecimento e proveito. Como vocês recordam, ela permaneceu adormecida por um longo tempo. O Senhor tem me ensinado muita coisa.

A carta se encerra no tom de um pregador do reavivamento: *Fiquem de olhos abertos para as grandes coisas que o Espírito Santo fará e esperem relatos extraordinários da obra do Espírito Santo em toda a cidade. Lembrem-se desses nomes. Eles podem sacudir a cidade se receberem poder do Espírito; aguardem as manchetes.*

Eugene jamais abandonou as convicções fundamentais que havia aprendido nas igrejas de sua juventude e com a fé fervorosa de sua mãe. O misticismo inspirado pelo Espírito Santo que caracterizou a espiritualidade de Eugene no restante de sua vida era profundamente pentecostal:

> A mudança do pentecostalismo para o presbiterianismo não pareceu algo importante na época. Ainda não parece. Sem dúvida, não foi nada que pudesse ser chamado de crise. Não tive a impressão de que estivesse alterando alguma parte de minhas crenças, e por certo não foi uma mudança em minha forma de viver. Mas será que eu ainda era pentecostal?
>
> Imaginei que sim. Não havia repudiado nada em que cresse desde a juventude. Não me parecia que minha identidade cristã houvesse sofrido erosão em algum aspecto. [...]
>
> Se eu tivesse de definir o que, para mim, constitui o cerne da identidade pentecostal, diria que é a convicção vivenciada de que absolutamente todas as coisas nas Escrituras são praticáveis. Não são apenas verdadeiras, mas praticáveis. Não são apenas uma ideia ou uma causa, mas são realizáveis na vida real. Tudo o que é revelado em Jesus e nas Escrituras, o evangelho, está ali para ser vivido por cristãos comuns em tempos comuns. Esse é o âmago sobrenatural — uma ressurreição vivenciada e o cerne ocupado pelo Espírito Santo — da vida cristã. O que Karl Barth expressou dialeticamente como "possibilidade impossível" é aquilo em que eu sempre havia acreditado. E em que ainda acreditava.

* * *

Um encontro pessoal reorganizou as categorias de pensamento teológico de Eugene de maneiras tais que teriam causado indigestão em seus irmãos pentecostais. Ao receber a tarefa de refletir sobre uma personalidade teológica da atualidade, Eugene escolheu Harry Emerson Fosdick, uma escolha provocativa. "Em minha cultura, Fosdick era Belzebu", ele comentou. Alvo de fortes críticas na controvérsia entre fundamentalistas e liberais na década de 1920, "Fosdick era o inimigo, a encarnação do liberalismo incrédulo [...] o Anticristo". No entanto, Eugene havia terminado recentemente *O significado da oração*, de Fosdick, o melhor livro sobre oração que ele havia lido. Estava curioso e, em vez de aceitar as opiniões exacerbadas de outros, Eugene queria conhecer Fosdick pessoalmente e descobrir "o que estava por trás, ou não estava por trás, de todas as invectivas maldosas que cercavam o nome de Fosdick".

Jim, colega de seminário, disse a Eugene que Fosdick morava em Long Island, e cutucava Eugene com frequência para que fosse visitá-lo. Eugene hesitou; em sua imaginação, via pastores pentecostais fervendo de raiva por saber que ele havia descido ao inferno para conversar com o grande Satanás. Mas, enquanto Eugene ponderava o que fazer, uma tarde Jim pegou a lista telefônica, discou o número de Fosdick e empurrou o fone no rosto de Eugene. Depois de dois toques, Eugene ouviu uma voz rouca: "Alô. Aqui é Harry Fosdick".

Os dois marcaram uma reunião na Igreja Riverside, em que Fosdick ainda tinha um escritório. Quando Eugene saiu do elevador, um homem um tanto rechonchudo, de cabelo grisalho, bochechas rosadas e óculos de armação fina o cumprimentou e lhe deu boas-vindas calorosas.

— Olá, sr. Peterson. Eu sou o Harry.

Sentado no escritório de Fosdick, Eugene confessou como aquela era uma reunião estranha.

— Você não é muito benquisto no mundo em que cresci.

— Eu sei — Fosdick respondeu.

Em seguida, contou a história de um professor do Seminário Teológico Batista do Sul, em Louisville, que levou para a sala de aula uma carta de Fosdick, na qual ele apresentava um resumo bastante ortodoxo de suas crenças. Um aluno na primeira fila bateu na carteira e declarou: "Não me importo que o nome dele seja Harry Emerson Fosdick. Ainda assim ele é cristão!".

Eugene e Fosdick riram e, por meia hora, a conversa percorreu o cenário religioso. "Mais um nome riscado de minha 'lista de inimigos'", Eugene escreveu depois. "Quando desembarquei do metrô em Manhattan, meu mundo cristão e eclesiástico havia se alargado exponencialmente." Em uma conversa posterior, Eugene acrescentou: "Creio que Fosdick estivesse redondamente enganado em algumas de suas conclusões, mas também creio que nós fomos ainda piores ao difamá-lo".

* * *

VIVÊNCIA

Outro encontro de grande importância foi com John Oliver Nelson, professor da Escola de Teologia de Yale que fundou o Centro de Retiros e Estudos Kirkridge, em Poconos. Em novembro de 1956, Eugene descreveu em uma carta para a família como Nelson *reuniu um grupo de radicais sociais com radicais devocionais [...] [para] integrá-los [...] [e construir] o tipo de ministério caracterizado por forte compromisso, disposto a correr de cabeça em direção a uma serra elétrica caso considere que essa é a vontade de Deus.* A semana de retiro começou com silêncio, que levou os seminaristas a se despojarem de toda artificialidade teológica. Eugene prosseguiu: *Depois de um tempo, ninguém sabia qual era o viés de ninguém, de onde era, quão bom era, pois quando não se pode falar, logo todos se tornam iguais. Depois de horas de silêncio, começamos a sentir a comunhão mística da igreja cristã.* A cada dia, os participantes oravam juntos e realizavam trabalho braçal, seguido de leitura e discussão das Escrituras. Essa primeira experiência monástica de Eugene o cativou. O encontro subversivo foi precursor de temas que, em última análise, definiriam o ministério de Eugene: silêncio como antídoto essencial para atitudes excessivamente teologizadas (ouvir o que Deus tem a dizer é mais fundamental que falar sobre Deus) e desconfiança de nossos conceitos arraigados de sucesso (o que você sabe e o que você fez não definem sua identidade diante de Deus).

Eugene percebeu grande afinidade com Nelson, homem enérgico e de fortes convicções. *Nelson é extremamente original e espirituoso; também é exemplo do não conformista comprometido de modo responsável com um ministério radical e revolucionário.* O anseio por algo radical, algo tão verdadeiro que fizesse arder seus ossos, foi uma constante na vida de Eugene. Sua fome de Deus despertou um fogo consumidor em sua alma. Ele saiu daquela semana em Kirkridge cheio de fervor. *Foi animador saber que havia alunos em outros seminários (talvez não muitos, nunca há muitos) dedicados a realizar a obra de Cristo de maneiras revolucionárias.*

* * *

Eugene precisava de uma revolução. O lugar, tanto quanto qualquer outro elemento, consumia as energias do espírito do jovem seminarista. Por mais estimulantes que fossem as amizades, os trabalhos e as aulas, Eugene almejava os contornos e a beleza natural de Montana. Nova York não falava a linguagem de sua alma. Ao escrever para sua família no inverno, ele observou:

> *Hoje, em Nova York, estamos tendo uma tempestade daquelas, como as de Montana. Quando acordei, flocos de neve gigantes passavam por minha janela, levados pelo vento feito plumas. Algumas horas depois, a Rua 49 havia se transformado em um túnel de vento, com rajadas que açoitavam sem dó as fachadas e os pedestres. De algum modo, porém, a neve não é tão bonita na cidade. Flocos de neve não foram criados para acariciar torres de aço e concreto insensíveis. A neve só os faz parecer um pouco mais desolados, e torna o frio um pouco mais intenso. Flocos de neve foram feitos para vastas pradarias, árvores vivas e terra preta e fértil. A neve é o manto que o inverno deposita sobre a natureza adormecida. Colocar esse manto sobre aço, porém, é como vestir manequins sem vida com a mais bela criação dos estúdios da Quinta Avenida: um não destaca a beleza do outro. A neve foi feita para o campo, onde coisas têm vida e pessoas têm vida, e a beleza distribui suas guirlandas por toda parte. A neve foi feita para cobrir a terra negra e rica. A neve é o encantado vestido de noite da natureza despida. Mas, na cidade, a neve é sem graça.*

Apesar das imperfeições de Nova York, a cidade desencadeou algo em Eugene e estimulou sua mente e imaginação. Embora suas notas na faculdade tivessem sido apenas medianas (e, em várias matérias, também não impressionaram no seminário), Eugene se destacou nos cursos de línguas bíblicas e arqueologia, com notas máximas em gramática hebraica, exegese grega e arqueologia bíblica. Quanto mais empoeirada e técnica a matéria, mais parecia movimentar as engrenagens no cérebro de Eugene. Sua dissertação de mestrado, "A doutrina da salvação na comunidade de Qumran", foi uma análise de detalhes históricos e léxicos, feita com a dedicação de uma criança que busca um tesouro em uma caixa de areia.

O talento natural de Eugene era inegável. Ele se candidatou ao programa de doutorado em Princeton, mas não foi aceito. No entanto, seu trabalho chamou a atenção de um de seus professores, o estudioso do Antigo Testamento Dewey Beegle. Desde o início, Beegle mentoreou Eugene e foi uma presença constante durante todo o seu tempo no seminário. No último ano de Eugene no seminário, Beegle o chamou de lado e o surpreendeu com uma oferta extraordinária. Propôs que Eugene fosse para a Universidade Johns Hopkins estudar sob a tutela de William Albright, um dos arqueólogos bíblicos e especialista em estudos semíticos mais proeminentes do mundo. Depois de se formar em Johns Hopkins, Eugene poderia voltar ao Seminário Bíblico para lecionar hebraico, arqueologia e grego. O plano parecia perfeito, mas obrigou Eugene a repensar sua trajetória. Ainda atordoado com a oferta, escreveu para sua família, o coração saltando de emoção diante das possibilidades.

[Poderei estudar com] dr. Albright, o maior erudito de Antigo Testamento dos últimos cinquenta anos. [...]

Como disse, fiquei meio desnorteado por um tempo. Não estava pensando em lecionar. Estava gostando do trabalho em West Park e animado com a ideia de pastorear. Desenvolvi aversão à vida acadêmica árida, desligada da realidade. Se há alguém que não quero ser, é um professor de seminário cansativo, maçante, frio e exigente. [...] E, para completar, querem que eu lecione arqueologia e hebraico! Existem matérias mais arcaicas? Além do mais, tive problemas espirituais com essas coisas no passado. Quando me torno intelectual demais eu sacrifico a espiritualidade, e comecei a ter medo disso.

No entanto [...] aquilo que desejo fazer mais que tudo, e disso não tenho a menor dúvida, é lidar espiritualmente com as pessoas. Gosto de lecionar. O dr. McAlpin passa a maior parte do tempo cuidando de senhoras de idade. O dr. Beegle passa a maior parte do tempo lidando com problemas de alunos. Praticamente nenhum dos professores daqui do seminário ou de outros lugares interage com as pessoas espiritualmente ou mesmo tem a capacidade de fazê-lo. Deus parece ter me dado um ministério que consiste em me aprofundar em algumas questões espirituais. O seminário pode ser um bom lugar para exercer esse ministério; Deus sabe que há necessidade. Uma porta se abriu para mim; esse convite parece ser algo que um aluno em mil recebe, e talvez seja direção de Deus [...] embora, a meu ver, inesperada e revolucionária. Tenho três meses para decidir e pretendo usar esse prazo. Por favor, orem por mim.

Eugene terminou a carta com um pedido de conselho: *Qual é a opinião de vocês? A princípio, fiquei bastante abalado, mas agora estou um pouco mais tranquilo.*

* * *

Não eram apenas os estudos de Eugene que iam de vento em popa. Seus escritos também estavam fluindo. Embora ele sempre tivesse sonhado em escrever ficção, a poesia o encontrou primeiro. Escreveu uma carta efusiva para contar à família que estava trabalhando em um projeto literário empolgante.

Tenho um pequeno segredo no qual ando trabalhando há algum tempo e que talvez seja de seu interesse. Um pessoal aqui me incentivou a escrever um pouco mais. De vez em quando, portanto, tenho rabiscado alguns poemas que me vêm à mente. Jim Hughes, artista extraordinário, está fazendo desenhos em carvão para acompanhá-los, e o plano é colocar, lado a lado, figuras e poemas. Se um dia encontrarmos alguém que queira publicá-los, vamos chamá-los "Salmos do século 20" ou "Um salmista moderno", ou algo do gênero. De acordo com Jim, é moleza publicar poesia; qualquer um consegue. Se é verdade, talvez dê certo. [...] A meu ver, o material é excelente; o problema é convencer o mundo!

Eugene e Jim nunca terminaram os desenhos e poemas. Contudo, é notável observar aqui o início do impulso criativo de Eugene que se concretizou mais de quarenta anos depois quando ele reapresentou Salmos em forma contemporânea, poesia para ouvintes modernos. Havia tanta coisa em ebulição dentro de Eugene, tanta paixão e energia, tantas possibilidades.

* * *

Durante o último ano de seminário de Eugene, o pastor McAlpin o chamou para uma conversa em seu escritório. "Eugene, eu sei que você tem planos de fazer doutorado e lecionar, em vez de pastorear. Ainda assim, gostaria de ordená-lo no ministério presbiteriano." Eugene ouviu atentamente. "Você precisa de uma igreja em que tenha colegas e uma herança teológica definida. O ministério profissional, quer como professor quer como pastor, não é um lugar para lobos solitários." Depois de Eugene deixar claro que estava se encaminhando para a vida acadêmica, e não para o pastorado de uma igreja, concordou em entrar no processo de ordenação, que se estenderia até ele iniciar o doutorado. Sua aquiescência, porém, tinha limites. Eugene escreveu para sua família, dando instruções claras.

VIVÊNCIA

Jamais comprem vestimentas litúrgicas para mim. É algo que não desejo ter de maneira nenhuma. Se outros quiserem que eu use, eles que providenciem; do contrário, eu prego do jeito que estiver vestido. Se vocês fizerem questão de comprar algo para minha formatura, que seja um par de meias (mas nada de gravatas, por favor).

* * *

E assim, Eugene partiu para Baltimore. No segundo semestre de 1957, chegou à Universidade Johns Hopkins para estudar com William Foxwell Albright. Além de Albright ser um dos estudiosos seminais do movimento de arqueologia bíblica do século 20, também era uma figura excêntrica. Filho de missionários metodistas no Chile, o novo professor de Eugene havia passado a infância e a adolescência com recursos bastante escassos e era conhecido por sua simplicidade e frugalidade. (Diz-se que o manuscrito final de sua obra pioneira, *From the Stone Age to Christianity* [Da Idade da Pedra ao cristianismo], foi datilografado em papel reutilizado, pois Albright não jogava fora folhas que tinham um lado em branco.)

Essa frugalidade se estendia a questões de saúde, e Albright sempre fazia propaganda de remédios caseiros aos quais sua mãe havia recorrido ao viver com o orçamento apertado de missionária. A panaceia favorita de Albright era um unguento do qual ele se valia ao sinal de qualquer mal-estar, motivo de piadas que seus alunos de doutorado faziam dele pelas costas. Certa vez, quando Eugene teve que passar vários dias na enfermaria por causa de uma lesão no joelho, Albright foi visitá-lo e, quando não havia médicos e enfermeiras por perto, aconselhou: "Sabe de uma coisa", disse, inclinando-se para a frente, como quem está prestes a contar um segredo valioso, "as pessoas acham que eu não sei do que estou falando, mas você precisa é do meu *unguento*. Vai ficar novo em folha."

As excentricidades pessoais, contudo, apenas destacavam seu brilhantismo. Com seu intelecto espantoso, era um "polímata que fez contribuições em quase todas as áreas de estudo do Oriente Próximo". As esquisitices de Albright o tornavam ainda mais querido para seus alunos, que o chamavam, carinhosamente, "Meu Velho". Em Albright, Eugene encontrou "um dos primeiros homens que realmente praticava aquilo em que cria, e deparar com alguém desse tipo faz a gente despertar". Eugene admirava Albright, pois observava nele a combinação de mente

FOGO EM MEUS OSSOS

fascinante e profunda humildade. Albright "era brilhante, mas livre de toda superficialidade".

Certa manhã, Albright foi dar aula depois de ter passado metade da noite trabalhando em um tema que lhe causava grande inquietação: a localização do monte Moriá, onde Deus ordenou que Abraão preparasse Isaque para ser sacrificado. Albright entrou em sala a passos rápidos, sem fôlego, ansioso para contar sua descoberta. Em um frenesi de novo conhecimento, ele atacou o quadro negro que se estendia de uma parede à outra na parte da frente da sala e o encheu de estranhas anotações em ugarítico, árabe, assírio, aramaico e hebraico, enlevado por seu triunfo monumental. *Ele havia encontrado o local.*

Eugene e o restante da turma tentaram acompanhar a explosão de genialidade. Então, algo impensável ocorreu. Prescott Williams, colega de Eugene, interrompeu o professor.

— Mas, dr. Albright...

Os outros alunos ficaram boquiabertos. Como um deles ousava discordar do professor? No entanto, Albright ouviu calado e compenetrado enquanto Prescott apresentava educadamente suas objeções à linha de argumentação do professor. Depois de um longo silêncio, Albright pegou o apagador e, lentamente, começou a passá-lo no quadro com movimentos amplos.

— Esqueçam tudo o que eu disse — ele declarou. — Prescott tem razão.

Eugene nunca se esqueceu desse episódio. "As pessoas que se destacam em minha vida", ele refletiu, "são aquelas que não alardeiam o que fazem e não se apegam a quem são." Um homem capaz de apagar um pouco de seu ego junto com o giz do quadro negro era um homem digno de respeito. Anos depois, Prescott Williams, perito em línguas bíblicas (e também alguém que Eugene admirava por usar seu intelecto com imensa humildade), foi um dos consultores exegéticos da Bíblia *A Mensagem*.

Eugene entrou em Johns Hopkins com a mente em alta rotação. Nas aulas de Albright, começou a entender como ideias e conhecimento podiam ser *vividos*, uma descoberta surpreendente de se fazer nos corredores imponentes de um departamento de arqueologia do mais alto nível.

O universo do intelecto ganhou vida para mim naqueles anos em sua presença. Obter conhecimento não consistia apenas em armazenar informação em um depósito mental. Era a prática disciplinada de pensar, imaginar, formular e testar em busca da verdade. E ensinar não era apenas transferir informação ou dados para a mente dos alunos. O processo envolvia algo profundamente dialógico, à medida que palavras criavam fagulhas de significado que davam início a incêndios de verdades que ardiam de compreensão.

Todas as semanas, ao ouvir a aula do professor Albright, sentar-me com ele e com outros cinco alunos em seu escritório para ler a Bíblia hebraica, ao tomar café com alunos mais velhos no refeitório, ao entender melhor a vastidão da mente, a estética do intelecto, comecei a habitar em um mundo que eu nem sabia que existia, um mundo de aprendizado *encarnado*, que vibrava de tanta energia.

Nesse mundo revigorante de Hopkins, Eugene interagiu com vários outros acadêmicos. Como Raymond Brown, um dos exegetas bíblicos mais proeminentes do século 20, que estava concluindo o doutorado sob a orientação de Albright. E como Sam Iwry, eminente estudioso de hebraico que ajudou a autenticar os Manuscritos do Mar Morto (Iwry era um professor judeu que sempre chamava Eugene seu "aluno gói"). E Gus Van Beek, curador de arqueologia do mundo antigo do Museu Smithsonian durante 48 anos. E também como Charles Fencham, estudioso que ocupava a cátedra Fulbright e estava completando seu terceiro doutorado e que foi a salvação de Eugene, pois, quase todas as noites, depois de um dia inteiro de aulas exaustivas que faziam Eugene ficar completamente perdido, Charles "pacientemente desemaranhava e esclarecia os encadeamentos de ideias que me deixavam desnorteado nas aulas e palestras". Charles, professor ilustre da Universidade de Stellenbosch, e Eugene continuaram a ser amigos e trocaram cartas até o falecimento de Charles.

No entanto, por mais estimulante que fosse cada amizade e cada curso acadêmico, e por mais incrível que fosse estar na órbita de Albright, nada disso proporcionou a Eugene o encontro que virou seu mundo de cabeça para baixo. Nem sequer chegou perto.

* * *

É fácil imaginar Eugene durante esses anos de estudos, refletindo sobre os movimentos iniciais de sua vida com a velha sensação de que as coisas não se encaixavam. Esse filho de açougueiro, com montanhas em sua alma e um céu amplo em seu sorriso de olhos semicerrados, sempre à procura de um lugar para chamar seu. O mundo acadêmico, de ideias sérias e busca pela verdade, exercia atração irresistível, mas, ao mesmo tempo, Eugene queria distância de toda pretensão, de egos inflados, de rigidez superficial. A igreja era seu lar, mas, muitas vezes, ele se sentia deslocado ali também em razão de sua formalidade estagnada e sua tendência de se desligar das realidades da vida.

Eugene sempre ansiou, acima de tudo, por relacionamentos, por vínculos humanos. "Ser pastor é sempre trabalho relacional", ele me disse. Esse desejo explica por que Eugene conheceu celebridades de todos os tipos, mas não costumava falar a respeito delas. Contudo, seus amigos — os ex-alunos, o sitiante (tio Vern) que lhe dava legumes e verduras, alguns pastores desconhecidos e os membros de suas igrejas — essas eram as pessoas sobre as quais ele falava, as pessoas cujo nome e número de telefone estavam anotados em seu caderninho de bolso. Haveria, porém, uma pessoa com a qual ele encontraria seu verdadeiro lugar, seu verdadeiro pertencimento. Juntos, eles construiriam um vínculo de intimidade, a ligação que Eugene sempre havia almejado.

SEGUNDA PARTE

8

Casados de longa data

Outubro é uma bela e perigosa época na América. [...]
É uma época maravilhosa para começar absolutamente
qualquer coisa.

Thomas Merton, *A montanha dos sete patamares*

Enquanto as folhas outonais de Birmingham, Alabama, se vestiam de tonalidades castanhas e douradas, Vincent Stubbs andava de um lado para o outro na imaculada sala de espera da maternidade da Enfermaria South Highlands. Quando o médico passou pelas portas do corredor, apertou a mão de Vincent com força. "Parabéns. É uma menina."

Dia 30 de outubro de 1935. Janice Endslow Stubbs havia chegado.

Jan, seu irmão, Vincent Jr. ("Buddy"), e sua irmã mais velha, Nancy, tiveram uma infância cheia de afeto e alegria. A família Stubbs morava em Edgewood, apenas oito quilômetros ao sul do centro de Birmingham, mas em uma região que os residentes locais chamavam "além do monte". Ruas tranquilas ladeadas por árvores, e apenas dois policiais; era o tipo de cidade em que se podia caminhar até a lanchonete com os irmãos para tomar um refrigerante.

Se as paredes da velha casa dos Stubbs falassem, relatariam lembranças de música e de boas conversas. Dorothy, mãe de Jan, tocava piano, e para o pai de Jan discussões interessantes eram uma arte e um prazer. "Meu pai foi o último dos distintos senhores do sul", Jan se recordou. "Todas as noites, depois do jantar e da sobremesa (quando tinha sobremesa), conversávamos ao redor da mesa. Papai falava de assuntos relevantes no momento."

Era maravilhoso. Mas o Éden sempre tem uma ou duas serpentes. Jan percebia as divisões raciais do sul do país, embora fosse jovem demais para articulá-las. Em uma tarde quente, de brisa suave, Jan brincava no quintal enquanto sua mãe pendurava roupas no varal. A certa altura, a pequena Jan resolveu sair pelo portão, dobrou a esquina e continuou andando. Will, um jardineiro negro da vizinhança, viu Jan caminhando a passos incertos pela calçada e a pegou no colo. "Não pode fugir desse jeito, não, senhorita Jan", disse-lhe. Will levou Jan de volta para casa, carregando-a no colo por uma quadra e depois segurando-a pela mão por outra quadra. Jan guardou na memória, para o resto da vida, a bondade de Will e, em retrospectiva, compreendeu que havia sido protegida por um homem que a maioria de seus vizinhos tratava com desprezo.

Outra lembrança que ficou da disparidade racial foi quando sua família se mudou para Montgomery, Alabama, para que seu pai abrisse ali uma filial da seguradora United States Fidelity and Guaranty Company. Jan, que na época tinha 11 anos, costumava caminhar com sua família na praça da Avenida Dexter, no centro de Montgomery, a apenas algumas quadras da Igreja Batista da Avenida Dexter e a alguns passos do ponto de ônibus em que Rosa Parks embarcava na linha da Avenida Cleveland. Uma grande obra de construção tomou conta da praça e fechou as calçadas. Para não pisar na lama, pedestres tinham de andar sobre tábuas estreitas de pinho junto à rua. Jan pisou na ponta de uma tábua e notou um homem negro vindo na direção oposta pela mesma tábua. Mais que depressa, ele abriu caminho para ela. "Fiquei triste ao ver que ele sentiu necessidade de dar passagem para uma pessoa branca. Não sei de onde vieram meus sentimentos, mas percebi que havia algo de errado." Essa sensação de que havia "algo de errado" persistiu e a atraiu para questões de justiça.

* * *

Em Montgomery, a família Stubbs morava no número 33 da Rua Courtland, em uma vizinhança sossegada com casas térreas pequenas, a apenas algumas quadras de onde Hank Williams Sr. morou por um breve período. Jan estudou na escola de ensino médio Sidney Lanier, um colégio só para brancos, com uma cultura complexa de sociedades secretas. Uma dessas sociedades, chamada "13", recrutou Jan, mas nem ela nem sua mãe gostaram da ideia. As meninas da escola (entre elas, a filha do governador) formavam uma panelinha, que castigava sem piedade quem não era convidado para as festas de final de semana. Jan fez mais amizades no grupo de jovens da Igreja Presbiteriana Memorial e da Igreja Presbiteriana da Trindade.

Jan gostava especialmente quando vovô e vovó Stubbs iam visitá-los. Ele "era um quacre tradicional, reservado e que se vestia de modo conservador". Seus avós tinham um sítio em Delta, Pensilvânia, que o vovô Gilp havia recebido do pai dele, primeiro dono de loja e primeiro agente dos correios da cidade, homem descrito em 1905 pelo jornal *York Daily* como "o cidadão mais progressista de Delta". Os avós de Jan tiveram de vender o sítio quando todos os ajudantes foram convocados para lutar na Primeira Guerra Mundial. Mudaram-se para a cidade, onde vovô Gilp abriu uma loja de móveis. A maior parte de sua renda, porém, vinha da confecção artesanal de caixões em uma oficina atrás da loja. Sempre que os agentes funerários deixavam um corpo na oficina, o falecido era colocado junto à bancada de trabalho de vovô, onde lhe fazia companhia silenciosa enquanto ele lixava e pregava as tábuas de madeira rústica. Quando Jan os visitava, ia sorrateiramente para os fundos da loja, de onde via o avô trabalhar com serra e plaina e sentia no ar o cheiro de formol, cola e pó de serra.

Das amigas mais próximas que Jan teve, nenhuma se comparou a sua vizinha Gertrude Floyd. Quase todos os sábados no verão, Gertrude e o marido eram convidados para um churrasco no quintal da família Stubbs. Quando Jan completou 13 anos, começou a sair pelo portão de seu quintal e bater na casa de Gertrude, que abria a porta de tela com um sorriso. "Entre, vou fazer limonada para nós. Fique à vontade na varanda." Jan passava horas naquela varanda, conversando com uma mulher que lhe oferecia sua casa e seu coração. Gertrude ficou registrada em sua memória como alguém que lhe mostrou a hospitalidade das conversas sem pressa, a hospitalidade que se tornou a dádiva de Jan para o mundo ao longo de sua vida.

* * *

Em 1953, Jan foi aceita na Faculdade Estadual do Alabama, uma instituição de ensino só para moças. "Tinham de importar rapazes de uma base da marinha na Flórida", Jan recordou com um brilho maroto nos olhos que, em seguida, deu lugar à exasperação: "Começaram a aceitar rapazes como alunos só *depois* que me formei".

Como parte de seu estágio no curso de assistência social, Jan conseguiu emprego em um programa do governo que fazia diagnóstico de tuberculose. "Todo mundo tinha de fazer radiografia dos pulmões, mas, nos bairros dos negros, também eram feitos exames de sangue. Isso me irritava, pois não pediam exames de sangue nos bairros dos brancos." Uma semana, a equipe de Jan montou a clínica em uma das salas de escola dominical da Igreja Batista da Avenida Dexter. Enquanto Jan tirava os materiais das caixas, notou uma pintura na parede de Jesus negro, rodeado de crianças negras. "Aquela imagem mexeu com meus preconceitos e pensei: *Verdade. Preciso me adaptar, colocar de lado minhas pressuposições. Está certo*".

Durante a manhã inteira, moradores do bairro passaram pela clínica, onde anotavam nome e histórico de família em folhas sobre pranchetas e, depois, se encaminhavam para a unidade médica móvel, estacionada do lado de fora. Na hora do almoço, Jan foi andar pelos corredores. Era a primeira vez que visitava uma igreja negra e queria ver o santuário. Encontrou o espaço silencioso, a luz atravessando as janelas em forma de arco e incidindo sobre o tapete vermelho do corredor central que levava ao púlpito. Passou pelo vestíbulo e entrou no santuário propriamente dito, onde tomou um susto quando reparou que havia um homem em pé junto à mesa da Ceia. Tinha algo imponente em sua presença silenciosa. "Peço desculpas", Jan disse, sem jeito, sentindo-se tão deslocada quanto um malabarista em um mosteiro. Ele lançou apenas um olhar de relance em sua direção. "Deu a impressão de que não queria me ver ali, então dei meia-volta e fui para o anexo da escola dominical, onde era meu lugar."

Vários anos depois, quando Jan e Eugene foram convidados para um encontro discreto em que o dr. Martin Luther King Jr. estaria presente em Baltimore, Jan se deu conta de que era o homem que ela havia visto na igreja da Avenida Dexter.

* * *

Quando Jan havia terminado o segundo ano da faculdade, sua família se mudou para Baltimore por causa do trabalho de seu pai. Jan, que queria ficar mais próxima deles, transferiu seus créditos para a Faculdade de Townson (atual Universidade de Townson), em Maryland, e passou a cursar pedagogia. Conseguiu fazer uma boa economia ao morar com os pais até se formar.

Eugene também estava se mudando para Baltimore para dar continuidade a seus estudos e, antes de sair de Nova York, tinha vendido seu carro

CASADOS DE LONGA DATA

para ajudar a cobrir as despesas do doutorado na Universidade Johns Hopkins. Quando Eugene não estava estudando com Albright, ficava no apertado quarto de dormitório que dividia com Bob Morrison, pós-graduando de geologia. Bob, que era ateísta, detestava cristãos. Com o tempo, porém, Eugene o conquistou com seu jeito tranquilo, e os dois passavam os finais de semana caminhando por Baltimore e passeando pela região de Piedmont no jipe de Bob.

No final de semana de Ação de Graças, um amigo que trabalhava com o ministério estudantil InterVarsity Christian Fellowship convidou Eugene para um evento que seria realizado no sábado na escola de medicina da Johns Hopkins. O amigo, sabendo que Eugene era pentecostal, imaginou que ele pudesse dirigir o louvor.

Foi um convite momentoso. No dia do evento, Jan estava se sentindo sozinha e triste. Ao entrar no salão da escola de medicina, orou: *Deus, por favor, mande alguém para mim. Quero encontrar amor.*

Deus atendeu. Quando Eugene subiu ao palco para dirigir duzentos jovens em cânticos animados, seu pulso acelerou ao ver uma linda garota de cabelos escuros na sexta fileira. "Foi quase uma troca de olhares", Jan lembrou. "Gostei do sorriso dele." O louvor foi apenas ligeiramente desastroso; Eugene, apesar de sua formação pentecostal, sentiu dificuldade de manter o ritmo e se lembrar das palavras de cânticos. Jan também estava distraída. "Gene estava bem no centro do palco. Parecia tão *próximo* de mim. Tive a impressão de que seus olhos eram azuis, e dei uma boa espiada nele. Gostei dele. Parecia uma boa pessoa. Olhei diretamente para ele, sem disfarçar. *Pois é, pois é*. Uma hora depois de eu ter feito aquela oração, vi diante de mim o homem com quem eu permaneceria casada por sessenta anos."

Terminado o culto, os dois se aproximaram por um instante no corredor lotado. "Tínhamos reparado um no outro", Jan me contou, faces ruborizadas e olhos cintilantes, uma chama reacendida. "Ele era muito tímido, e eu também. Trocamos um 'olá' em voz baixa. E, em seguida, ele sumiu. Alguns minutos depois, vi que ele estava junto à mesa de livros. Onde mais estaria?" Com o coração agitado, os dois saíram na noite fria de Baltimore sem dizer uma palavra. Na carona de volta com uma amiga, Jan fez um voto: "Vou começar a participar mais dos programas da InterVarsity".

Na noite seguinte, Eugene havia planejado assistir à apresentação de *Messias*, com a Orquestra Sinfônica de Baltimore. No entanto, Charles

Fensham, seu amigo da África do Sul, tinha concordado em falar sobre o *apartheid* em um encontro de alunos na Igreja Presbiteriana Central e pediu que Eugene o ajudasse a chegar lá de ônibus. A irritação de Eugene por não poder ir ao concerto se evaporou assim que ele viu a mesma garota linda que havia cativado sua atenção na noite anterior.

Durante a palestra de Charles, Eugene ficou de olho em Jan para ter certeza de que ela não iria embora depois do *amém* sem ele ver. Eugene se apresentou e, estrategicamente, conseguiu carona de volta para os três. Fez Charles sentar-se no banco da frente e foi para o banco de trás com Jan. Aqui, há uma divergência nos relatos, pois Jan me contou que *ela* conseguiu a carona. Os dois concordam, porém, que aqueles vinte minutos no carro foram suficientes para ambos concluírem que desejavam se encontrar outra vez. Mas, em pé na calçada, vendo as luzes traseiras vermelhas se afastarem, Eugene se deu conta de que não tinha pedido o número de telefone de Jan. E nem sabia seu sobrenome.

No dormitório, Bob passou uma descompostura em seu pobre e apaixonado colega de quarto.

— Vocês cristãos! São uns tapados. Você encontra uma garota linda e vai embora sem combinar de vê-la novamente? Como conseguem propagar sua espécie? Nunca vi tanta burrice em minha vida.

Eugene ligou para John, colega de classe que frequentava a Igreja Presbiteriana Central, e descreveu Jan para ele. No entanto, nem John nem sua esposa, Anne, conseguiram identificá-la. Eugene se lembrou de que tinha pegado um boletim do culto de domingo da Igreja Central e que Jan havia mencionado que o nome dela e de seu irmão estavam na lista de estudantes que participariam do congresso missionário em Urbana, Illinois, naquele ano. Eugene correu o dedo pela lista e os encontrou: Janice e Buddy Stubbs.

— Bob! — Eugene gritou. — Eu sei o nome dela! Stubbs. Jan Stubbs.

Bob o agarrou pelo braço e o arrastou para fora do dormitório, até a loja de conveniência do outro lado da rua. Ali, Bob trocou uma nota de dez dólares por moedas de dez centavos, empurrou Eugene para dentro de uma cabine de telefone e colocou as moedas em sua mão. "Pode começar a ligar". Eugene abriu a lista telefônica de Baltimore e folheou até a letra S. Descobriu que havia 62 assinantes com o sobrenome Stubbs. Com um suspiro, colocava uma moeda de cada vez no telefone e fazia uma ligação, alternando entre os nomes do início e do fim da lista. A cada vez, depois de um ou dois toques do telefone, alguém dizia "alô".

— Posso falar com Jan? — Eugene perguntava.

— Quem? — e ele desligava e pegava outra moeda.

Por um milagre, ele só desperdiçou cinquenta centavos. Na sexta tentativa, o pai de Jan atendeu e, pela primeira vez, ouviu a voz de seu futuro genro.

— Ela está na vizinha. Quem está falando?

— Meu nome é Eugene — ele respondeu. — Estou em um telefone público. Eu ligo de novo outra hora.

Eugene não precisou ligar de novo. Na manhã seguinte, recebeu um telefonema de John. "Anne e eu descobrimos quem é a moça que você descreveu! Jan Stubbs vem jantar aqui em casa na sexta-feira à noite. Quer vir também?"

Mas é claro que ele queria.

* * *

No Natal daquele ano, em Kalispell, Eugene levou Karen para fazer compras no centro da cidade. Para espanto de sua irmãzinha, ele entrou na floricultura Flowers by Hansen e encomendou uma dúzia de rosas a serem entregues em Baltimore.

Quando Jan atendeu à campainha e viu o entregador com o imenso buquê vermelho, quase desmaiou. Depois das festas, Jan e Eugene logo se tornaram inseparáveis. Visitas a museus, passeios em santuários de pássaros na baía de Chesapeake, piqueniques de primavera, longas tardes assistindo a jogos de *lacrosse*, qualquer programa divertido (e gratuito, pois Eugene não tinha dinheiro para nada).

Mas havia um obstáculo. Eugene planejava lecionar, e não pastorear. Anos antes, Jan havia pedido a Deus uma vocação específica: esposa de pastor. Sentia um forte chamado para receber em casa vizinhos e membros da igreja. Diante desse rapaz com cérebro cheio de hebraico e coração cheio de grego, ela teve de tomar uma decisão: Queria um pastor ou queria Eugene?

Eugene sabia o que ele queria. Em uma carta para sua família, elencou efusivamente os motivos pelos quais se sentia tão atraído por Jan:

Sua sensibilidade para com a situação humana geral [e específica], seus sentimentos e paixões, sua profundidade de espírito que não se pode sondar de imediato, seu intenso desejo pelas coisas sublimes do Espírito, o jeito que se entrega inteiramente ao aprendizado, sua capacidade de amar; ela é tudo isso e muito mais. Até hoje, não encontrei muitas pessoas com as quais pude falar, sem inibição, das coisas mais chegadas a mim, mas consigo fazê-lo com Jan, e ela interage de modo imediato, afetuoso e inteligente.

Uma noite de quinta-feira em fevereiro (apenas alguns meses depois de começarem a namorar), quando Eugene sabia que Jan estaria no ensaio do coral, telefonou para o pai dela e perguntou se podia conversar pessoalmente com ele. Transpirando por todos os poros, Eugene sentou--se diante do sr. Stubbs; a sala girava como se o sofá estivesse sobre um carrossel. Cada rangido do piso ecoava pela casa toda; o tique-taque do relógio ressoava como um tiro de espingarda. Vincent foi misericordioso. "Você não precisa passar por isso. Vamos para a cozinha tomar um café."

Algumas noites depois, Jan estava se recuperando de sinusite e inflamação de garganta. Estranhamente, Eugene não deixou que esse detalhe o detivesse. Convidou-a para jantar e levou-a ao Peerce's Plantation, restaurante com uma linda vista para a Represa Loch Raven e famoso por seus pratos com frutos do mar. Peerce's exigia que os homens vestissem terno e gravata, e o *maître* entregava às mulheres cardápios sem preço.

Depois de um jantar à luz de velas (ela pediu camarão à la Newburg e ele, costeletas de porco), Eugene sugeriu que fossem até o campo de golfe Fox Hollow (onde ele havia feito o reconhecimento do terreno de antemão). Jan disse que não estava se sentindo bem e pediu a Eugene que a levasse para casa, mas ele insistiu. Quando passaram de carro por um belo gramado, ele propôs que saíssem para caminhar um pouco. A cena não estava se desenrolando exatamente como Eugene havia imaginado, mas ele prosseguiu sem hesitar. O sistema de irrigação lançava jatos de água em semicírculos, e névoa subia da grama. Jan, rouca e incrédula, olhou para Eugene: "Está falando sério?". Por fim, chegaram ao banco com vista para o campo.

"Eugene estava se perguntando como poderia criar o clima certo", Jan contou. "Ele resolveu o problema com um beijo." Ajoelhou-se diante dela e colocou um anel em seu dedo.

* * *

CASADOS DE LONGA DATA

Os namorados estavam ansiosos para se casar. Primeiro, contudo, Jan precisava se formar e Eugene, ser ordenado. Para tristeza de ambos, a data marcada pelo conselho para a ordenação de Eugene em junho era a mesma da formatura de Jan e, portanto, um não pôde participar do evento do outro.

Na ordenação de Eugene, pastores de todo o presbitério se reuniram e ouviram outros cinco candidatos fazerem suas declarações de fé. Os textos que os outros candidatos apresentaram eram inócuos e previsíveis, e a maioria dos membros do conselho bocejava e aprovava sem fazer uma pergunta sequer. Eugene, porém, foi para o tudo ou nada. Algumas pequenas fagulhas teológicas se transformaram em uma discussão acalorada, que fizeram os pastores se sentarem na beira dos bancos da igreja durante esse encontro que costumava ser apenas uma formalidade maçante.

Depois que terminei, Eugene escreveu para sua família, *um dos pastores se levantou e disse: "Proponho um voto de gratidão ao sr. Peterson por provocar a primeira discussão teológica que testemunhei na reunião deste presbitério"*. Eugene recebeu acenos de cabeça encorajadores na maioria de suas respostas, mas um pastor mais melindroso não gostou de uma das discussões. (Eu queria muito saber qual havia sido o tema da polêmica, mas Eugene não lembrava.) Quando o moderador pediu que os pastores votassem, o grupo aprovou a ordenação de Eugene por 147 votos a favor e um contra. Com uma diferença de apenas algumas horas, Eugene recebeu os documentos de ordenação, e Jan, o diploma da faculdade.

Pouco tempo depois, o casal estava escolhendo flores e reservando o salão de festas. A primeira vez que Jan encontrou os pais de Eugene foi quando chegaram a Baltimore para o casamento. "Foi um tanto assustador", Jan recordou. Mas, exclusivamente com base no amor do filho, Evelyn já havia acolhido Jan em seu coração.

Para a despedida de solteiro, Vincent, pai de Jan, planejou um passeio de carro de quatro horas até Monticello, a famosa casa de Thomas Jefferson. Ben Moring foi padrinho de Eugene e, embora estivessem a caminho do centro de Virginia, onde a segregação racial persistia, nem passou pela mente de Vincent que a presença de um homem negro com eles traria complicações. Quando o grupo faminto entrou em um restaurante à beira da Rodovia 29, várias pessoas se voltaram para encarar os recém-chegados. O dono foi conversar com eles na porta e explicou que não poderia servir Ben. Vincent fez todos voltarem para o carro e seguiu viagem. "Meu pai quase morreu de vergonha", Jan lembrou.

FOGO EM MEUS OSSOS

Felizmente, o dia seguinte foi de alegria. Em 2 de agosto de 1958, Vincent conduziu pelo corredor central da Igreja Presbiteriana Govans sua filha Jan. O vestido de mangas longas da noiva tinha uma cauda que se estendia belamente sobre o chão. Com lágrimas nos olhos, Jan observou Eugene pelo véu fino. Seu pai caminhou com ela sob o arcobotante da igreja, enquanto a luz do sol entrava pela janela gótica atrás do altar. Eugene, paletó de fraque cinza, calças pretas e gravata-borboleta preta, estava junto ao altar. Seu coração batia desenfreadamente debaixo da flor na lapela. Ben estava ao seu lado, com as alianças no bolso. Jan e Eugene fizeram seus votos, olhando um nos olhos do outro, e o pastor Lloyd Ice os declarou marido e mulher.

* * *

Depois da lua de mel no Lago Deep Creek, na Serra Allegheny, Maryland, a realidade logo os acertou em cheio. Eugene voltou para seus estudos e Jan começou a lecionar na escola de ensino fundamental Govans. Pouco depois do julgamento do processo *Brown* versus *Secretaria da Educação*, em que a segregação em escolas públicas foi considerada inconstitucional, as escolas municipais de Baltimore estavam em polvorosa. Muitas famílias brancas mudaram de bairro e colocaram os filhos em escolas particulares. Jan foi contratada para lecionar para o primeiro ano, mas, depois de duas semanas, o coordenador desesperado a mudou para o segundo ano. Em sua primeira experiência como professora, ela se viu sobrecarregada e sem o apoio necessário em uma escola debaixo de grande tensão. Não havia recebido nenhum treinamento adicional para lecionar para o segundo ano. E tudo isso aconteceu *depois* que as aulas haviam começado.

Foi uma iniciação brutal ao magistério. Eugene acompanhava Jan até o bonde todas as manhãs às sete horas. Quando ela voltava para casa no final da tarde, desabava no sofá e só queria dormir. Infelizmente, muitas vezes havia um mau cheiro no ar que não era nada propício para descanso. O apartamento que eles tinham condições de pagar ficava em um porão escuro que fedia a lixo e enxofre quando o esgoto transbordava.

Em meio a esse estresse, um aborto espontâneo revelou que Jan estava com anemia. O médico instruiu Eugene a cuidar da esposa até que ela se recuperasse e lhe disse: "Trate-a como se ela fosse uma atleta". O jovem marido levou o conselho ao extremo. Leu pilhas de livros sobre saúde, começou a comprar melado de cana e fazer iogurte em casa, preparava bifes de fígado e insistia para que Jan comesse *tudo*. Na consulta seguinte, Jan perguntou em desespero:

— Até quando eu tenho de manter essa alimentação?

— Que alimentação? — o médico quis saber, e Jan deu uma lista de tudo o que Eugene a havia obrigado a comer.

— Eugene — disse o médico —, só quis dizer que ela não devia fumar nem beber.

* * *

Depois que Eugene concluiu as matérias do doutorado, ele e Albright concordaram que sua dissertação deveria ser sobre uma antiga seita palestina que não tinha nenhuma história documentada. Na mesma época, o Seminário Bíblico pediu que Eugene voltasse a Nova York para lecionar grego e hebraico e para que fosse, no parecer de Eugene, "uma espécie de curinga do corpo docente, preenchendo as vagas deixadas pelos professores que tirassem ano sabático". Jan e Eugene saíram da caverna junto ao esgoto e se mudaram para um pequeno apartamento em Nova York.

Ainda assim, o orçamento continuava apertado. O seminário só conseguia pagar a Eugene um salário ínfimo. Portanto, o jovem professor mal acreditou em sua bem-aventurança quando, repleto de erudição semítica e no limiar da vida acadêmica de estudos bíblicos, ele recebeu um telefonema de uma editora. O convite era para o invejável projeto de escrever um comentário sobre Salmos.

A maioria dos estudiosos leva décadas para receber um convite como esse. "Eu havia passado, em um dia só, do jogo de beisebol no parque do bairro para o time de profissionais no Estádio Yankee." Eugene colocou mãos à obra. Estudou o texto, aprofundou-se nos escritos de grandes comentaristas do passado e começou a fazer anotações e comentários. "E, depois disso, escrevi. Estava com o trabalho bem encaminhado quando o projeto foi cancelado. O único vestígio daqueles dois anos de imersão em Salmos é uma gaveta de arquivo cheia de notas exegéticas."

Ainda necessitado de uma fonte de renda, Eugene aceitou de imediato o convite para ser pastor assistente da Igreja Presbiteriana de White Plains. Para completar, o cargo era acompanhado de casa pastoral. Foi uma decisão tomada inteiramente por motivos financeiros, e ele continuava a não ter interesse em pastorear em longo prazo. Às terças e quintas, pegava o trem para uma viagem de meia hora até o seminário onde lecionava e, no restante da semana, dedicava-se aos membros da congregação, trabalhando no pequeno escritório da igreja em um edifício gótico de pedra do século 18.

O pastor de White Plains e Eugene formavam um par estranho. Eugene tinha porte atlético, mas esguio. "[Bill] Wiseman era um sujeito grandão", Eugene recordou, "que dirigia um automóvel Chrysler grandão." Musculoso e enérgico, Wiseman havia se destacado em hóquei, boxe e futebol americano durante o ensino médio em Ottawa, Canadá. Wiseman assumiu a tutela de Eugene e levava-o consigo a visitas pastorais, seguidas de jogos de raquetebol. Com esse relacionamento, abriu-se na imaginação pastoral de Eugene um novo panorama de ministério saudável.

Wiseman "levava muito a sério todo o trabalho de pastor. Não era um pastor de púlpito. Era próximo das pessoas e fazia visitas em hospitais. Realizava um trabalho legítimo". Wiseman, que posteriormente se tornou capelão da Universidade de Tulsa e, em 1978, foi eleito Pregador do Ano nos EUA, também não poupava esforços atrás do púlpito. Um jornal descreveu Wiseman como homem "renomado por sua pregação e pela eloquência de suas orações pastorais". Ao observar Wiseman, Eugene sentiu-se impelido a aprofundar o relacionamento com pessoas que, a princípio, haviam representado apenas um salário. Descobriu que essas pessoas eram o cerne do trabalho pastoral.

* * *

O coração de Eugene também estava se expandindo de novas maneiras. Em 26 de junho de 1960, Jan e Eugene trouxeram para casa seu primeiro bebê.

Karen, nome dado em homenagem à amada irmã mais nova de Eugene, acordava antes do amanhecer quase todos os dias. Durante boa parte do primeiro ano da filha, Eugene a levava para o andar de baixo da casa enquanto Jan aproveitava o merecido descanso. Eugene colocava Karen no bebê-conforto sobre o balcão da pequena cozinha enquanto ele preparava o café. Ela balbuciava e ele contava em voz alta as medidas de grãos de café para moer: *um, dois, três, quatro*, números que vieram a ser as primeiras palavras de Karen.

Depois do café, Eugene a levava para seu escritório. Ali, ajoelhava-se com sua Bíblia enquanto Karen engatinhava pelo chão, puxava livros empoeirados das prateleiras e mordia as beiradas. Décadas depois, Eugene abria seu exemplar das *Institutas* de Calvino para mostrar os rabiscos de Karen. Eugene me disse que vários de seus livros tinham ilustrações de Karen e explicou o quanto era importante para ele encontrar no meio daquelas pilhas de textos lembranças dos primeiros três anos dela e de sua rotina matinal de oração. Na biblioteca de Eugene, entre extensos volumes de ponderosa teologia, aqueles rabiscos de giz de cera tinham tanto valor quanto Barth e Hildegard.

* * *

Em meio a todas as novidades na igreja e em casa, Eugene estava imerso nas matérias que lecionava no Seminário Bíblico. Não apenas estudava os textos das Escrituras, mas *entrava* neles, habitava a terra dos israelitas e dos filisteus, os lugares de Marcos e de Maria. Caminhava dentro dos textos. Eram seu alimento e sua bebida.

Ao vasculhar os diários e cartas de Eugene, observei como seu vocabulário revelava o quanto ele estava integrado na realidade da Bíblia; a linguagem e as imagens das Escrituras se sobrepunham com sua própria história. Ele estava "atolado em coisas de filisteus", ou se encontrava "na companhia de efraimitas". Tinha de suportar sua "Moabe", ou esperar por sua "recompensa sulamita". Ao lecionar Apocalipse de João, foi fortemente puxado para dentro do texto. Imaginou-se no mundo apocalíptico do livro e assumiu a identidade do pastor João de Patmos, ministrando no meio do Império Babilônico. Às terças e quintas, Eugene sondava Apocalipse ao mesmo tempo que se encontrava envolto na afluência e na pobreza de Nova York, a metrópole sedenta de poder. No restante da semana, participava de vidas marcadas por desespero e esperança, pecado e retidão. Essa vida pastoral, que antes parecia tão irrelevante e limitada, de repente se tornou vasta e importante.

Eugene havia imaginado que professores de seminário ocupassem o topo da hierarquia de profissões religiosas. Professores eram os grandes mestres, os oráculos da sabedoria, enquanto pastores eram "figuras vagas e indistintas em segundo plano". E agora ele era professor, "verdadeiro jogador de segunda divisão dos meios acadêmicos, mas, supostamente, a caminho da primeira divisão". Contudo, ao caminhar pelo mundo de Apocalipse e no meio do povo de White Plains, ocorreu uma mudança em sua forma de pensar:

> A sala de aula era fácil demais. O espaço era pequeno e organizado demais para fazer jus à amplitude do tema: a extravagância de beleza, a exuberância de linguagem. Coisas demais ficavam de fora da sala de aula, coisas demais da vida, do mundo, dos alunos, as complexidades de relacionamentos e de emoções. A sala de aula era arrumada demais. Eu sentia falta da textura das condições meteorológicas, do cheiro de comida sendo preparada, dos empurrões de ombros e cotovelos em uma calçada apinhada de gente.

* * *

Por volta dessa época, ele teve outro encontro, dessa vez com o primo mais velho de sua mãe, Abraham Vereide, que aprofundou sua visão e ampliou seu conhecimento do trabalho pastoral. Os pais de Abraham haviam falecido na Noruega quando ele tinha 8 anos, e quando rapaz ele havia embarcado em um navio a vapor para os Estados Unidos. Depois de chegar a Montana, Abraham tinha percorrido a cavalo a região de Great Falls como pregador itinerante, com uma espingarda em uma capa de couro e uma Bíblia debaixo do cinto.

Em Seattle, Abraham reuniu homens de negócios e líderes religiosos e formou um grupo de café da manhã. Quando a mãe de Eugene ainda era jovem, Abraham a levou consigo a uma das reuniões, e ela ficou estarrecida de ver "democratas e republicanos, luteranos e metodistas, católicos romanos e ortodoxos gregos, judeus e até, por vezes, um budista chinês, bem como presbiterianos e pentecostais, gente da igreja e de fora, sentarem-se juntos para um café da manhã semanal de ovos com *bacon*, *waffles* e iogurte". Em 1953, esses grupos de café da manhã levaram à formação do Café da Manhã de Oração do Presidente, conhecido hoje como Café da Manhã Nacional de Oração, realizado anualmente no Hotel Hilton em Washington, D.C.

Eugene participou do café da manhã em Washington, D.C, em 1960 e ali encontrou Abraham. No ano seguinte, Abraham visitou Jan e Eugene em White Plains. Abraham deu a Eugene mais uma imagem de

CASADOS DE LONGA DATA

como pastores podem sair do "sectarismo sufocante" e percorrer o imenso mundo de Deus com curiosidade, generosidade e de olhos bem abertos.

* * *

Essas experiências, em virtude de sua riqueza, complicaram a imagem que Eugene tinha de seu futuro.

A imagem se tornaria ainda mais nebulosa. O dr. Albright anunciou sua aposentadoria. Disse a Eugene que não se preocupasse, pois o recomendaria para Brevard Childs, em Yale. Se Albright era um fogo luminoso que estava desvanecendo na noite, Childs era uma chama recém-acesa. Pioneiro no campo de estudos canônicos, Childs se tornaria um dos estudiosos de Antigo Testamento mais influentes do século 20, com 41 anos de professorado em Yale. E, naquele momento em que Albright deixava o mundo acadêmico, Childs procurava ativamente novos alunos para seu programa em expansão.

Quando Eugene visitou Yale, Childs simpatizou de imediato com o aluno brilhante e lhe ofereceu, ali mesmo, uma vaga no programa e assistência financeira generosa de sete mil dólares por ano. Eugene voltou a Nova York encantado; parecia ter na mão a chave para seu futuro. E, no entanto, também se sentia à deriva. Um sonho que harmonizava com todo o rumo de sua vida até então havia se aberto, não em qualquer lugar, mas em uma das instituições mais prestigiosas do país. Por que a hesitação? Por que não parecia certo?

A resposta era *Jan*. O amor de Eugene por Jan (e o amor dela por ele) o havia transformado. Desde os primeiros meses em que estavam juntos, Eugene sentiu o poder de seu magnetismo, como Jan o atraía com seu ar maroto e afetuoso para dentro do terreno inesperado de seu coração. "Eu estava embriagado com a vida da mente, o mundo de maravilhas descortinado pelas línguas antigas: acádio e aramaico, ugarítico e hebraico, siríaco e árabe." Jan, em contrapartida, "estava no limiar de um mundo de relacionamentos, com a expectativa de descobrir o nome e a história de homens e mulheres, crianças e idosos [...] à espera, apenas, de oportunidades de interagir com outros em conversas e refeições, de pessoas para amar e desfrutar, pessoas com as quais cantar e orar".

Anos depois, Irmã Constance (freira carmelita que se tornou mentora espiritual de Eugene e amiga querida dos Petersons), ao refletir sobre Jan, concluiu que sua vocação era, em certa medida, semelhante a uma versão protestante do chamado dela própria para a vida na clausura. Jan *via* as feridas das pessoas e queria ajudar a curá-las. Enfrentava a injustiça sem fazer rodeios e queria acabar com ela. Percebia isolamento e, de modo instintivo, trazia os corações solitários para círculos de pertencimento. A paixão de Jan, seu coração amplo, sem imposições, atraiu Eugene para uma vida que ele não havia se dado conta de que desejava: a vida pastoral.

Em retrospectiva, Jan salvou Eugene da vida que ele imaginou que desejasse, uma vida que teria representado grande perigo. Mais adiante, ele refletiu:

> Aqueles anos de doutorado poderiam ter marcado um lento retraimento de uma vida relacional para um mundo de livros. Ela me salvou disso. Eu estava apaixonado por livros e linguagem e pela vida de erudição. Nunca imaginei que o universo acadêmico tivesse tanta adrenalina. Mas também estava apaixonado por Jan, pela acessibilidade de suas emoções, por sua proximidade das coisas e das pessoas presentes, seu prazer no *aqui* e no *agora* da vida. Jamais havia encontrado alguém parecido com ela. [...] Ler e escrever livros não era uma perspectiva muito atraente sem Jan.

* * *

Eugene foi a Baltimore impelido pelas línguas, pelos livros e pela pesquisa. Não fazia ideia de que encontraria algo de que nem sequer sabia que precisava ou que desejava. Não fazia ideia de que encontraria Jan. Não fazia ideia da alegria e do prazer, bem como da tristeza, que os dois vivenciariam juntos. Quem poderia imaginar o amor despertado naquele primeiro momento, naquela troca de olhares no auditório da Johns Hopkins? Quem poderia imaginar o que manteria fixo esse íntimo olhar ao longo dos próximos sessenta anos?

9

Acho que sou pastor

PASTOR
Há três conceitos básicos:
1. Pastores são Pessoas Amáveis. [...]
2. Pastores têm a cabeça nas nuvens. [...]
3. Pastores são tão anacrônicos quanto alquimistas ou limpadores de chaminés.

Frederick Buechner, *Wishful Thinking*

Não deve causar surpresa ouvir que a sala de aula de Eugene começou a lhe dar a sensação de claustrofobia. Ele sempre havia se sentido atraído por lugares indômitos, sem requinte: o açougue do pai, com os cheiros de carne e papel pardo; a luz de dias longos desvanecendo sobre uma montanha solitária; o som e as canções dos acampamentos de lenhadores que ele havia visitado com a mãe. Agora, em Nova York, ele sentiu a conhecida força gravitacional que o puxava para lugares em que a vitalidade pulsava no mundo. Eugene percebeu que, para ele, a igreja era aquilo que parecia mais vivo, mais aberto e mais perigoso. Embora a oportunidade de estudar com Brevard Childs em Yale fosse única, o velho rasto continuava a conduzir o jovem Eugene, e a trilha serpenteava atrás de um púlpito.

Essa revelação ganhou forma clara durante um piquenique. Eugene ficou espantado de perceber que seu verdadeiro interesse era pela congregação, pelas pessoas. Na igreja, sua única responsabilidade definida era o culto de domingo às onze da manhã; o restante do trabalho consistia em lidar com divórcios, suicídios e filhos que fugiam de casa. Em uma tarde quente de primavera, ele e Jan estenderam um cobertor no parque para fazer um lanche de sanduíches e biscoitos. "Sabe de uma coisa?", Eugene comentou, surpreendendo a si mesmo com as palavras, "acho que sempre fui pastor, só não sabia o que era um pastor."

Foi isso. E foi suficiente. No dia seguinte, ele telefonou para Childs e lhe agradeceu por sua generosidade. Mas Eugene Peterson não iria para Yale. Eugene Peterson seria pastor.

* * *

"Não acha que foi aprendiz por tempo demais?", perguntou Doug Bennet, um dos presbíteros da igreja. Eugene explicou que gostaria de liderar uma nova igreja, mas não sabia por onde começar. Doug telefonou para o coordenador de desenvolvimento da denominação, e no dia seguinte Eugene fez a viagem de quatro horas até Baltimore. Dois meses depois, Jan, Karen e Eugene se mudaram para uma casa térrea branca de 130 metros quadrados recém-construída no meio de um milharal: Rua Saratoga, 1321. O bairro novo ficava a menos de quatro quilômetros do centro comercial mais próximo.

Em outros tempos, Bel Air, Maryland, havia sido um vilarejo sossegado. Mas, à medida que mais gente saiu de Baltimore e se mudou para seus arredores, Bel Air cresceu. Eugene caminhou pela cidadezinha, uma vizinhança por vez, apresentando-se e falando da nova igreja. Poderia muito bem estar caminhando pelas ruas vazias de Townsend, Montana, a julgar pela forma como grande parte dos moradores o dispensou. Em uma casa na Rodovia Ring Factory, uma mulher bem arrumada, com sapatos vermelhos de salto alto, atendeu a porta. Ela interrompeu Eugene e explicou que era mórmon. "Você é pago fazer esse trabalho?", a mulher perguntou, olhando para Eugene como se ele fosse roubar sua bolsa. Quando Eugene respondeu que sim, ela desandou a pregar um sermão veemente sobre a condenação bíblica de trapaceiros oportunistas como ele: pessoas pagas para realizar seu ministério. Quando Eugene pediu que ela mostrasse em que passagem das Escrituras se encontrava essa condenação, ela pegou a Bíblia na mesa de centro e folheou de um lado para o outro, resmungando. Eugene perguntou se poderia ajudar e abriu em Mateus 10, em que leu as instruções de Jesus para que não levassem ouro, nem prata, nem alforje... nem calçados.

— É essa passagem que a senhora estava procurando? — ele perguntou.

— Isso mesmo — ela respondeu, pontuando com o dedo indicador.

— Então vamos fazer o seguinte — Eugene disse, olhando para os sapatos dela. — Eu trabalho de graça se a senhora se livrar desses sapatos e andar descalça.

Ela bateu a porta na cara dele.

Na verdade, a preocupação da mulher era praticamente injustificada. *Pagamento* era um termo um tanto forte para seu salário de plantador de igreja. O aspecto financeiro era motivo de preocupação, e Eugene não tinha tempo de sobra. O programa de desenvolvimento de novas igrejas (PDNI) pagaria o salário de Eugene e a prestação da casa durante três anos, e a cada ano o valor seria reduzido em um terço. Depois disso, a igreja teria de alçar voo de forma independente. Ou se espatifar.

Richard Shreffler, pastor da Primeira Igreja Presbiteriana, recebeu Eugene de braços abertos. Uma vez que Shreffler era um dos membros mais velhos do clero da cidade, a maioria de seus amigos pastores o chamava "Sua Santidade". Shreffler, solteirão com fama de ser excelente cozinheiro, tornou-se companheiro de Jan e Eugene. As dádivas culinárias de Shreffler eram verdadeiros atos de amizade que tiveram impacto duradouro. Certa vez, quando eu estava na casa de Jan e Eugene no lago, Eugene colocou a salada na mesa. Jan tirou um frasco de vidro da geladeira. "Para complementar, temos o molho de salada de Sua Santidade." Meio século depois, ainda tinham consigo a dádiva e a generosidade de seu amigo. A maioria dos membros da igreja de Shreffler, porém, o conhecia mais por sua bicicleta que por sua cozinha. Chamavam-no "Pastor Pedal", pois ele fazia suas visitas pastorais pela cidade de bicicleta. Shreffler incentivou membros da Primeira Igreja Presbiteriana a participar da nova igreja de Eugene para apoiar o jovem pastor, e 31 membros aceitaram o desafio.

Depois de bater em portas ao longo de semanas e receber, quase sempre, bocejos ("o trabalho mais exaustivo que eu havia realizado na vida até então"), Eugene escreveu uma carta para cada pessoa que deu até mesmo o mais tênue sinal de interesse. Anunciou que o culto de abertura da Igreja Presbiteriana Cristo Nosso Rei seria em 11 de novembro de 1962, no porão da casa dos Petersons. As semanas passaram voando. Naquele primeiro domingo, 46 pessoas sentaram-se em cadeiras dobráveis de metal arrumadas em fileiras alinhadas entre paredes de concreto.

Algo belo teve início com aquelas 46 pessoas. Durante dois anos e meio, a igreja se reuniu no subsolo. Para entrar, os membros desciam oito degraus por uma pequena escada de concreto até uma sala com piso de

FOGO EM MEUS OSSOS

cimento e seis janelas retangulares pequenas no alto da parede externa, pelas quais era possível olhar para a grama durante os cultos. Os jovens chamaram a nova congregação "Igreja Presbiteriana das Catacumbas".

Jan, intrépida e valente, deu à luz Eric no primeiro ano da Cristo Nosso Rei. Com duas crianças, dava ainda mais trabalho transformar o espaço da família em igreja a cada domingo. Jan removia o varal, onde fraldas geralmente ficavam penduradas sobre o altar, e guardava os brinquedos no armário. Quando a Igreja Presbiteriana de Sparrows Point fechou as portas, doou uma pia batismal, uma mesa para a Ceia (com cálice, pátena e toalhas) e três cadeiras de púlpito de carvalho maciço. O primeiro batismo na Cristo Nosso Rei foi de Eric (hoje, a pia batismal está no escritório de Eric). Eugene recebeu seu filho na amada comunidade que, aos poucos, estava tomando forma ao seu redor.

* * *

Embora o chamado para o ministério pastoral fosse claro, o caminho a percorrer com certeza não era. O jovem pastor logo percebeu que estava em território desconhecido. O supervisor de Eugene, coordenador do PDNI que o havia levado para Baltimore, lhe entregou um fichário de três argolas lotado de instruções sobre *tudo* o que alguém poderia imaginar em referência à formação de uma nova igreja. A promessa do fichário era sedutoramente simples: se Eugene enfrentasse qualquer problema no trabalho de pastor, só precisava consultar o sumário e encontrar as instruções apropriadas, que iam desde como formar um comitê e organizar o calendário da igreja até como administrar as finanças e implementar estratégias de evangelismo.

Alguns pequenos trechos talvez fossem úteis, mas Eugene notou que tudo aquilo tinha pouca relação com *Deus*. Percebeu que algo essencial havia mudado; o foco havia sido removido de Deus, da cruz e da ressurreição e do Espírito vivo, e havia sido transferido para a tarefa de descobrir o que as pessoas desejavam. E, em seguida, para atender a esses desejos. "A tinta em meus documentos de ordenação ainda nem havia secado quando supostos peritos em questões eclesiásticas me disseram que minha principal responsabilidade era administrar a igreja da mesma forma que meus irmãos e minhas irmãs em Cristo administram postos de gasolina, supermercados, corporações, bancos, hospitais e serviços financeiros." Naquele primeiro ano da Igreja Cristo Nosso Rei, Eugene participou com outros pastores de novas congregações de um encontro organizado por um guru da liderança que havia escrito vários *best-sellers* sobre crescimento de igrejas. "O tamanho de sua igreja", explicou o *expert*, "será determinado em medida muito maior pelo tamanho de seu estacionamento que pelos textos bíblicos que vocês usarão para pregar." Passado algum tempo, Eugene juntou a pilha de livros que tinha sobre esse tema e os jogou no lixo.

Estava assustado. Não apenas porque sentia em suas entranhas que essa abordagem tirava Deus do centro, mas porque muitas dessas necessidades que as pessoas acreditavam ter eram, na verdade, destrutivas e desumanizadoras. Eram, até mesmo, *antagônicas* ao evangelho de Jesus.

Embora Eugene fosse novo no pastorado, percebeu-se no centro de uma grande guerra. De um lado, o sistema do mundo que despertava pecados primevos e tentações mortais vestidos de trajes novos (publicidade) se misturava com a inebriante busca americana por segurança. Um cristianismo diluído, com todas as palavras certas, mas sem a verdade profunda e revolucionária. E, do outro lado, estava a comunidade de Jesus. Pequena, lenta, honesta, avançando a passos trôpegos. Sofrendo. Próxima do Cristo que ela procurava seguir no meio do deserto da vida moderna.

Nada poderia ser pastoralmente mais importante que lutar nessa guerra. Enquanto famílias vindas de Baltimore inundavam Bel Air, uma obsessão por segurança alimentava isolamento e um egocentrismo básico e compulsivo. A reação ao medo ou à insegurança não era solidariedade comunitária ou pacificação renovada. Era encolher-se em um canto. Nada poderia ser mais distinto da postura de Cristo. Por certo, os *bunkers* construídos por essa mentalidade eram metafóricos, mas, por vezes, também eram literais, extensões físicas da silenciosa pandemia de medo. Eugene descobriu que, em reação a Sputnik e ao pânico associado a um ataque nuclear da União Soviética, alguns de seus vizinhos tinham escavado abrigos antibomba no quintal.

E, no entanto, em resposta a esses inimigos reais em seu meio, o fichário vermelho oferecia apenas vaidade e vacuidade. A comunidade não precisava de uma igreja que criasse programas para acalmar sua consciência ou sua suposta necessidade de segurança. Precisava de uma igreja que convidasse as pessoas a ingressar em uma nova realidade governada pelo reino de Deus. A Igreja Cristo Nosso Rei precisava *adorar*. Diante disso

FOGO EM MEUS OSSOS

tudo, Eugene viu com sensação crescente de alegria e, ao mesmo tempo, de desconsolo, que o elemento mais essencial de todo o seu trabalho era o convite inicial feito na liturgia de cada domingo: *Adoremos a Deus.*

Aqueles primeiros anos da igreja literalmente subterrânea (um *bunker* de caráter mais esperançoso) deram tempo para que Eugene e a igreja crescessem e se conformassem a sua verdadeira identidade. A Cristo Nosso Rei não tinha muita coisa atraente para oferecer a quem estivesse pesquisando igrejas. Esse ambiente não convencional permitiu que seus membros fossem mais fundo e além das pressuposições comuns de como uma igreja deve ser. Em vez disso, começaram a focalizar quem eles *eram*. Ali, na pequena catacumba de concreto, com apenas cinquenta ou sessenta pessoas que se reuniam todas as semanas, podiam descobrir a história uns dos outros. Podiam, aos poucos, ver-se envolvidos naquilo que Deus estava fazendo em seu canto do mundo.

Eugene sabia que, para que isso tudo fosse real, era necessário conhecer as pessoas, seus filhos e suas histórias. Com a mesma energia que havia dedicado a aprender o nome dos alunos que ele representava no grêmio estudantil na SPU anos antes, dedicou-se a esse trabalho inconspícuo. A cada semana, escrevia três nomes em um cartão e o colocava em sua escrivaninha. Mantinha aquelas pessoas à vista enquanto orava e estudava o texto bíblico da semana. Era tudo muito básico.

"Eu mergulhei na história da primeira igreja em formação e levei comigo nossa igreja em formação. Atos nos proporcionou um texto para remover de nossa percepção os estereótipos americanos que a embaçavam e distorciam." Eugene pregou 46 sermões a partir de Atos. Em vez de disseminar informação, seu objetivo era entrar em um mundo mais amplo e convidar outros a acompanhá-lo.

Contudo, ao mesmo tempo que Deus reunia uma comunidade de fé, o grande fichário vermelho se queixava pedindo atenção. A intuição de Eugene lhe dizia que o sistema adotado pelo fichário era um beco sem saída. Também lhe dizia que era melhor ele não pisar na bola. E, em momentos de silêncio ou de frustração, muitas vezes ele se perguntava se seus instintos estavam certos. Afinal, quem era ele?

Eugene estava preso entre duas perspectivas concorrentes do que significava ser pastor. Ao pregar com base em Atos, viu quão claramente tudo dependia de Deus. Mas, ao virar de um lado para o outro na cama tarde da noite ou passar horas preenchendo relatórios financeiros cujos números

ACHO QUE SOU PASTOR

anunciavam profecias nefastas, era como se tudo dependesse *dele*. E ele não sabia se estava à altura do desafio.

* * *

A cada mês, Eugene tinha de preencher um relatório completo, de várias páginas, para o PDNI. A primeira página tinha espaços para detalhes como número de presentes nos cultos de domingo, dízimos e ofertas, planos de construção e trabalho dos comitês. As páginas seguintes eram para que o pastor descrevesse suas impressões a respeito do progresso dos trabalhos (Como estava sua pregação? Que ideias ou aptidões estavam surgindo? Onde estava tendo dificuldade? Deus estava fazendo algo na congregação?). Depois de um ano preenchendo esses relatórios sem receber nenhuma resposta, Eugene começou a desconfiar que os membros do comitê não liam nada além da primeira página. Com certeza, olhavam as estatísticas, mas o restante provavelmente ia parar em um arquivo empoeirado. Sentindo-se mais solitário que de costume, planejou um experimento.

O próximo relatório de Eugene apresentava uma descrição sombria de sua depressão (fictícia) cada vez mais profunda: "Tive dificuldade de dormir, não consegui orar". Explicava que a preparação dos sermões e as reuniões com os membros da igreja eram feitos em "piloto automático" e que dava o mínimo de atenção possível a seus deveres pastorais, "sem disposição e sem alegria". Antes da última página, havia confessado que estava à beira do precipício e pensava até em abandonar o ministério. Para encerrar, pedia que lhe recomendassem um conselheiro.

Silêncio absoluto. "Fui para o tudo ou nada. No mês seguinte, desenvolvi um problema com bebida." Seu vício inventado estava fora de controle. De acordo com seu relatório, certo domingo, ao pregar, ele estava completamente bêbado, incoerente e incapaz de pronunciar as palavras devidamente. "Todos foram muito compreensivos, mas um dos presbíteros teve de terminar o sermão. [...] Preciso de tratamento. Como devo proceder? A igreja tem fundos disponíveis?"

Mesmo assim, não teve resposta! Eugene se tornou ainda mais ousado. Chegou a hora de escrever o relatório seguinte, e seu alcoolismo havia se agravado. Ao tentar aconselhar uma mulher presa em um casamento abusivo, as coisas haviam se desencaminhado. Eles "acabaram juntos na cama, só que não era uma cama, e sim os bancos da igreja, onde foram

FOGO EM MEUS OSSOS

pegos em flagrante pelas senhoras encarregadas de arrumar as flores para o culto de domingo". Eugene não conseguia se conter. Sua inventividade para escrever ficção estava a pleno vapor. Acrescentou à narrativa um toque magistral: "A essa altura, imaginei que meu ministério tivesse acabado, mas, nessa comunidade, gente promíscua é bastante admirada. Depois desse episódio, a frequência aos cultos dobrou".

Em outro mês, Eugene falou de uma inspiração recente, uma alteração inédita na liturgia. Uma vez que era a década de 1960, "uma era de reforma litúrgica e experimentação", sua carta descreveu a tentativa de energizar o culto enfadonho e melancólico: "Tinha lido sobre algumas especulações acadêmicas a respeito de uma seita que usava cogumelos na Palestina durante o primeiro século, um movimento com o qual Jesus talvez estivesse envolvido. Conclui que valeria a pena fazer uma experiência. Pedi a um dos nossos jovens universitários que ia passar as férias no México que comprasse alguns cogumelos psicodélicos". A imaginação de Eugene descarrilhou. Ele relatou que, na Eucaristia seguinte, Jan colocou os cogumelos no pão da Ceia. "Foi a experiência mais incrível que os membros haviam tido em um culto, absolutamente fascinante."

Passaram-se meses. As histórias se tornaram surreais, cada vez mais complexas e escandalosas. Eugene começou a ficar ansioso para inventar relatos fictícios absurdos e compartilhá-los com Jan. Sentavam-se na cozinha, onde Eugene criava as ideias para o próximo episódio da história e Jan acrescentava detalhes picantes.

Quando os três anos de sustento do PDNI chegaram ao fim, o comitê pediu a Eugene que fosse ao escritório do programa para uma reunião final. Ele sentou-se diante dos membros do comitê, que fizeram várias perguntas sobre sua experiência. Eugene lhes agradeceu pelo sustento financeiro e por sua atitude cortês. Mencionou, contudo, uma decepção. Haviam lido somente a primeira página de seus relatórios, que mostravam as estatísticas. Os membros do comitê afirmaram categoricamente que tinham lido todo o material com grande atenção. "Como é possível?", Eugene perguntou. "Eu pedi ajuda com meu alcoolismo e vocês não responderam. Envolvi-me em uma aventura sexual e vocês não intervieram. Usei substâncias alucinógenas na Eucaristia e vocês não fizeram nada." Os membros do comitê empalideceram. O que se seguiu foi "um espetáculo absurdo, um jogo de empurra-empurra e de justificativas". Eugene deixou que a confusão e o desconforto prosseguissem por mais um momento e, então, confessou a ficção que ele havia criado.

Para Eugene, contudo, a experiência foi mais triste que engraçada. Estava só. Ninguém estava cuidando dele. "As pessoas que me ordenaram e assumiram responsabilidade por meu trabalho queriam saber apenas de relatórios financeiros, gráficos de frequência aos cultos e planejamento de programações. Não estavam interessadas em *mim*. Estavam interessadas em meu trabalho; não se importavam com minha vocação."

* * *

Uma vez que os cultos eram realizados nas catacumbas debaixo da casa dos Petersons, a vida doméstica se misturava com a vida da igreja. Certo domingo, Eugene encerrou a oração pastoral com o habitual "amém", e Karen respondeu com "amém", como fazia quando seu pai terminava de orar antes das refeições. Sua vozinha encheu a quietude do porão. Riso quebrou o silêncio, e Karen se ruborizou e cobriu o rosto. Eugene aproveitou a ocasião para explicar a prática da família na hora das refeições: um "amém" era respondido com outro "amém". Treinou com todos uma ou duas vezes, e no domingo seguinte, bem como em todos os domingos a partir de então, uma sinfonia de améns ecoava no local de reunião.

Pouco tempo depois, Eugene criou uma carta circular para a igreja e a chamou *Amém!*, dando continuidade à imagem dominical de oração participativa. Queria lembrar os membros da igreja de que estavam em um diálogo, respondendo juntos a Deus. Eugene publicava a circular todas as semanas, com o maior número possível de nomes e assuntos específicos. Era uma verdadeira *carta* para sua igreja, metade de uma conversa em andamento, um ato de formação pastoral. "Eu refletia sobre o que fazia quando os membros da igreja não estavam me vendo e sobre o que eles faziam quando eu não os estava vendo. Escrevia a carta circular todas as terças-feiras. As secretárias da igreja a enviavam às quartas-feiras. Era o uso intencional de um meio verbal para ligar a linguagem de domingo à linguagem da semana." Na carta, ele incluía notas como: "O pai de Charlie Reiher faleceu" e "Holly Christian nasceu". Também tinha trechos engraçados: "Kris Sherrock foi surpreendida na igreja logo cedo na manhã de domingo com um hinário na mão, tentando se aprimorar no hino do mês". Por vezes, Eugene (provavelmente pensando nos membros mais detalhistas e críticos) inseria um erro ou uma imprecisão intencional para ver se as cartas eram lidas.

"E eram", ele comentou.

* * *

A Igreja Cristo Nosso Rei não seguia uma receita. As pessoas que, a princípio, Eugene esperava que participassem — cristãos entusiasmados, maduros, sedentos por Deus — eram poucas e esparsas. Em lugar desses congregantes idealizados, havia Gus Sakolis, caminhoneiro que só havia completado o ensino fundamental e era fã de Elvis. Havia Delores, mulher de meia-idade que morava com os pais no sítio deles. Ela cantava solos "com empolgação lírica, mas com todas as notas agudas desafinadas, como unhas arranhando um quadro negro". Havia o membro zangado, presente em todos os cultos durante *27 anos*, mas que permanecia sentado no banco e de boca fechada durante os hinos, as orações e o credo. Havia o professor de biologia que, todo domingo, sem falta, criticava o sermão de Eugene. Uma semana era a gramática ou a pronúncia, outra era a exegese, e outra era algum tema controverso que Eugene tinha deixado de fora. Havia o veterano da Segunda Guerra, coronel reformado que raramente passava do primeiro hino antes de fechar as pálpebras e baixar a cabeça em um cochilo que se estendia até a bênção final. Havia a esposa em um casamento terrível. O homem de meia-idade que só havia experimentado fracassos.

Quanto aos "santos experiente, que sabem como orar, ouvir e suportar", apenas um punhado frequentava a igreja, em meio a um "número considerável de pessoas que simplesmente apareciam para os cultos [...] os quentes, os frios, os mornos; os cristãos, os semicristãos, os quase cristãos; os adeptos da Nova Era, os ex-católicos insatisfeitos, os doces recém-convertidos". Eugene explicou: "Não os escolhi. Não cabia a mim escolher". Assim era a igreja de Eugene. E, como ele continuaria a asseverar, assim é *a* igreja.

* * *

Quando um psiquiatra da clínica Phipps da Universidade Johns Hopkins convidou Eugene para participar de um pequeno grupo de líderes religiosos (quinze pastores e padres e um rabino) que se reuniriam todas as terças-feiras, ele aceitou de imediato. A clínica formou esse grupo para ajudar a lidar com a crise cada vez mais grave de saúde mental produzida por grandes mudanças sociais: ansiedades decorrentes da guerra no Vietnã, dos assassinatos de Kennedy e de Martin Luther King Jr., problemas causados pela revolução sexual, pelas drogas e pelos efeitos da alienação da vida suburbana de classe média. Durante dois anos, Eugene adquiriu ferramentas para entender melhor os traumas e participar da dor daqueles que ele pastoreava. Para sua alegria, aprendeu soluções objetivas para ambiguidades pastorais, formas de motivar outros e de oferecer-lhes direção clara em suas dificuldades.

"Naquela época, pastores do país inteiro estavam abandonando sua vocação para se tornar conselheiros. Eu poderia ter seguido o mesmo rumo", Eugene se recordou muito tempo depois. Mas seus instintos pastorais o levaram a estudar de modo mais profundo e amplo perspectivas relevantes para pastorear o ser humano como um todo. Eugene devorou os escritos de Carl Jung, Bruno Bettelheim, Erik Erikson e Viktor Frankl, entre outros. Todavia, essa pesquisa tinha dois lados. Todo esse conhecimento despertava a tentação de ser perito em algo, de ser bem-sucedido em seu trabalho. Ele começou a observar dentro de si um "complexo latente de messias", que produzia o desejo de identificar problemas emocionais nos membros de sua congregação e, em seguida, *resolvê-los* de forma eficiente. Essas experiências ensinaram Eugene a dar valor à psiquiatria e à terapia (um apreço que ele nunca perdeu), mas ele teve de lidar com algumas dificuldades ao perceber que era pastor, e *não* terapeuta. "Aqueles dois anos de encontros às terças [...] deixaram claro o que eu não era: a ideia não era tratar outros primeiramente como se fossem problemas. A ideia era [...] chamá-los para adorar a Deus".

Adoração era o chamado. *Adoração* era o trabalho.

Depois dessa serena epifania, Eugene foi visitar uma moça no hospital. Os médicos, incapazes de fechar um diagnóstico, chegaram à conclusão de que seu problema era psicossomático. A abordagem terapêutica habitual seria perguntar se ela gostaria de conversar sobre suas dificuldades. No entanto, Eugene percebeu nessa ocasião um convite ao silêncio. Quando voltava para casa, sentiu-se culpado e se perguntou se deveria ter feito algo mais para ajudar. Um mês depois, ele a visitou novamente.

— Tem alguma coisa que você gostaria que eu fizesse por você? — ele perguntou.

Ela pensou por um momento e, em seguida, pediu inocentemente:
— Você poderia me ensinar a orar?
Com renovada convicção, Eugene pôs a mão no arado pastoral.

* * *

Havia, porém, mais um trabalho a realizar. Anos antes, o presbitério havia comprado um terreno, e agora era preciso construir uma igreja. Não podiam permanecer nas catacumbas para sempre.

Depois que os membros do comitê de construção da Cristo Nosso Rei tiveram uma reunião desastrosa com um especialista arrogante de uma grande empreiteira, conheceram Gerry Baxter, jovem arquiteto da vizinhança. Gerry nunca havia projetado um templo, mas sonhava de longa data construir uma igreja que fosse expressão verdadeira de seu lugar. Queria conhecer os membros da congregação e prestar culto com eles. À medida que Gerry e Eugene fizeram amizade, descobriram que cada um, a seu modo, era um artista dedicado a trabalhar com os materiais e o lugar que haviam recebido e fortemente determinados a não impor nada artificial (ou apenas utilitário) a esse trabalho.

Como seria essa construção? Queriam um santuário espaçoso e cheio de luz. O projeto, com seu telhado que se erguia de modo marcante em direção ao céu, refletia uma tenda (como a que Israel havia usado para prestar culto a Deus durante o tempo no deserto) e também mãos unidas em um gesto de oração. O espaço para o culto, construído em forma de semicírculo, reuniria todos em volta da mesa da Ceia, a mesa da família. Compraram mármore verde de uma pedreira a trinta quilômetros dali para a pia batismal, a mesa e a parte dianteira do púlpito. Um dos membros da igreja usou alumínio polido para confeccionar o logotipo da Cristo Nosso Rei (uma coroa sobre uma cruz acima do mundo) afixado ao púlpito. Um marceneiro da igreja trouxe madeira de nogueira da fazenda de sua família em Ohio para fazer uma cruz celta, suspensa acima dos bancos. As grandes vigas curvas do santuário eram de pinho dourado, que dava ao interior um ar de acolhedora amplidão.

Em 12 de julho de 1964, foram iniciadas as obras da Igreja Cristo Nosso Rei. Todos os membros receberam pás vermelhas de metal, com o nome de cada um pintado à mão, para começar a escavação simbólica para os alicerces. Nove meses depois, em 7 de abril de 1965, a empreiteira

Jeager Construction removeu seu último caminhão do local, e a igreja escancarou suas portas. O santuário se encheu de alegria e gratidão. No púlpito, Eugene olhou para todos aqueles rostos, fazendo uma pausa de admiração antes de pronunciar as magníficas palavras que se tornaram o convite central de sua vida: "Adoremos a Deus".

* * *

Para Jan e Eugene, vida nova estava irrompendo de várias formas. Dois meses antes da conclusão dos trabalhos de construção, Jan foi para o hospital com dores de parto. Pediu a Eugene que, em vez de acompanhá-la, ficasse em casa e ajudasse a mãe dela a cuidar de Karen, de 5 anos, e Eric, de 3. Ele concordou. Colocou um avental e passou aspirador, preparou refeições e correu atrás das crianças. Todos ficaram encantados quando Jan voltou para casa com Leif embrulhado em um coberto azul, como uma pequena taturana em seu casulo.

Jan enviou uma carta para os pais de Eugene e descreveu a reação de Karen e de Eric à chegada de Leif:

> Quando Gene e eu voltamos do hospital com o bebê, sentei-me com Leif em uma cadeira para que Karen e Eric o vissem enquanto eu tirava a camada exterior de roupas dele. Foi uma cena impagável! Jamais me esquecerei da reação do pequeno Eric. "Ma-ma", ele exclamou, apontando para cinco dedinhos na mão pequenina e colocando-a em sua mão um pouco maior. "Ma-ma", ele gritou, ao ver os dois pezinhos saírem debaixo do cobertor. "Ma-ma", disse novamente, e apontou para uma das pequenas orelhas ao continuar a descobrir cada parte. [...] Quando amamento Leif, Karen diz que estou "dando leite". Faz parecer que sou uma vaca, não é mesmo? Ha!

O lar da Cristo Nosso Rei estava completo. O lar dos Petersons também.

10

No mesmo lugar

Sou um homem de pequena fé. Na noite escura da alma, estendo a mão para ter certeza da presença de coisas que não vejo. Tenho de colocar minhas mãos no dorso da árvore, tenho de sentir a grama picar minha pele, tenho de inalar o aroma de terra, tenho de entoar para mim mesmo uma valente canção de ninar a fim de manter vivas minhas esperanças.

Scott Russell Sanders, *Staying Put*

A Igreja Cristo Nosso Rei derramou esperanças e esforços na construção de seu posto avançado sobre aquela colina de Maryland coberta por um milharal. Foi um tempo de trabalho árduo que levou ao ápice, ao triunfo. Um mês depois de a igreja se mudar para o novo santuário, porém, algo mudou. Membros outrora cheios de entusiasmo passavam semanas sem ir aos cultos, deixando cada vez mais espaços vazios nos bancos. Preocupado, Eugene procurou seu supervisor do PDNI.

— O que devo fazer? — Eugene perguntou.

A resposta foi imediata:

— Comece outro projeto de construção.

— Não precisamos de outro projeto de construção — Eugene respondeu, pensamentos rodopiando em sua mente. — Precisamos desenvolver maturidade na congregação.

Seu supervisor, porém, foi categórico:

— As pessoas precisam de algo tangível, algo com que possam se envolver, um desafio, um alvo. Confie em mim. Já passei por isso. É como funciona a cultura americana.

NO MESMO LUGAR

Eugene voltou a Bel Air confuso e abalado. "Senti a adrenalina se esvair de minha corrente sanguínea."

Eugene descreveu os seis anos seguintes de modo bastante expressivo: "terras baldias". Depois de três anos exaustivos de trabalho pastoral com poucos momentos de folga, o que Eugene mais queria era caminhar por espaços abertos, a Serra Swan e o Vale Flathead, e reencontrar a família que ele não via de longa data. Ele e Jan tomaram uma decisão. "Iríamos de carro para Montana, tentar recuperar o fôlego."

Jan e Eugene colocaram as crianças no carro e rumaram para o oeste. Cinco dias na estrada. Quando o sol começava a se pôr, estacionavam em um parque estadual, armavam as barracas e desenrolavam os sacos de dormir. Passaram uma noite em Indiana Dunes, à beira do Lago Michigan, em Indiana; uma noite à beira do Lago Loon, em Minnesota; uma noite em Black Hills, em Dakota do Sul; e uma noite no parque estadual Missouri Headwaters, em Three Forks, Montana. Por fim, tomado de emoção e com o aroma inebriante de pinho no ar, Eugene chegou a seu *lar*.

Essa viagem para Montana deu início a uma tradição que se tornou uma peregrinação anual para a família Peterson, levando-os de volta ao solo que os nutria e os centrava. Fazendas prósperas e extensas florestas davam lugar às Grandes Planícies e aos picos elevados das Montanhas Rochosas. A paisagem fazia parte da cura secreta do coração, com exceção de um extenso trecho nas terras baldias de Dakota do Sul, "onde nada era verde, nada crescia. Nenhuma árvore, nenhuma água, nenhuma cidade. O único sinal de vida era o ocasional abutre à procura de uma carcaça". Quilômetros e quilômetros de desolação, terra despida de qualquer vestígio de beleza. Por centenas de quilômetros, a monotonia só era quebrada pelos *outdoors* na beira da estrada. "E, de repente, do nada, aparecia uma construção precária, um galpão de linhas irregulares do qual transbordavam *souvenirs* e bugigangas". Por fim, mais adiante, chegavam às florestas de Dakota, gratos pela volta da paisagem verde.

A travessia daquela região estéril tocava algo em Eugene. Ele havia gastado um bocado de energia para consolidar o trabalho na Cristo Nosso Rei. Haviam formado uma comunidade. Haviam construído uma igreja para ela. Mas ele estava exausto. "Tinha imaginado que as forças simplesmente se renovariam. Por que não? Não é o que pastores devem fazer? Manter o fogo aceso? Distribuir injeções de ânimo? Recarregar as baterias? Não é a coisa 'americana' a fazer? Será que depois de apenas três anos eu já era um pastor fracassado?"

Durante seis anos, Eugene ficou no mesmo lugar e pastoreou nas terras baldias, com pouca energia e resultados medíocres, prosseguindo a duras penas por mais um quilômetro de terreno sem vida. Até então, ele havia passado de um alvo a outro: *Tirar boas notas na escola. Quebrar o recorde na pista de corrida. Obter diplomas. Desenvolver qualificação profissional. Trabalhar para subir mais um degrau.* Agora, porém, arrastava os pés em terreno monótono e triste, sem alívio à vista, sem um alvo adiante para incentivá-lo a avançar. Não foi fácil sujeitar-se à vida que ele havia recebido.

* * *

No início de 1968, Eugene fez uma entrevista na Igreja Presbiteriana Summerville, em Rochester, Nova York. A família viajou para Rochester, e os membros do comitê de contratação visitaram Eugene e Jan em Bel Air. Eugene lhes disse que estava preparado para mudar, mas a igreja escolheu outro pastor. Eugene escreveu para seus pais, dando a notícia:

> *Tivemos uma resposta da igreja em Rochester, com a qual conversamos ontem, e eles escolheram outro pastor. Foi decepcionante, pois teríamos gostado de nos mudar para lá. Mas também não podemos ficar muito chateados, pois temos grande respeito pelos membros do comitê que conversaram conosco em três ocasiões. [...]*
>
> *No entanto, estávamos preparados para sair daqui. Temos orado por direção e ajuda a respeito do que fazer e para onde ir. No momento, não temos outras igrejas em vista. É um período frustrante. Temos a impressão de que o impulso para ir embora vem do Senhor; ao mesmo tempo, ele não mostra para onde devemos ir.*

Eugene descreveu essa experiência por meio da imagem das terras baldias:

> *É uma excelente ocasião para avaliar falta de fé e para explorar sentimentos que revelam nossa incredulidade. Sentimos quase desde o início que sair de Bel Air seria principalmente para o nosso bem, e não para o bem da igreja. Essa é uma parte da situação, de vivenciar esse tempo de vacuidade.*

Observei que os salmos estão repletos de referências a rochas que Deus abriu para dar água aos israelitas durante o tempo que andaram sem rumo pelo deserto. [...] Aqueles anos no deserto cheio de rochas desnudas, duras, impenetráveis, tornaram-se o lugar em que Deus os revigorou.

Em outra carta, Eugene revelou, com certo humor, seu ego ferido:

A seleção [de Summerville] ficou entre nós e outra pessoa. [...]

Claro que sempre há certa curiosidade a respeito da outra pessoa. Tenho minha quota de ego, e estou certo de que poderia realizar um trabalho tão bom quanto qualquer outro, e melhor que a maioria! Quem será que eles escolheram em meu lugar?

Eugene prosseguiu, descrevendo a misericórdia que havia encontrado:

Apenas duas semanas atrás, estava em uma reunião do Comitê de Relações Ministeriais, do qual faço parte em nosso presbitério. Cabe a esse comitê aprovar todas as mudanças associadas aos pastores. O presidente disse: "Temos uma solicitação para aprovar o convite feito pela Igreja Summerville em Rochester para Converse Hunter". Converse é um pastor aqui da região, que eu conheço bem! Que coincidência, e que surpresa! Uma igreja a quase 1.300 quilômetros daqui entrevistou cerca de cinquenta pastores, e os dois que chegaram ao final do processo de seleção moram menos de vinte quilômetros um do outro em Maryland.

O mais importante, porém, foi minha reação espontânea. Antes que eu tivesse oportunidade de pensar, senti dentro de mim uma espécie de alegria repentina, um arroubo de aprovação. E o pensamento que veio em seguida foi: "Claro! Se tinham de escolher entre Converse e eu, é evidente que escolheriam Converse; sem dúvida nenhuma ele é o pastor certo para aquela igreja".

Mal consegui dormir à noite de tanta empolgação. Era como se eu tivesse visto as engrenagens da direção de Deus. Mudanças no pastorado são acompanhadas de tantas incertezas. Nem sempre sei bem quais são minhas motivações; tenho imensa capacidade de enganar a mim mesmo. [...] E, ao olhar em volta e ver que há tantos casos de igrejas que escolhem o pastor errado, e tantos casos de pastores que aceitam convites para pastorear por motivos pouco nobres, a gente se pergunta se Deus é capaz de exercer sua vontade dentro desse sistema. [...]

Em geral, é necessário aceitar cegamente os resultados dessa prática, sem jamais entender os motivos ou as consequências. Nesse caso, porém, foi quase como se Deus tivesse dito: "Não costumo fazer isso com frequência, e talvez não o faça novamente por você, mas, só dessa vez, vou lhe mostrar como opero. Quero deixar claro para você que minha vontade é determinante em meio a todos os caprichos do sistema e a todos os conflitos e ambiguidades. [...] Não foi acidente, nem acaso, nem erro Converse ter sido chamado para aquela igreja em seu lugar. E agora você entende o motivo. Mas, consciente disso, você deve confiar que agirei da mesma forma no futuro, mesmo que você não enxergue".

Durante aqueles anos monótonos, Eugene teria saído da Cristo Nosso Rei se outra igreja houvesse lhe oferecido um cargo, mas nenhuma igreja o fez.

Uma tarde, Eugene viu o retrato horrível pintado por Willi Ossa e sentiu um calafrio. De repente, a profecia de Willi não parecia tão absurda. Eugene sabia que aquela era a pessoa que ele se tornaria se entrasse "na competição americana para ser o pastor que 'obtém resultados' e que 'está avançando'". Em parte por escolha, mas principalmente pela graça, Eugene permaneceu nas terras baldias.

Teria de simplesmente continuar a caminhar.

* * *

Eugene se sentia à deriva, desligado das coisas físicas desta vida: da família que ele amava, da terra que amava, do trabalho e do esforço físico que amava. Sentia que havia se tornado um pastor bem-sucedido, mas não um ser humano dos melhores.

Desanimado, sabia que precisava fazer mudanças concretas. Ele e Jan começaram a observar um dia de descanso às segundas-feiras, prática nascida do desespero e antídoto para a energia pastoral excessivamente zelosa de Eugene. Também assumiram o compromisso de passar pelo menos um mês a cada verão em Flathead, e até mais quando o conselho da igreja deu licença para Eugene prosseguir com seus estudos. Em seguida, Eugene retomou duas conhecidas fontes de prazer: carpintaria e corrida. O trabalho com serra, formão e plaina, a formação de algo belo a partir da madeira bruta, o conectava a seu senso artístico e a seu desejo de começar algo e ver o resultado completo. Construiu uma bancada de trabalho bastante elaborada, seguida de dois beliches. Depois dos beliches veio uma mesa de piquenique triangular, projeto que ele apresentou à família com grande orgulho. Ao longo dos anos, fez uma escrivaninha para cada um dos filhos, um pequeno aparador, mesas de canto, um tabuleiro de xadrez, estantes e, sua maior realização, um berço de balanço no qual cada um de seus netos dormiu. Nos últimos anos de vida, embora as ferramentas permanecessem apenas penduradas na parede, ele ainda se referia a seu pequeno canto da garagem para um carro como sua "oficina". Ele amava passar os dedos sobre os veios da madeira cortada, amava o cheiro de pó de serra.

E amava correr. Depois da SPU, Eugene havia aposentado seus tênis de corrida, mas sentiu o conhecido anseio "pelos ritmos confortáveis, a sensação calma de estar em contato físico com a terra debaixo de meus pés, as nuanças do tempo atmosférico, meu corpo trabalhando quase sem esforço nas longas corridas no campo". Também havia, contudo, um motivo mais terapeuticamente complexo que levou Eugene a voltar a correr: seu ímpeto competitivo. Energia ambiciosa pode ser algo bom, mas como combustível para a vida de pastor era prejudicial para sua alma. Correr (e, mais tarde, treinar para corridas) lhe permitia queimar essa competitividade. Por muitos anos, Eugene corria oito quilômetros depois que voltava para casa no final da tarde. Ansiava pelo "sossego ininterrupto, pela repetitividade metronômica, pela imersão dos sentidos na fragrância das árvores, dos arbustos floridos e da chuva, pelo solo macio das trilhas no parque, pelo sereno esvaziamento da mente e pela sensação de estar apenas presente, de não ter de fazer nem dizer nada". Há quem imagine que Eugene tivesse repulsa inata aos vícios modernos de sucesso e conquista, como se sua aversão a esses impulsos motivadores estivesse, de algum modo, impressa em seu DNA. Muito pelo contrário. Eugene tinha tanta percepção das tentações porque eram lutas profundas de sua própria alma. Encarava seus demônios durante essas corridas, bem como em suas orações matinais.

Eugene perseverou. Correu cinco maratonas, a mais importante delas a Maratona de Boston em 1984, com o número 5543 afixado em seus tênis New Balance. O jornal *Harford Sun* publicou um artigo com o título: "Ele prega no domingo e, na segunda, corre na maratona". Tudo isso, porém, viria depois. Por ora, Eugene estava apenas tentando exercitar seu lado

FOGO EM MEUS OSSOS

competitivo. "Será que [...] estava correndo para fora das terras baldias?",
Eugene perguntou. "Era a impressão que eu tinha."

* * *

Enquanto Eugene percorria a duras custas seu caminho no meio das
terras baldias, vários encontros importantes proveram a direção que o
ajudou a avançar lentamente. Iain Wilson era pastor da histórica Igreja
Presbiteriana da Avenida Brown Memorial Park. Nascido nas Terras Altas
da Escócia, Wilson estudou teologia em Edimburgo e, depois, com Ru-
dolf Bultmann na Universidade de Marburg. Quando a Segunda Guerra
Mundial irrompeu, Wilson serviu como capelão voluntário do exército
inglês e participou da evacuação de Dunkirk e do desembarque no Dia-D
na Normandia. Depois da guerra, pastoreou uma igreja na Escócia antes
de atravessar o Atlântico para ministrar em Lynchburg, Virgínia (cidade
natal de sua esposa, Madeline).

Quando Wilson, pregador sóbrio, com sermões meticulosos, se colocava atrás do púlpito, seu caloroso sotaque escocês envolvia o público.
Wilson, recém-chegado no presbitério de Baltimore, chamou a atenção
de Eugene não apenas em razão de seu pastorado e de sua igreja proeminente, mas também porque passava as férias de verão nas Montanhas
Rochosas de Montana, cujo terreno escarpado oferecia ao escocês uma
paisagem familiar. Depois que Eugene e Wilson voltaram de Montana,
onde ambos haviam passado as férias, Eugene viu Wilson com o braço em
uma tipoia azul. Um coiote havia assustado o cavalo de Wilson durante
um passeio na Serra Bridger, e o cavalo o havia atirado em uma ribanceira
rochosa. "As montanhas de lá são majestosas", ele disse, "mas tem vinte
maneiras de acabar com você. São como a igreja."

Eugene não conseguiu se desvencilhar dessas palavras. Semanas depois, ligou para Wilson e relatou sua percepção indistinta do tipo de pastor que desejava ser: vagaroso, pessoal, em sintonia com Deus e com a
vida dos membros de sua igreja. Eugene se perguntava se era possível
transformar um pastor competitivo em um pastor contemplativo, "um
pastor capaz de estar com as pessoas sem ter um alvo para elas, capaz de
aceitar as pessoas como elas estão e conduzi-las gentil e pacientemente
para uma vida madura em Cristo, sem atravancar seu caminho".

NO MESMO LUGAR

Wilson não ofereceu nenhum conselho. No entanto, convidou Eugene para ir a Baltimore e conversar. A cada duas semanas, durante dois anos, Eugene e Wilson se encontravam em uma austera capela de oração. Wilson se ajoelhava no genuflexório em um dos lados e Eugene do outro. Com um livro escocês de oração na mão, Wilson orava enquanto Eugene permanecia em silêncio.

Depois, os dois conversavam. Ao saírem da capela, caminhavam até uma padaria na vizinhança. Enquanto tomavam café e comiam torta, Wilson falava de sua paixão por observar pássaros, desde sua infância nas Terras Altas até a coluna de ornitologia para a qual escrevia no jornal *Baltimore Sun*. Falavam de seu amor pelas paisagens de Montana e do misto de amor e apreensão pelo trabalho de pastorear uma igreja. Fiel barthiano (ele traduziu a maioria das obras de Barth para o inglês), Wilson incentivou Eugene a se aprofundar nos textos de Barth e considerá-lo um "teólogo para pastores", incentivo que deu início a uma jornada vitalícia para Eugene.

Essa experiência de orações fixas, realizadas em comunidade, é semelhante à descrição que vários amigos fizeram das orações noturnas quando se hospedavam com Jan e Eugene. Sentavam-se em círculo, quietos diante de Deus e, então, simplesmente *oravam*. As orações eram seguidas de conversas fluentes, sobre os mais diversos assuntos, muitas vezes acompanhadas de uma caneca de chá. Havia uma ligação íntima entre a forma antiga de orar naquele espaço silencioso e sagrado e a forma diferente de orar nas conversas que fluíam livremente. Pela primeira vez, Eugene experimentou essa íntima e sagrada interação naquela pequena capela (e depois na padaria) com Wilson.

Passados dois anos, Wilson aceitou um convite para lecionar filosofia e não pôde mais se encontrar com Eugene. Em 1975, entrou em contato com Eugene para perguntar se ele tinha interesse em lecionar homilética no Seminário Teológico de Pittsburgh (uma sobreposição de mundos, pois Eugene teria substituído David Buttrick, filho de George Buttrick). A influência de Wilson, contudo, havia criado raízes. "Àquela altura, graças a ele, eu era mais do que nunca aquilo que vinha me tornando de longa data: um pastor contemplativo."

* * *

FOGO EM MEUS OSSOS

Outro encontro de grande importância que ocorreu nas terras baldias foi com o pastor e amigo Tom. Ele apresentou Eugene para Charles Williams, escritor inglês e membro do grupo Inklings (do qual participaram escritores como C. S. Lewis, Owen Barfield e J. R. R. Tolkien). Eugene devorou o livro *A descida da pomba*, obra mais importante de Williams, sobre a presença do Espírito Santo na igreja ao longo da história. A dádiva mais preciosa de Tom para Eugene, porém, foi um comentário feito em exasperação durante o almoço em uma das lanchonetes prediletas de Tom.

Ele apresentou para Eugene a atendente, Vanessa, uma mulher de aparência cansada e olhos tristes. Quando se levantaram para pagar a conta, Eugene foi ao banheiro. Ao voltar, encontrou Tom e Vanessa em uma discussão animada. Eugene pegou um jornal e sentou-se junto ao balcão. Quando Tom e Eugene saíram da lanchonete, Tom irradiava energia. Disse:

— Eugene, você viu como estávamos conversando, como *ela* estava falando? Viu a intensidade? Como seria bom poder ter conversas desse tipo o dia todo, todos os dias. Sempre que venho aqui e não há outros clientes, ela quer conversar sobre oração e sobre a vida dela.

— E por que você não tem mais conversas desse tipo? — Eugene perguntou.

— Porque — Tom respondeu com ligeira exasperação — eu tenho que administrar essa porcaria de igreja.

Eugene contou a história de Tom na lanchonete para seu grupo de pastores de terça-feira (depois que o psiquiatra encerrou o compromisso de dois anos, o grupo continuou por conta própria). A maioria dos participantes se identificou de imediato com a sensação sufocante de "administrar essa porcaria de igreja". Juntos, firmaram o compromisso de aprender a ser pastores, não obstante o que mais fizessem. Levando em conta as peculiaridades da personalidade de cada um e de suas igrejas, compartilhariam sua vocação mútua. Seriam uma irmandade de pastores.

As terças-feiras eram simples. Eugene preparava café e cada um trazia o próprio lanche. Reuniam-se no escritório de Eugene, abriam um texto, liam e refletiam. Os membros se revezavam na direção dos encontros; a cada semana, um pastor escolhia uma passagem do lecionário e apresentava alguns pontos de exegese para discussão. Eugene passava a maior parte do tempo sentado em silêncio. De vez em quando, fazia uma pergunta. Cada um dos pastores tinha sua especialidade (pregação, teologia, cuidado pastoral), mas quando surgia uma pergunta sobre a tradução do hebraico ou do grego, o grupo contava com Eugene para receber esclarecimento. Seu papel principal, contudo, era oferecer o espaço de seu escritório e encher a garrafa térmica.

Quando um novo pastor chegava à cidade, eles o convidavam a participar do grupo. A maioria, porém, ia apenas uma ou duas vezes. "Quando percebiam que não estávamos interessados em discutir posicionamentos doutrinários ou morais, nem comparar estatísticas das igrejas, perdiam o interesse", Eugene explicou.

No final da primavera, faziam um retiro de silêncio na reserva ecológica Bonham Wake Robin. Encerravam esse tempo com a celebração da Eucaristia, um pequeno grupo de amigos reunidos ao redor do pão e do vinho. Um banquete no qual se nutriam de Jesus. Esse grupo sustentou Eugene nas terras baldias. E continuaria a sustentá-lo por muitos anos depois daquele deserto interior.

* * *

O pastor e teólogo escocês Alexander Whyte, certamente apresentado a Eugene por Iain Wilson, proporcionou o terceiro encontro fundamental nas terras baldias. Whyte, aprendiz de sapateiro, conseguiu ingressar na faculdade de teologia da Universidade de Edimburgo e, por fim, se tornou pastor da Igreja de St. George. Em 1898, a assembleia elegeu Whyte para a função de moderador da Igreja Livre da Escócia.

Todos os domingos, Eugene se levantava de madrugada e se sentava em seu escritório, uma caneca de café sobre a mesa, enquanto a luz da manhã começava a entrar pela janela. Abria um dos livros de sermões de Whyte. "Já havia preparado o sermão que iria pregar naquele dia. Usava aquele momento para deixar que Whyte pregasse para mim. [...] A qualidade que eu desejava assimilar, e creio que o fiz, era a fusão de Escrituras e oração, oração e Escrituras". Em Whyte, Eugene descobriu um pastor com "uma imaginação verdadeiramente bíblica. A narrativa bíblica como um todo adquiria vida quando ele pregava — não explicitamente, mas o tom e as alusões desenvolviam uma coerência vívida ao redor de cada texto. Sentado ali, ouvindo a pregação de meu pastor, as Escrituras deixaram de ser uma sequência de textos e se tornaram uma história só, sem emendas. E eu era participante dessa história". Para Whyte, as Escrituras não eram

FOGO EM MEUS OSSOS

um livro a ser dissecado, mas, sim, o âmbito mais amplo possível em que a vida como um todo devia ser vivida. Eugene ingressou nesse mundo com Whyte e fez uma observação espantosa e reveladora: "As Escrituras haviam se tornado autobiográficas para mim".

Por mais de duas décadas, até Eugene encaixotar os livros de seu escritório e deixar o púlpito da Cristo Nosso Rei, sentou-se ali e leu enquanto Whyte, seu pastor escocês, pregava para ele. Whyte ajudou Eugene a sair das terras baldias e, então, durante vinte anos, o conduziu adiante.

As terras baldias deram forma, talvez tanto quanto qualquer outra voz ou experiência, às convicções de Eugene a respeito do que significa ser pastor. Ele era obstinadamente comprometido com o lugar em que estava, com sua responsabilidade sagrada de pastorear essa comunidade (por vezes inexperiente) de pessoas comuns. E ele demonstrou forte determinação de resistir ao canto da sereia que insistia para que ele se esforçasse até se tornar uma pessoa de destaque, para que construísse algo "importante" na Cristo Nosso Rei. Essas convicções foram formadas nos longos anos no deserto, em que seus compromissos foram severamente testados. Em meio a frustração e tédio e à noite escura da alma, Eugene tomou a firme decisão de ser paciente. Continuaria a caminhar, mesmo com dificuldade. Ficaria onde estava, no meio dessa terra estéril.

11

Misericórdia pura

> Os momentos em que estamos mais profundamente ador-
> mecidos ao volante são aqueles em que imaginamos que te-
> mos algum controle sobre o carro.
>
> **Annie Dillard,** *Holy the Firm*

Como a maioria das grandes transições interiores, o crescimento de Eugene em sua vocação ocorreu lentamente, por meio de interações com outros, de tempo dedicado à oração e da longa obediência do trabalho pastoral, e não em virtude de poderosas revelações ou de argumentação racional. E é claro que Karen também ajudou, em um episódio simples na igreja que viria a definir a percepção de chamado de Eugene e o que significava vivenciar esse chamado.

No meio do período nas terras baldias, Eugene chegou a uma conjuntura crítica. Embora o edifício da Cristo Nosso Rei estivesse pronto e a igreja tivesse estabilidade financeira, Eugene não conseguiu tirar o pé do acelerador. "Formava comitês. Fazia visitas nos lares. Trabalhava cada vez mais horas do dia, cada vez mais dias da semana. [...] Havia tentado desacelerar. Havia tentado relaxar. Mas tinha medo de fracassar. Não era capaz de me conter."

Certa noite, depois do jantar, Karen, então com 5 anos, pediu ao pai que lesse uma história para ela.

— Sinto muito, filha — ele respondeu —, mas não posso. Tenho reunião hoje à noite.

— São vinte e sete noites em seguida que você tem reuniões. — Karen havia contado.

FOGO EM MEUS OSSOS

Eugene foi convencido do erro. Explicou para a filha o quanto lamentava não ter tempo e prometeu fazer mudanças. A caminho da igreja para a reunião do conselho, seu sangue ferveu, como mercúrio subindo. Antes de entrar no estacionamento, havia tomado uma decisão. Quando os presbíteros estavam todos no escritório pastoral, Eugene pôs de lado a pauta da reunião e relatou a conversa com Karen.

— Tentei trabalhar menos, mas não consigo. Estou aqui para pedir demissão.

Os presbíteros se inclinaram para a frente, olhos arregalados.

— E minha dificuldade não é só com Karen. É com vocês também. Há seis meses não pastoreio devidamente essa igreja. Minhas orações são entrecortadas. Sinto como estivesse sempre com pressa. Quando faço uma visita ou almoço com um de vocês, não presto atenção; fico pensando em maneiras de dar novo impulso à igreja. Preparo os sermões de qualquer jeito. Não quero viver dessa forma, nem com vocês nem com minha família.

E, por fim, a declaração de Tom surgiu do nada, feito dinamite para pontuar a frase:

— Estou cansado de administrar essa porcaria de igreja.

Craig foi o primeiro a falar:

— O que você quer fazer?

As palavras saíram atropeladas, palavras que Eugene nem sabia que estavam dentro dele:

Quero ser um pastor que ora. Quero poder refletir e permanecer atento e tranquilo na presença de Deus, para que também possa refletir, estar atento e tranquilo na presença de vocês. Não dá para fazer isso na correria. Exige tempo. Exige um bocado de tempo. Foi o que eu fiz no começo, mas agora sinto que a vida está abarrotada demais.

Quero ser um pastor que lê e estuda. Essa cultura em que vivemos arranca de nós toda percepção de Deus. Quero ser observador e ser informado o suficiente para ajudar essa congregação a entender os desafios que enfrentamos, as tentações do diabo para que imaginemos que podemos todos ser nossos próprios deuses. É algo sutil. Exige certo distanciamento e perspectiva. Não é algo que vou conseguir fazer apenas me esforçando mais.

Quero ser um pastor que tem tempo de estar com vocês com vagar, de conversar sem pressa para entender vocês e ser seu companheiro no processo de crescimento em Cristo. Quero entender suas dúvidas e suas dificuldades, seus desejos e suas alegrias. Não tenho como fazê-lo se estou sempre ansioso, sempre correndo.

Quero ser um pastor que conduz vocês à adoração, que coloca vocês diante de Deus em obediência receptiva, um pastor cujos sermões tornam as Escrituras acessíveis, presentes e vivas, um pastor capaz de lhes dar linguagem e imaginação que restaure seu senso de dignidade como cristãos em casa e no local de trabalho e os livre das imagens debilitantes de que são "apenas" leigos.

Quero ter tempo de ler uma história para Karen.

Quero ser um pastor não atarefado.

Silêncio caiu sobre a sala. A frustração de Eugene pegou os presbíteros de surpresa. Também pegou Eugene de surpresa.

Todos ficaram sem graça. Depois de alguns momentos, um dos presbíteros, coronel reformado, falou.

— E por que você não faz tudo isso? O que o impede?

— Por que não deixa nós administrarmos a igreja? — Craig perguntou.

— Porque vocês não sabem como fazê-lo — Eugene respondeu.

Mildred, que não fazia rodeios, retrucou:

— Ao que parece, você também não está se saindo muito bem.

Quando Eugene e os presbíteros voltaram para casa naquela noite, haviam reformulado toda a estrutura organizacional. Eugene seria o pastor, e os presbíteros cuidariam da parte operacional da igreja. Exceto pela reunião mensal do conselho, Eugene não participaria de outras reuniões, nem seria responsável pelo governo da igreja. De repente, ele se viu livre da tarefa de "administrar essa porcaria de igreja".

Eugene se levantou, colocou sua cadeira de volta no lugar e saiu da sala.

Parou de ir a reuniões de comitês, parou de usar ternos de três peças para jantar com sua família. Leif se lembra de como foi estranho ver o pai lhe passar as batatas vestido com uma simples camisa de algodão. Em outros tempos, Eugene sempre havia vestido um terno para o jantar. "Tinha até um relógio com uma corrente no bolso do colete", Leif recordou. "Sentava-se na cabeceira da mesa, vestido como se fosse a uma reunião do conselho, o que com frequência era o caso. No começo, era raro ele não sair depois do jantar para uma reunião ou algum outro compromisso. Estava construindo a igreja do nada, o que exigia um bocado de trabalho." A mudança no modo de se vestir refletiu também uma mudança interior, do cuidado pastoral de caráter profissional para um estilo de maior proximidade e naturalidade.

Uma tarde, Eugene voltou das compras na loja de departamentos com camisas polo e sapatos esportivos. "Ele também passou a usar roupas informais para trabalhar. A mudança foi de um dia para o outro, como se alguém tivesse ligado um interruptor." Eugene usava uma vestimenta litúrgica tradicional preta e colarinho clerical com bandas de pregação ao dirigir o culto, mas, daquele momento em diante, passou a vestir roupas informais em todas as outras ocasiões. "Acho que também foi por essa época que papai começou a passar mais tempo em casa", Leif observou.

Aos poucos, Eugene estava se tornando ele mesmo. Estava descobrindo onde se encaixava.

* * *

A última interação das terras baldias teve a participação de uma família de oito pessoas, a família Rhoads, que começou a frequentar a Cristo Nosso Rei. Eugene observou que, todos os domingos, quando a igreja recitava o Credo Apostólico, David, o pai, dizia "Creio" e depois ficava em silêncio. Depois de meses observando David de soslaio, Eugene notou que ele acrescentou "em Deus Pai Todo-Poderoso" antes de se calar. Passados alguns meses, David acrescentava mais um trecho, e outro, e mais outro, até que, por fim, começou a recitar o Credo inteiro. Na semana seguinte, ele foi batizado.

Alguns anos depois, Janet, esposa de David, recebeu um terrível diagnóstico de câncer. Passados seis meses, a família a sepultou. Logo em seguida, David foi demitido. Sem consultar Jan, Eugene colocou os três filhos (Mike, Jimmy e Jeff) e a filha (Darlene) dos Rhoads no carro e os levou para casa. Eugene entrou em casa, seguido de uma fileira de crianças e explicou que elas precisavam de um lugar para se hospedar. "Nem pediu desculpas", Jan observou. "Minha primeira reação foi de pânico, mas me senti lisonjeada por Eugene confiar em mim e saber que eu daria conta do recado."

Eugene transformou o porão em um quarto para os meninos, e Karen dividiu o quarto com Darlene. Durante os três meses seguintes, o caos tomou conta da residência dos Petersons. A fossa transbordou ("Especialmente com os meninos", disse Jan, rindo), e todas as noites, por uma

MISERICÓRDIA PURA

semana, eles levavam todas as crianças, com suas respectivas escovas de dente, para a igreja, onde faziam a higiene antes de dormir.

Os filhos da família Rhoads foram apenas os primeiros em uma longa lista de pessoas que moraram com Jan e Eugene. Uma garota de 14 anos, depois de saltar do carro que sua mãe dirigia e correr para a igreja para conversar com Eugene, se hospedou com eles enquanto tratava de seu relacionamento com os pais. Depois veio uma mãe, vítima de violência doméstica. Um vizinho que sofria de depressão. E muitos outros, alguns por apenas algumas noites e alguns por longos períodos.

Antes da família Rhoads, Eugene sentia dificuldade de incentivar os membros da igreja a adotar a vida conjunta de uma verdadeira comunidade, a cuidar uns dos outros. Seus apelos costumavam ser recebidos, em sua maior parte, com bocejos e olhares inexpressivos. Eugene trabalhava com afinco nesse sentido, fazendo telefonemas, procurando organizar refeições para os enfermos que estivessem voltando para casa depois de uma internação, ou pedindo que membros da igreja suprissem necessidades materiais de alguém próximo. A situação das crianças da família Rhoads, porém, desencadeou algo. Diáconos proveram recursos para a compra de alimentos. Outros doaram beliches, uma cama dobrável, lençóis e cobertores. Uma família doou uma *van* para que David pudesse buscar os filhos e ir à igreja com eles. "Os membros da igreja ficaram surpresos de ver que tínhamos acolhido as crianças em nossa casa", Jan disse. "Depois disso, Gene não precisou mais fazer telefonemas pedindo ajuda para os necessitados da igreja."

De repente, enquanto a casa dos Petersons estava literalmente transbordando, a vida na igreja também começou a fluir. Algo nessas interações estreitou os laços da comunidade. E, logo, Eugene percebeu que não estava mais nas terras baldias. Ele e Jan simplesmente atenderam à necessidade diante deles, e as crianças da família Rhoads se tornaram parte de sua vida. Uma forte ligação havia se formado. E, quando a longa estadia chegou ao fim, Eugene lamentou.

Somos uma família reduzida, ele escreveu em uma de suas cartas para Montana. *Sábado fez uma semana que os filhos dos Rhoads foram embora.*

Quando Eugene fez uma retrospectiva desse tempo de lutas, a provisão de Deus ficou evidente. Pareceu a mais pura misericórdia Eugene não ter mudado de igreja. Foi misericórdia que o levou a Iain Wilson. E a Alexander Whyte. Foi misericórdia que operou em meio à tristeza e o inspirou a levar os filhos dos Rhoads para sua casa. A Cristo Nosso Rei estava se tornando igreja. Eugene estava se tornando pastor. Juntos, viram-se submersos em "um modo de adoração não manipulador. Uma forma de comunidade não programática". Uma das coisas que Eugene "mais gostava do pastorado era estar imerso nessas ambiguidades, a *ausência* de controle que permitiu a lenta formação de intuições e decisões desenvolvidas e transformadas em confissões de fé, e a atenção não planejada, espontânea [...] que, ao longo dos anos, se transformou em uma cultura de hospitalidade".

* * *

Eugene havia tomado um rumo contrário à ambição e ao empreendedorismo pastorais. E ele sabia disso. Como sinal da consciência cada vez mais aguçada de sua identidade, pegou todos os diplomas emoldurados que anunciavam suas credenciais acadêmicas e os jogou em caixas, colocando de lado suas qualificações exteriores. Mesmo depois de Eugene se aposentar do pastorado e se mudar para o Lago Flathead, se você visitasse o escritório dele, com vista para a Baía Hughes, veria apenas uma ou outra placa, lembrança ou enfeite que representava suas muitas realizações acadêmicas e pastorais. Se quisesse ver os prêmios literários ou outros símbolos de reconhecimento internacional, teria de procurar em um pequeno armário no corredor, onde juntavam poeira ao lado de papéis esquecidos e velhas fitas cassete.

Em lugar das credenciais, Eugene pendurou três retratos na parede: de Alexander Whyte, de John Henry Newman e do barão Friedrich von Hügel. Esses três se tornaram os mais duradouros e verdadeiros mentores de sua espiritualidade e de seu trabalho pastoral. Whyte, pastor e teólogo escocês, já havia consolidado seu lugar na visão de Eugene como pastor exemplar, que levava Deus e a igreja a sério, tudo isso com um brilho nos olhos.

Ao lado de Whyte, ficava o retrato de Newman, exemplo de grande intelecto que se contentou com o poder das pequenas coisas. Nunca considerou que uma igreja fosse pequena ou restrita demais, nunca imaginou que seus ricos dons exigissem um palco magnífico ou uma torre de marfim. Quando Newman pediu demissão de seu cargo na Universidade de Oxford para se mudar para Birmingham, uma cidade de operários cheia de deploráveis chaminés que lançavam fuligem negra no ar, um amigo o censurou, pois havia trocado o epicentro cultural de Oxford por um lugar inteiramente desprovido de sofisticação. A intenção de Newman era criar uma pequena escola para meninos, e não seria dissuadido desse propósito. "Os moradores de Birmingham também têm alma", Newman respondeu. Essa história marcou Eugene, que se ressentia da vida em um bairro comum de classe média e ansiava ministrar em uma cidade repleta de cultura, com pessoas cheias de curiosidade intelectual, que refletiam sobre ideias grandiosas, pessoas *interessantes*.

"Crescemos em um bairro de classe média, e meu pai não gostava de lá", Leif explicou. "Para ele, era uma espécie de morte intelectual." E, no entanto, lá estava Newman, cujo retrato silencioso insistia que cada alma, quer fosse de um operário quer de um grande erudito, transbordava de fascínio.

Lá estava, também, o barão Friedrich von Hügel. Embora o nobre von Hügel não ocupasse nenhum cargo influente, tinha uma mente brilhante e, sem ostentação, editou velhos manuscritos de importantes místicos cristãos e escreveu sobre a vida espiritual. Imerso nas cartas de Hügel, Eugene descobriu que formaram nele "um modo pastoral de usar linguagem coloquial, não condescendente nem manipuladora, mas caracterizada por atenção e devoção. Não pedagógica. [...] Não diagnóstica, e que não trata dessas almas singulares [os membros da igreja] como problemas a serem resolvidos". Talvez a influência mais profunda de Hügel tenha ficado evidente nos milhares de cartas que Eugene escreveu ao longo de décadas. Cartas atenciosas. Cartas curiosas. Cartas quase irredutíveis em sua recusa em dar conselhos, em consertar algo (muitas vezes, para frustração do leitor). Cartas que revelam uma consciência dos mistérios, um desejo de diálogo autêntico e santo.

Esses três retratos simbolizavam três formas de estar presente no mundo, três maneiras de viver que Eugene desejava. Os três o observavam enquanto ele estudava e lia. Observavam-no enquanto ele colocava tinta sobre papel, livro após livro. Observavam-no quando se encontrava com uma pessoa após a outra no escritório, cuidando de almas.

Observavam-no viver.

* * *

Uma das almas das quais Eugene cuidou foi Lu Gerard, que viu como Eugene sempre atentava para as perguntas de outros e dava aos exauridos

FOGO EM MEUS OSSOS

e sobrecarregados amplo espaço para circular, refletir e encontrar graça. "Eugene nunca dava conselhos", Lu observou. "Apenas ouvia e orava com você. Eugene sempre via os outros como Deus os via: como pessoas redimidas, à luz do amor de Cristo, não como aquilo que tinham feito."

E também houve almas como Jim Dresher, que descobriu que Eugene podia ser incisivo quando o relacionamento assim o exigia. Durante uma década, em que Jim construiu uma empresa próspera, ele aparecia esporadicamente na igreja aos domingos. Depois, um divórcio o manteve afastado por vários anos. Ao lidar com dúvidas intensas e ler *O povo da mentira*, de M. Scott Peck, Jim foi parar no escritório de Eugene.

— Preciso conversar com alguém sábio e centrado em Cristo, mas que não seja julgador — disse Jim.

Eugene pensou por um momento.

— Quer dizer que você está procurando alguém que seja inteligente e bondoso? — Eugene perguntou.

— É isso mesmo — Jim respondeu. E, em seguida, contou toda a sua história.

— É possível, Jim, que o Senhor esteja chamando você, algo que não acontece todos os dias. Você tem vivido de forma superficial, e creio que Deus está pedindo compromisso. Se eu fosse você, prestaria atenção. Talvez seja sua última chance.

Jim aguçou os ouvidos. Eugene lhe apresentou quatro coisas que o ajudariam a prestar atenção. Primeiro, devia orar os Salmos diariamente. Segundo, precisava ler outra parte da Bíblia (Eugene recomendou o Evangelho de João). Terceiro, tinha de separar diariamente meia hora para permanecer em silêncio e escrever em um diário. E quarto: "Jim, nada mais de superficialidade. É evidente que você tem dificuldade de assumir compromissos. Ao longo dos próximos seis meses, você precisa vir ao culto todos os domingos". Dali em diante, a cada domingo Jim estava no banco da igreja e, a cada duas semanas, ia ao escritório de Eugene.

Jim e Eugene conversaram sobre dúvida e fé, sobre a relação entre sexualidade e espiritualidade. "Jim", Eugene explicou, "sexualidade e espiritualidade são primas. São separadas por uma linha tênue." Certa vez, Jim deu a Eugene um conjunto de fitas cassete de M. Scott Peck sobre esse assunto. Eugene ouviu, mas não ficou impressionado: "Nossas conversas são melhores".

MISERICÓRDIA PURA

"Eugene via as coisas por um prisma bíblico", Jim recordou. "Era como se dissesse: 'Olhe por minhas lentes e veja o que eu vejo'. Ele transformava minha história em uma história bíblica, em uma perspectiva mais amorosa e perdoadora. Eu ia a seu escritório e dizia: 'Este é o mundo e a cultura em que eu vivo'. E Eugene respondia: 'Na verdade, esse não é o mundo em você vive. Você vive em um mundo de fé, de Cristo'. Eugene foi um canal de comunicação entre Cristo e eu. Ele centrou minha vida. Ele mudou minha vida."

* * *

Todavia, as almas com as quais Eugene queria estar em maior sintonia eram aquelas que moravam debaixo de seu teto. Mesmo quando Eugene teve dificuldade com o excesso de trabalho na igreja, e mesmo quando Jan e os filhos sentiram sua ausência, as cartas e os diários de Eugene revelam o quanto ele desejava ser o tipo de pai que não havia tido.

Certa ocasião, Jan e os meninos deram carona para Eugene e Karen até o ponto de ônibus e acenaram enquanto o ônibus da Greyhound partiu. Ao chegar a Washington D.C., Eugene chamou um táxi para levá-los ao Museu Smithsonian, onde ele e Karen passaram o dia. *Karen está cheia de empolgação com tudo o que viu: os dinossauros, os índios, os fósseis. E foi tudo muito tranquilo. Deixei que ela passasse quanto tempo quisesse onde quisesse, sem os meninos por perto para ficar irrequietos e cansados. Claro que tínhamos visitado o museu em outras ocasiões, mas foi a primeira vez que fomos só nós dois.*

Certa vez, ele passou uma tarde só com Eric e o levou para assistir a um jogo de beisebol entre o Orioles e o Boston Red Sox. Eugene comprou para Eric um boné do Orioles, que Eric se recusou a tirar da cabeça por vários dias. No aniversário de 9 anos de Karen, Eugene a buscou na escola e a levou ao banco para trocar um cheque de cinco dólares que seus avós de Montana tinham enviado. *Seguiu-se uma explicação complicada sobre como dinheiro depositado no banco em Montana chegou a Bel Air. Em seguida, fomos à loja de $1,99, onde ela comprou um* animiddle kiddle, *um bicho de pelúcia em miniatura que ela prendeu ao vestido. Celebramos com uma visita à lanchonete para tomar uma Coca.*

Eugene apresentou sua oficina de carpintaria a Leif e Eric, ensinando os dois meninos admirados a manusear as ferramentas afiadas

FOGO EM MEUS OSSOS

e orientando-os enquanto cortavam a estrutura para um comedouro e uma casa para pássaros. (Os meninos deram continuidade à sucessão de carpinteiros da família Peterson. Leif reformou uma casa de fazenda em Whitefish, Montana. Eric trabalhou algum tempo como moldureiro e, mais tarde, confeccionou o caixão em que seu pai foi sepultado.)

Os três filhos se lembram do pai estirado na sala da família assistindo com eles ao programa *Arquivo confidencial* quando eram adolescentes (durante o curto período que Jan e Eugene tiveram televisão em casa para as crianças). Eric se recordou de uma tarde no último ano do ensino médio em que ele voltou para casa e encontrou o pai espalhado no sofá lendo um dos volumes da *Dogmática* de Barth. "Ajeitei-me em uma cadeira de frente para ele, e ele sentou-se de um salto, fechou o livro com força e o colocou de lado no sofá. Então, inclinou-se em minha direção. Ficou gravado em minha memória que ele nem marcou a página. Estava matando tempo com um teólogo suíço falecido, esperando o filho chegar."

E Eugene gostava de ficar no quintal de casa nas tardes quentes de domingo. Esticava-se na espreguiçadeira (que ele havia feito), lendo até cair no sono, ali mesmo no sol. Assim que o jovem Leif via o pai, pegava um cubo de gelo do congelador e se aproximava furtivamente. "Colocava o gelo nas costas dele, e ele gritava. 'Uhu! Me pegou! Que gelado!' Não havia nenhuma exasperação em sua voz. Levava na brincadeira. Eu saía correndo e gritando, imaginando que era muito esperto, porque o havia pegado desprevenido."

No entanto, essas histórias se destacam, em parte, porque foram exceções. A frustração de Karen com as 27 noites seguidas de ausência do pai revelou uma dificuldade de presença que Eugene nunca chegou a superar completamente. Ele amava os filhos, mas lhes dava menos tempo do que desejavam e precisavam. Eric se lembra dessa realidade de modo vívido. "Era, principalmente, uma falta de *tempo*", explicou, "mas quando estava conosco, estava presente. Quando eu era mais novo, jogávamos xadrez, fazíamos queda de braço e brincávamos de luta. Ele era bem brincalhão. Mas não me lembro de ele me colocar na cama. Mamãe lia livros de histórias da Bíblia para nós, pelo que sou grato. Mas eu sentia falta do papai."

Eric se lembrou de uma noite fria de outono em que o pai entrou pela porta da frente vestindo um sobretudo. Antes mesmo que Eugene fechasse a porta, Eric abraçou as pernas dele, afundando o rosto no pai. Ele se lembra do cheiro dele e do calor ao seu redor. Eugene pegou Eric no colo e lhe deu um abraço apertado, como se nunca mais fosse soltá-lo. Esse anseio de Eric nunca diminuiu. Sempre quis mais do que seu pai pôde (ou soube como) lhe dar. Ainda assim, Eric nunca se sentiu rejeitado, nunca duvidou do amor do pai. "Sempre que papai estava presente", disse, "ele era agradável e afetuoso." Só que o pai não estava presente o suficiente.

A igreja era trabalho nobre, trabalho santo, mas Eugene nem sempre definiu os limites necessários. Por vezes, estava mais disponível para os membros da igreja que para a família. Anos depois, ele reconheceu, com arrependimento, essas falhas. Na época, porém, era difícil para Eugene vê-las com clareza. Resistia ativamente a diversos vícios e idolatrias modernos, mas não era capaz de enxergar todos eles. Não venceu todos eles.

* * *

Os anos passaram, e as três crianças pequenas de Jan e Eugene se tornaram três jovens.

Eric tinha um lado rebelde, mas o mantinha sob controle, pois detestava pensar na possibilidade de decepcionar o pai. Uma tarde, quando tinha 13 anos, reuniu os amigos no bosque atrás de sua casa para fumarem cigarros. Seu pai, atrasado para o curso de profissão de fé na igreja, o chamou. Assustado, Eric apagou o cigarro na terra e correu para o carro. No caminho de volta para casa, depois do curso, Eugene disse:

— Você estava com fedor de cigarro.

Eric sentiu um frio na barriga.

— É... sério?

Seu pai não disse mais nada.

"Creio que nunca mais fumei outro cigarro depois disso. Esse era seu estilo típico de disciplina. Ele não evitava as coisas, mas não as exagerava. Também era típico de seu estilo pastoral. Não ignorava as coisas, mas era extremamente paciente com as pessoas. Orava, amava e observava. Era gentil. E, em geral, elas tomavam jeito. Mas ele não era covarde, nem esquivo."

Leif também tinha um lado rebelde. "Mas não mais que qualquer outro adolescente", ele afirmou quando lhe perguntei como era ser filho na família Peterson em Bel Air. "A gente aprontava de vez em quando, mas nunca senti pressão para ser melhor que os outros." Esse ambiente promoveu uma sensação bem-vinda de liberdade que, estranhamente, acrescentou

FOGO EM MEUS OSSOS

peso ao entendimento de Leif sobre a importância de suas escolhas. "Eu fiz faculdade em Whitworth, onde havia uma porção de outros filhos de pastores. Creio que talvez minha experiência tenha sido diferente da deles. Meus pais eram bastante *laissez-faire*, confiavam em nós e nos davam um bocado de liberdade. Em segundo plano em minha mente havia sempre a ideia de que é bom eu respeitar essa confiança deles. Tenho um bocado de liberdade e seria besteira abusar dela. Muitos pastores não seguem essa linha, pois acreditam que os filhos têm reflexo direto sobre seu trabalho e sua imagem na comunidade. Creio que meu pai não pensava dessa forma. Tenho a impressão de que não se preocupava com isso."

Leif deu mais trabalho quando foi companheiro de corrida de seu pai. No ensino médio, Leif foi aceito na equipe de corrida de *cross country* e, em seguida, começou a se inscrever com Eugene em corridas de sábado. Os dois participavam de competições de dez quilômetros vários finais de semana em seguida. "Ele sempre chegava antes de mim", Leif comentou, fazendo uma careta. Para Eugene, porém, essas vitórias não eram fáceis. Em uma carta para sua família, ele mencionou uma corrida que aconteceria em breve. *Leif e eu vamos participar de uma corrida no sábado. São 6,2 milhas (10 km) em Johns Hopkins. Leif tem uma competição na quarta-feira, então talvez esteja cansado o suficiente para que eu consiga chegar antes dele.*

Mas Leif continuava a perder. "No final de uma temporada de *cross country*", ele explicou, "estava decidido a vencer meu pai. Eu estava em ótima forma, mas continuei a treinar. Nas descidas ele era melhor que eu, mas nas subidas eu me saía melhor." Os dois se inscreveram em uma corrida em Lancaster, Pensilvânia, e vários amigos de Leif comentaram com Eugene que Leif estava se esforçando ao máximo nos treinos. Eugene não disse nada, mas também acrescentou alguns quilômetros a seu treino. Seria um amigável duelo mortal entre pai e filho.

Durante o primeiro quilômetro e meio, os dois correram no mesmo ritmo, lado a lado, na região das comunidades Amish. Mas, quando chegaram ao primeiro de dez morros, a coisa ficou séria. Leif, mais forte na subida, assumiu a dianteira. Na descida, Eugene compensou e ganhou terreno. Em dez morros eles se alteraram dessa forma dez vezes. A linha de chegada ficava dentro do estádio da cidade, e Eugene sabia que, para terminar na frente de Leif, precisava ter uma forte vantagem. Eugene foi para o tudo ou nada. Estendeu as passadas finais, correndo com um derradeiro

MISERICÓRDIA PURA

ímpeto de energia até a entrada do estádio, inclinando-se para romper a fita de chegada. Só que não havia fita. A linha de chegada estava quatrocentos metros adiante, uma volta inteira na pista do estádio. Eugene bufava, parecendo um velho cortador de grama sem as velas. Quando Leif ultrapassou o pai sem dificuldade, Jan gritou: "Leif, se você sabe o que é bom, não passe seu pai!". Leif prosseguiu a passos regulares. "Essa foi, provavelmente, a derrota mais realizadora de minha vida", Eugene escreveu para um amigo. "E ele foi absolutamente humilde ao vencer. Não contou vantagem."

Karen, por sua vez, aproveitou ao máximo a grande liberdade que seus pais lhe deram. Quando terminou o ensino médio, estava determinada a se mudar para o oeste e trabalhar em uma fazenda. "Meu objetivo de vida era ser uma eremita", Karen explicou. Jan e Eugene não gostaram nem um pouco da ideia, mas, ainda assim, Eugene conseguiu um emprego para Karen no leste de Montana, para cuidar de ovelhas em uma fazenda de quase dez hectares. "Tinha cavalos, vacas, porcos, galinhas, coelhos, marmotas e cascavéis", Karen lembrou. "O vento soprava o dia todo. Eu amava. Trabalhava doze horas por dia, sete dias por semana. Trabalhar ao ar livre era maravilhoso. Tenho profundo amor pela natureza." Como presente de formatura do ensino médio, Eugene e Jan deram a Karen a passagem de ônibus para Montana e acenaram adeus.

* * *

Crescimento traz mudança, e mudança traz novas revelações. "Quando eu tinha 14 anos, *finalmente* venci uma queda de braço", Eric recordou. "Foi um daqueles momentos incríveis e assustadores em que percebi que podia vencer meu pai. Percebi que estava me tornando homem e que meu pai não tinha colocado a lua no céu."

Nas férias antes do penúltimo ano de ensino médio de Eric, uma viagem de carro para Spokane marcou uma mudança importante em seu relacionamento com o pai. A família estava em Montana, em sua peregrinação de verão, e Eric e Eugene separaram um dia para visitar a Universidade Whitworth, na qual, mais tarde, tanto Eric quanto Leif estudaram. Durante a viagem de dez horas pela Rodovia I-90, com a beleza da Floresta Nacional Couer d'Alene passando pelas janelas, a conversa se desdobrou junto com os quilômetros, e foi desde geologia e a Era do Gelo até amor, romance e relacionamentos. Eric perguntou a seu pai:

— Você sabe quem é a pessoa da qual eu mais gosto na Bíblia?

— Não — Eugene respondeu.

— Jeremias.

— Por que Jeremias?

— Porque — disse Eric — ele também era filho de sacerdote.

Eugene se derreteu. Foi nesse dia que ele resolveu escrever um livro sobre Jeremias (que veio a ser *Corra com os cavalos*, no qual se encontra a seguinte dedicatória: "Para Eric, também filho de sacerdote").

No dia seguinte, estavam nadando no Lago Flathead, e Eric lhe disse:

— Gostei do tempo que passei com você. Será que a gente pode continuar depois que voltar para casa? — E foi o que fizeram.

De volta a Bel Air, todas as terças Eric ia de bicicleta ao escritório do pai. Estudavam 1Timóteo, conversavam sobre ministério e oravam. "Chamávamos aqueles encontros de 'conversas de Timóteo'", Eugene disse. Décadas depois, Eugene e Eric se corresponderam, dando continuidade a essa conversa intencional entre pai e filho por meio das "cartas de Timóteo". E, na ordenação de Eric, Eugene pregou sobre um texto de Jeremias.

Eram esses lampejos de proximidade que, de algum modo, tornavam a dor mais intensa. Anos depois, na vida adulta de Eric e quando ele próprio tinha filhos, esse anseio ainda não satisfeito de intimidade com o pai continuava a ser fonte de melancolia. Por incentivo de seu terapeuta, Eric escreveu uma carta em que tentou entender essa tristeza (ele escreveu para si mesmo, sem saber se, um dia, entregaria a carta ao pai):

Ao que parece, eu me ressinto de que [meu pai] tenha dedicado tanta energia à formação da Cristo Nosso Rei em vez de ser pai para mim. A igreja e eu "nascemos" no mesmo ano, e havia certa rivalidade fraterna entre nós, uma competição pela atenção paterna. Parece irônico que, 27 anos depois, com votos de ordenação, eu adotaria a mesma igreja que, durante tanto tempo, teve precedência.

Claro que houve alegria, encanto e afeição. Eric prosseguiu, lembrando-se de inúmeras experiências maravilhosas (viagens de carro, férias em Montana, a viagem a Whitworth, as "conversas de Timóteo"). E continuou:

Mas algo não estava certo. Por que eu não conseguia trazer à mente essas boas memórias sem ter vontade de chorar? Será que era porque essas experiências ocorreram tardiamente? Será que era porque meu nome aparecia anotado em sua agenda? [...] Ou será que tem relação com o momento e as circunstâncias em que nossa amizade verdadeiramente desabrochou? Pois, quando fui ao encontro dele em seu território (ministério e assuntos de fé), de repente nos tornamos próximos. Em nenhuma outra época de minha vida ele havia se envolvido tanto comigo. [...]

Amo meu pai. Tenho imenso orgulho dele: orgulho de quem ele é, do que ele fez, orgulho de ser filho dele. Mas essa não é a questão. A questão é que falta algo em minha vida, algo que ele não me deu. E preciso aprender a resgatar esse "algo" ou, pelo menos, resolver o conflito que estou vivenciando.

No dia seguinte, Eric encontrou clareza:

[Percebi] qual é o problema: Tristeza. Estou triste em razão dos hiatos dos primeiros anos de nosso relacionamento. Há imensas lacunas. Anseio resgatar esses momentos perdidos, mas sei que isso é impossível, que é tarde demais. É possível, contudo, quebrar esse padrão recorrente de ausência. Ele tem diante de si a oportunidade de agir de forma diferente com seus netos. Uma segunda chance.

Muitos meses depois, Eric escreveu uma carta para seu pai falando dessa mágoa. Durante uma caminhada, quando Eugene e Eric estavam no alto de um monte, Eric desdobrou com mãos trêmulas o papel. Em meio a lágrimas, fazendo pausas para se acalmar, Eric leu as palavras difíceis. Quando Eric terminou, Eugene voltou os olhos marejados para o filho. "Por favor, me perdoe, Eric. Não percebi o quanto fiz com você o mesmo que meu pai fez comigo. Por favor, me perdoe."

Ao longo dos anos, os tendões do relacionamento entre Eric e Eugene se estenderiam e desgastariam, mas por fim se tornariam mais fortes. Um filho fazendo as pazes com o pai que ele amava, um pai falho, humano. "Meu pai aprendeu a ser pai com o pai dele. E saiu-se melhor. Todos nós temos feridas deixadas por nossos pais. Meu pai sempre foi uma figura imensa e forte para mim. Nos últimos anos, o termo que vem à mente é *herói*. Não há ninguém por quem eu tenha respeito maior e que eu mais deseje imitar."

* * *

A peregrinação anual para Montana, 7.700 quilômetros ida e volta, continuou a moldar a família. Nos primeiros anos, as crianças dormiam no banco de trás da perua Rambler verde. "Viajávamos a noite inteira, o dia inteiro, a noite inteira", Eric relatou. Eugene tinha uma embalagem com seis latas de Coca-Cola e barras de chocolate para se manter cafeinado. Nunca ficavam em hotéis. À noite, abriam os sacos de dormir e acendiam o fogareiro. Debaixo das estrelas, sentindo a brisa mover as abas da barraca, entravam aos poucos em outra geografia, outra cadência.

"Esse tempo era extremamente importante", Eric explicou. "Quando estava na escola, sonhava com as férias. Gostava demais de Montana, do lago, do Parque Glacier, de ver meu avô. Eu vivia em função daquelas semanas."

Durante as estadias em Flathead, caminhavam na floresta, subiam montanhas e ficavam no lago o dia todo. Faziam trilhas por toda parte. Certa vez, quando Karen era pequena, Eugene levou apenas ela para uma caminhada na montanha. Ao verem um urso, "um animal imenso, de graça e elegância desajeitadas", agacharam-se silenciosamente, observando enquanto o urso caminhava pela vegetação e se alimentava. Começaram a ficar apreensivos, e Eugene resolveu que seria melhor dar meia-volta e descer. Depois de caminhar pouco mais de um quilômetro, Karen declarou: "Hoje, Deus respondeu a duas orações minhas. Eu vi um urso; ele não me viu".

Os meninos se tornaram companheiros do avô; faziam compras com ele e o acompanhavam até a cidade para ver seus amigos. Don muniu os netos de ferramentas para que ajudassem a construir um deque e uma cabana. Era estranho ver Leif e Eric passarem tanto tempo com o avô, tendo em conta que essa proximidade era exatamente o que Eugene havia desejado durante toda a sua infância, mas apenas raramente recebido. "Meu avô e meu pai não eram muito chegados", Leif explicou, "mas ele gostava de meu irmão e de mim. Passava todo o tempo conosco." Don abria o jornal todas as manhãs, recortava cupons de desconto e os separava por loja. "Vovô nos levava para a cidade e comprávamos papel higiênico em um mercado, onde estava em promoção; depois, íamos a outro mercado comprar outra coisa. E era a maior festa quando almoçávamos no McDonald's." O carro de Don era um Simca feito na França. Quando estavam na estrada, ele buzinava demoradamente e dizia aos meninos: "Estão ouvindo? Esse carro buzina em francês!".

Depois da viagem de férias em 1974, Jan enviou um bilhete para o sogro em Montana: "Eric e eu tínhamos lágrimas nos olhos quando embarcamos no avião em Missoula. Foi muito importante para seus netos, especialmente para Eric, passar tanto tempo ao seu lado nessas férias. Ontem à noite, ele orou para que vocês dois fiquem bem durante o inverno".

Leif se lembrou de uma ocasião em que o avô os levou ao aeroporto. "Comecei a caminhar em direção ao embarque e meu pai disse 'Ei', me segurou pelos ombros e me fez olhar para trás. Meu avô estava junto ao portão de embarque, chorando." Eugene disse a Leif que voltasse e se despedisse devidamente.

Ao refletir sobre essa história, pergunto-me o que Eugene sentiu naquele momento, ao ver a afeição genuína de seu pai pelos netos. Por certo, ficou agradecido, mas é possível que tenha sido uma gratidão misturada com pesar.

Será que o pai de Eugene também sentia esse pesar? Talvez Don Peterson estivesse procurando resgatar algo que havia se perdido no passado distante. Talvez estivesse estendendo a mão da única forma que sabia. Estendendo a mão para Eugene.

* * *

Embora o relacionamento de Eugene com o pai causasse tristeza, o relacionamento com a mãe era motivo de imensa gratidão. Certa vez, em uma carta para a mãe, ele relatou que, ao aconselhar noivos antes do casamento, muitas vezes fazia perguntas sobre a mãe de cada um:

"Que tipo de mulher era? [...] Você gostaria de ser semelhante a ela? etc." E, inevitavelmente, ouço descrições de mulheres que ficam muito aquém de ser mães adequadas. Não consigo deixar de fazer, o tempo todo e de modo quase inconsciente, comparações com minha mãe e de ser grato por seus pontos fortes, suas virtudes, a verdadeira retidão que ela cultivou em mim durante os anos de crescimento e desenvolvimento.

Esse tipo de comparação quase automática e a grata lembrança agora são parte diária de meu trabalho. Você tem estado mais presente comigo nos últimos dois ou três anos que em qualquer outra época. Surpreendo-me de perceber quão vividamente você permeia minha vida, muito mais do que o fazia dez anos atrás.

Creio que nunca lhe disse isso, Mãe (e é algo recente), mas essa é uma presença forte e boa, que torna possível eu ser ministro do evangelho com um tipo especial de liberdade e convicção.

Sempre imaginei que os anos mais importantes da maternidade fossem durante a educação dos filhos, mas esses anos de separação me parecem igualmente influentes. Quem você é agora, e não quem você era, é de enorme importância para mim e exerce impacto sobre o tipo de pessoa que sou e o ministério que exerço. Vejo aqui uma operação da graça do Senhor que não compreendo, mas da qual pareço ter uma percepção difusa, uma vaga noção. Sem dúvida, a oração é um fator essencial. Contudo, deve haver também alguma energia especial associada ao papel de mãe (pelo menos ao seu papel de mãe), que nosso Senhor usa para a glória dele.

Expresso-me de modo inadequado, desajeitado, mas nem sei muito bem do que estou falando. Sei apenas que você é extremamente importante para mim hoje; sei que, em tempos recentes, meu amor por você foi estranhamente ampliado, que você parece ser parte fundamental do ministério que compartilho com outros, que Deus usa você de maneira incomum em mim.

Eugene asseverou que toda a sua vida — até mesmos os fracassos e os pontos traiçoeiros — foi vivida debaixo da misericórdia de Deus, conduzida por sua forte e generosa mão. Esse fato era mais evidente para ele em relação às pessoas que ele amava. Desde o lar da infância, ele recebeu imensa graça, mesmo quando, ao longo dos anos, teve de lidar com a dor. E, ao pensar em Jan, Karen, Eric e Leif, embora tivesse arrependimentos (aquilo para que não atentou, o trabalho paterno que deixou por fazer), ainda sentia, mais que qualquer coisa, um rio caudaloso de gratidão.

12

Palavras encarnadas

A ideia de que o escritor é uma pessoa sábia [...] costumo dar de ombros para ela. A responsabilidade do escritor não é ser sábio. Todas as sociedades têm seus guardiões da sabedoria, e eles não são, necessariamente, contadores de histórias. A responsabilidade do contador de histórias é nos lembrar daquilo que temos a tendência de esquecer e dizê-lo de forma memorável.

Barry Lopez, "The World We Still Have"

À medida que Eugene se desenvolvia em sua vida de pastor, outra vocação se cristalizou. "Entendi que, além de ser pastor, e de modo entretecido com essa realidade, eu também era escritor. Minha vocação era bipolar." Para ele, escrever era um ato de adoração, bem como um trabalho que honrava o Deus que, "desde o início", sempre pulsou de energia criadora. Escrever, assim como pastorear, era um elemento que fazia parte de sua vida de oração. Eugene chegou a redigir vários textos curtos que chamou "Orações junto à escrivaninha". Um deles diz:

Senhor Jesus Cristo
　　Palavra desde o início
　　Palavra encarnada
Molda palavras também pronunciadas
e torna-as impressas
　　palavras que digam a verdade
　　e falem de tua glória. Amém.

No entanto, essa atração instintiva que sentia por escrever não era novidade. Desde menino, Eugene sempre havia sonhado escrever ficção. E na vida adulta, um encontro com Chaim Potok, o extraordinário romancista e rabino judeu, serviu para instigá-lo. Depois que Potok lançou sua obra inovadora *O escolhido* (que ficou na lista de mais vendidos do *New York Times* durante 39 semanas e vendeu mais de 3,5 milhões de exemplares), Eugene soube que ele daria uma palestra no Auditório Shriver, no *campus* da Universidade Johns Hopkins. Durante a palestra, Potok relatou que sua mãe trabalhou incansavelmente para dissuadi-lo de ser um escritor pobre; em vez disso, queria que ele fosse neurocirurgião. Ela o atormentou e insistiu com ele, declarando que ele tinha responsabilidade de impedir outros de morrer. Por fim, Potok explodiu: "Mãe, não quero impedir outros de morrer; quero lhes mostrar como viver!". Eugene reconheceu esse fervor.

Infelizmente, ele continuou a deparar com barreiras aparentemente intransponíveis. Certa vez, quando Eugene precisava de dinheiro, candidatou-se à função de *ghost writer* de Chuck Colson. Quando outra pessoa foi escolhida, Eugene sentiu alívio de imediato. O que estava fazendo? Eugene precisava de ajuda. Precisava de um guia em sua vida de escritor, da mesma forma que Whyte, Newman e von Hügel o haviam guiado em sua vida de pastor. Depois de várias tentativas frustradas de se identificar com mentores nessa área, Eugene encontrou por acaso a obra do romancista Fiódor Dostoiévski. Eugene nunca tinha lido Dostoiévski e não fazia ideia do que o levou a começar por *O idiota*. O impacto foi tão imediato e intenso, porém, que Eugene mergulhou na obra completa do autor. Anotou as letas *FD* em seu calendário três vezes por semana (terças, quintas e sextas) das 15h às 17h. Eugene fechava a porta do escritório e, com uma caneca de chá quente na mão, estudava os livros de bolso da editora Penguin: *Crime e castigo*, *Memórias do subsolo*, *O adolescente*, *Os demônios*, *Os irmãos Karamázov*.

No príncipe Míchkin, o idiota de Dostoiévski, Eugene encontrou um homem que fazia amizade com todos, mas se mantinha separado das paixões consumidoras: prestígio, imagem, influência. E, com o personagem principal de *Crime e castigo*, o jovem pobre Raskólnikov, estudante de direito que matou uma agiota corrupta e que, ainda assim, procurou se convencer de que sua violência tinha motivações puras, Eugene aprendeu como é fácil pessoas boas fazerem coisas más supostamente por bons motivos.

Na Cristo Nosso Rei, Eugene se sentia pressionado a aumentar rapidamente o número de membros. Ao escrever, sentia-se pressionado a ter seus textos publicados. "Crise. Tempo de decisão. Eu queria ser publicado; queria ter uma igreja grande. Mas não podia ser escritor e ser publicado. E não podia ser pastor e ter uma igreja grande. Não nos termos que me estavam sendo oferecidos na época." Com severidade, Eugene se perguntou: Seria sincero e viveria em fidelidade a Deus, ou se prostituiria como pastor e como escritor? "Eu me via como Raskólnikov. Não exatamente a ponto de matar alguém, mas de fazer experiências com palavras no papel e com os membros da igreja, manipulá-los como se eu fosse um deus para ver o que eu podia fazer acontecer." Era como se vislumbrasse seu futuro, o futuro de um homem em processo de desintegração, se desenrolando naquelas vastas páginas.

Ao longo das décadas, poetas e romancistas foram alguns dos mais confiáveis mestres de Eugene. Certa vez, ele se perguntou em seu diário: *Quem são meus romancistas? Quem são meus poetas?* Na lista, que incluía Gerard Manley Hopkins, William Faulkner, Wendell Berry, Luci Shaw, William Stafford e outros, Dostoiévski ocupava o topo.

Ao refletir sobre seu ministério e sobre a influência de Dostoiévski, Eugene concluiu:

> Quanto a minha vida como pastor e a minha vida como escritor, o primeiro autor que verdadeiramente começou a moldar minha imaginação foi Dostoiévski. Ele escreveu sobre toda a experiência humana com grande seriedade. Não há moralizações em Dostoiévski, não há pregação. Ele tem verdadeira compreensão de como a fé opera, como a oração opera, como o engano opera, como o pecado opera. O que ele tem de melhor talvez seja que ele não facilita nada. É preciso entrar na imaginação dele. No mundo da espiritualidade e da religião, a redução e a simplificação excessiva são endêmicas, e assim que isso acontece, perdemos nossa participação. Distanciamo-nos, criticamos e avaliamos opções. Não é o que Dostoiévski costuma fazer. Ele não é dado a análises.

* * *

Os primeiros escritos de Eugene produziram, em sua maior parte, pilhas de cartas de rejeição. Um artigo foi rejeitado por três periódicos em rápida

FOGO EM MEUS OSSOS

sucessão. Em 1972, um grupo presbiteriano o encarregou de escrever um livro que tratasse de novas expressões de evangelismo. (Ele escreveu o livro, mas não encontrou uma editora.) Em resposta a um texto enviado por Eugene, o editor executivo da revista *Eternity* lhe deu um conselho: "Poderia ser bem mais enxuto para se tornar legível. P. ex., omitir os estudos de termos hebraicos e gregos e concluir com aplicações claras". E Harold Lindsell, editor da revista *Christianity Today*, escreveu em resposta a outro texto de Eugene uns dois meses depois: "Os editores analisaram em detalhes seu manuscrito. Eu mesmo li o artigo depois dos outros editores. Encontrei alguns problemas que me incomodam. [...] Recomendo que continue a trabalhar nesse ensaio".

Em 1976, Eugene reuniu os artigos sobre educação de filhos que havia escrito para Russ Reid (amigo da SPU que havia trabalhado em uma editora antes de começar uma bem-sucedida empresa de publicidade) e acrescentou conteúdo novo, publicado sob o título *Crescendo com o seu filho adolescente*. O livro não despertou nenhum interesse.

Depois da publicação em 1979 de *A Year with the Psalms* [Um ano com Salmos], que também passou despercebido, o terceiro livro de Eugene, *O pastor que Deus usa*, nasceu de imagens que Eugene extraiu de interações com o rabino que participava do grupo de pastores de terça-feira. Publicado em 1980, *O pastor que Deus usa* se mostrou bem mais profundo. Foi a primeira tentativa de Eugene de explorar suas convicções sobre o pastorado nos Estados Unidos.

Contudo, esse livro (em vários aspectos, sua verdadeira estreia literária) teve um começo difícil. O editor não ficou impressionado com a escrita de Eugene, nem muito animado com as perspectivas do livro. Quando *O pastor que Deus usa* foi lançado e não teve boa recepção, o relacionamento entre Eugene e o editor se deteriorou ainda mais. Tudo parecia errado. Uma noite, Eugene sonhou que viu *O pastor que Deus usa* à venda em uma banca no supermercado, mas a capa havia sido alterada e trazia impressa em papel brilhante a foto de uma mulher nua. "O que você fez com meu livro?", Eugene perguntou ao editor no sonho. E o editor respondeu: "Bem, Eugene, você escreve o livro, mas eu tenho de vendê-lo".

Tendo em conta as vendas inexpressivas, quando Eugene terminou seu quarto livro, *Uma longa obediência na mesma direção* (temas de discipulado extraídos dos salmos de subida), ninguém se interessou. Ken, seu irmão, o incentivou a continuar mandando para todas as editoras possíveis

A jovem família Peterson: Eugene (atrás à esquerda), Don (atrás à direita), Ken e Karen (no meio), Evelyn (à frente).

Don Peterson (à direita) e Harry Hoiland diante de sua mercearia e açougue.

Eugene quando criança, praticando seu emblemático sorriso.

Eugene (à direita), Ben Moring (o segundo a partir da esquerda) e a equipe de revezamento da SPU.

Assombroso retrato de um jovem Eugene pelo pintor Willie Ossa. Eugene guardou a imagem a vida toda como um lembrete do perigo espiritual que corria em seu chamado pastoral.

Eugene e Jan no dia de seu casamento, 2 de agosto de 1958.

Recém-casados Eugene e Jan em Camp Letts, Maryland.

Bono e o pastor.
Foto de Taylor Martyn

A jovem família, por volta de 1966 (da esquerda: Leif, vovô Don Peterson, Karen, Eric, Eugene e Jan).

Eugene tocando banjo para sua família.

Abrindo terreno para a Igreja Presbiteriana Cristo Nosso Rei, em Bel Air, Maryland, 1964.

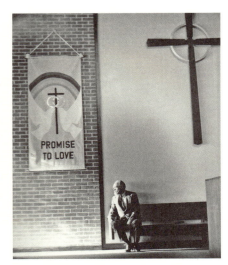

Pastor Eugene no santuário da Igreja Presbiteriana Cristo Nosso Rei. O prédio se tornou uma expressão física de seu chamado pastoral e de sua crença a respeito da comunidade cristã.

A ampliada família Peterson reunida no Lago Flathead, em Montana.

A Igreja Presbiteriana Cristo Nosso Rei, em Bel Air, Maryland.

Eugene e Jan durante um de seus muitos verões felizes no Lago Flathead.

Eugene no deque abaixo da casa dos Petersons no Lago Flathead, Montana.

Reportagem de jornal a respeito do Pastor Eugene competindo em maratonas, uma demonstração de seu envolvimento comunitário e de sua humanidade.

Eugene ensinando na Faculdade Regent, em Vancouver, British Columbia.
Fotos de Kate Power

Eugene e Jan flutuam no Mar Morto durante uma de suas três viagens à Terra Santa.

Eugene e Jan em viagem à Escócia, palestrando e visitando amigos.

Eugene com seu neto Drew no dia da ordenação de Eric.
Foto de Todd Holden

Eugene em seu lar em Bel Air, Maryland.
Foto de Todd Holden

Eugene e Jan com Gisela Kreglinger, uma das muitas queridas estudantes acolhidas na vida dos Petersons.

Vista do Lago Flathead a partir da Casa Selah.
Foto de Winn Collier

Eugene repousa em seu caixão feito à mão por seu filho Eric.
Foto de Winn Collier

Eugene e Jan andando de canoa no lago.

PALAVRAS ENCARNADAS

e imagináveis. Eugene colocou cópias do manuscrito em envelopes pardos e começou a enviá-los. Vinte e três editoras. Vinte e três rejeições, algumas delas, com sorte, acompanhadas de uma carta. Jim Hoover, em seu primeiro ano como editor da IVP, foi encarregado de ler os manuscritos não solicitados que chegaram naquele dia. Depois de algumas páginas, pensou: *Não vai dar certo; são apenas sermões retrabalhados.* Mas Jim continuou a ler. E percebeu-se cativado pelo texto. Era evidente que o escritor amava palavras e combinava talento artístico, aguçado entendimento bíblico e profundidade espiritual. Depois de oito capítulos, Jim havia comprado a ideia. Colocou o manuscrito na mesa do editor-chefe com a seguinte observação: "Envie o contrato de imediato!". "Foi bastante ousado de minha parte", ele reconheceu.

Eugene tirou a ideia do título de *Além do bem e do mal*, de Nietzsche; para ele, essa linha era poética tanto por sua sonoridade quanto pelo fato de que virava do avesso as palavras incrédulas de Nietzsche. Com um amplo sorriso, Eugene comentou: "Não há ninguém melhor que Nietzsche para um livro sobre discipulado, não é mesmo?". Essas palavras, *uma longa obediência na mesma direção*, tornaram-se uma forma abreviada de falar de fidelidade e de uma vida de devoção a Jesus, até mesmo entre pessoas que nunca leram o livro. Como Jim observou: "É um testemunho de quantas pessoas leram Eugene e da influência dele".

"Eugene era excelente escritor e levava o trabalho a sério", Jim explicou. "No início, seu único problema era o uso excessivo de advérbios. Eu os cortei, e Eugene nunca reclamou." A InterVarsity publicou mais três livros de Eugene em rápida sequência: *Traveling Light* [Bagagem leve], *Corra com os cavalos* e *Terra e altar*. Eugene se animou de ver seu trabalho ganhar ímpeto.

Mas havia um misto de sentimentos, e a sensação inicial de que a publicação dos textos o impediria de se tornar *escritor* de verdade voltou. Pela primeira vez, ele teve de enfrentar os empecilhos gerados pelo sucesso.

Detesto mexer com esses detalhes; ao divulgar meus livros, não posso ser diferente de quem sou ao escrevê-los, mas, ao que parece, não tenho competência para insistir naquilo que considero importante. [...] Será que é demais ter esperança de que o Espírito faça por mim aquilo que não consigo fazer em favor de mim mesmo? De qualquer modo, creio que cheguei a um novo patamar de distanciamento de qualquer vínculo emocional com as editoras;

creio que agora serei capaz de pedir à editora, de modo mais objetivo, aquilo que eu quero e de assumir o controle. Fiquei tão feliz de ser desejado que pareço um cachorrinho abanando o rabo, lisonjeado por ser alvo de atenção!

Passaram-se meses e, por fim, dois anos. Havia momentos em que nada parecia estar acontecendo. Mas, sem que Eugene percebesse, ao chamar os membros da Cristo Nosso Rei para prestar culto aos domingos, ao observar o dia de descanso com Jan às segundas-feiras, em meio a todos os outros dias com seus grandes e pequenos momentos, pessoas ao redor do país começavam a ler livros com o nome dele na capa; começavam a ler e percebiam que haviam encontrado uma voz que falava sua verdadeira linguagem. Inúmeros leitores reconheceram nas palavras de Eugene uma fome da qual haviam se esquecido, um anseio por um encontro genuíno com Deus. Almejavam uma visão que os chamasse a ingressar na maravilhosa vastidão de uma vida que honrava o que significava ser uma pessoa amada (embora finita) que vive debaixo da misericórdia de um Deus magnífico, generoso e infinito. Encontraram tudo isso nas palavras de um pastor de Maryland, e queriam mais.

Ao falar em um congresso de escritores em Chicago, Eugene teve um de seus primeiros encontros com um público de leitores que o levavam a sério como figura literária.

Que incentivo extraordinário para continuar a escrever. Tim Hansel me colocou no mesmo nível de Henri Nouwen e Frederick Buechner. Será que sou tão bom assim? Espero que sim, mas duvido. Mas vou continuar a escrever e continuar a buscar excelência. Todos os cinquenta participantes do retiro haviam lido quase tudo o que escrevi (em muitos casos, lido várias vezes). Contudo, sinto-me distante dos elogios e aplausos — é algo separado de mim — uma dádiva, e não uma realização.

* * *

Enquanto todas essas portas se abriam para Eugene, ele sofria o medo incômodo e persistente de que fosse um impostor. No segundo semestre de 1984, enquanto Leif e Eric estudavam em Whitworth, a faculdade convidou Eugene para falar em um evento anual no Centro de Retiros Spalding. Eugene anotou em seu diário o desejo paterno de que seus filhos se orgulhassem dele, um desejo misturado com insegurança.

Eric é o responsável pela direção do evento, e Leif, pela programação. Na plenária de ontem, eu estava mais nervoso do que deveria: queria me sair bem e ser bem recebido a fim de que fosse uma experiência positiva para eles. Não queria que passassem vexame! Tudo correu bem (alguns até disseram que foi a melhor plenária da qual se recordam), mas gostaria de fugir do constrangimento que sinto, ou de superá-lo: fico ansioso, pensando se estou me saindo bem; gostaria de simplesmente estar presente em atitude de ministério. Hoje de manhã foi melhor, mas ainda não senti liberdade total.

Eugene ficou encantado de ver os filhos no ambiente deles.

Tenho refletido sobre o final de semana. Extremamente orgulhoso de Eric e Leif, de sua liderança, de sua abnegação, do tipo de amigos que escolhem, de sua maturidade espiritual. E continuamente surpreso com o orgulho que eles têm de mim. Fico esperando que descubram meus pés de barro, percam a paciência e critiquem minhas falhas. Mas, se o fazem, não deixam que eu fique sabendo.

O fim de semana em Whitworth revelou tensões interiores. Eugene percebeu que ainda precisava trabalhar algumas questões, que precisava se entregar. A seu ver, seu impacto era mínimo (especialmente ao comparar-se com o conhecido preletor principal do evento). Anotou em seu diário:

Tenho a forte sensação de que há algo que devo fazer, melhor e mais profundo do que aquilo que ele está fazendo e dizendo. Tenho plena consciência (talvez até demais) da proeminência dele e de minha obscuridade e de que aquilo que eu faço acontece na obscuridade: é trabalho na escuridão das minas.

Ontem, reforcei ligeiramente essa verdade quando recusei o convite para ir à casa [de um dos professores da faculdade] [...] e me encontrar com [um conhecido palestrante] e preferi sair para comer nachos com Eric e Leif. Eles são a matéria-prima de minha vida que preciso contemplar, com os quais preciso estar, que preciso amar e entender e para os quais preciso atentar.

E oração. Hoje, fiz as matinas em meu quarto, em vez de correr para a biblioteca e me empanturrar de ideias e informações.

Relacionamento com os filhos e oração por aquele dia: era nisso que ele precisava concentrar a atenção. O verdadeiro chamado.

FOGO EM MEUS OSSOS

Eugene concluiu com um detalhe.

Contraste: minha sensação penetrante de inadequação e inferioridade (enquanto Leif e Eric são convictos e seguros de si), e [a] certeza de que há algo extraordinário por fazer ([...] senão por outro motivo, simplesmente porque tenho adotado a vida de místico e a vida de oração de modo muito mais intencional).

Meses depois, Eugene voltou a analisar esse sentimento que, sem dúvida, era profundo e honesto: *Minha sensação avassaladora e recorrente: estou pronto para fazer muito mais do que tenho oportunidade de fazer: de me envolver com pessoas e palavras em um nível muito mais profundo do que aqueles ao meu redor se mostram interessados em fazer. E, portanto, leio Barth! E toco meu banjo.*

* * *

Um ano antes de essa luta interior ganhar força total, Eugene havia atendido o telefone e ouvido a voz embargada de seu irmão: "Se você quiser ver o papai antes de ele morrer, é melhor vir logo".

Don tinha câncer de cólon fazia muitos anos, mas agora havia se espalhado para o fígado. Eugene e Jan pegaram um voo para Montana. No primeiro dia, uma enfermeira colocou uma laranja sobre a mesa e, com uma agulha que transpassou a casca aromática, ensinou Eugene a dar injeções no pai. Eugene cuidou de Don. Aplicou morfina, carregou-o para o banheiro, alimentou-o. "Nunca fomos próximos", Eugene observou anos depois em suas memórias. "Ele dedicou quase toda a sua atenção aos negócios do açougue. Eu cobiçava sua atenção, mas nunca recebi o que queria. Naqueles últimos dez dias da vida dele, porém, recebi medida plena da intimidade da qual havia sentido falta na infância e na adolescência. Foi mais que suficiente."

Don faleceu, e embora a mãe de Eugene tivesse breves momentos de lucidez, sofria de doença de Alzheimer. Don, apesar do progresso de sua própria enfermidade, havia cuidado da esposa durante os dois últimos anos. Quando tiraram o corpo dele de casa, Evelyn perguntou: "Quem é aquele homem?". Mas uma graça misteriosa operou nessas circunstâncias. "A luta de papai com o câncer foi redentora para ele", Ken explicou. "E o cuidado dele por mamãe foi redentor. Ele a havia ignorado durante boa parte da vida, e ela teve de se casar com o ministério dela. Naqueles anos finais, porém, papai se tornou atencioso, afetuoso e gentil. No final, ele foi uma pessoa doce, e sentimos que houve cura em nossos relacionamentos."

O tempo de despedidas ainda não havia chegado ao fim, e a doença da mãe de Eugene avançou com rapidez. Oito meses depois de sepultar seu pai, ele voltou para casa e disse adeus a Evelyn. "Foi o culto fúnebre mais difícil que fiz", ele disse. "Mal consegui chegar ao final." Quando Eugene estava sentado na igreja com sua filha Karen depois do culto, um pastor bem-intencionado se aproximou, ofereceu algumas palavras vazias e citou alguns versículos. Quando, felizmente, o pastor foi embora. Eugene se voltou para a filha: "Ah, Karen, espero que eu nunca tenha feito o mesmo a outros".

Karen olhou para o pai com amor. "Você jamais faria isso, Papai. Jamais usaria suas palavras para fazer alguém se sentir mais sozinho ainda."

Mas Eugene estava se sentindo sozinho. Sua mãe, que o havia moldado em tantos aspectos, havia partido.

* * *

No entanto, também houve cura. Em 1989, aos 56 anos, Eugene relatou em seu diário um sonho que lhe deu uma imagem redentora do relacionamento conturbado com seu pai.

> *Sonhei com meu pai essa noite. Estávamos em uma construção imensa e desorganizada. Ele trabalhava, seguro de si, com aptidão, e eu ajudava, seguindo ordens quando ele as dava. Ao mesmo tempo, sentia-me excluído, pois ele não falava nada. No meio de tudo, notei que ele estava cantando ou orando (não sei qual dos dois) e pensei: "Ele é cristão". Tive a sensação/compreensão de que "ele é cristão, embora eu não experimente nenhum efeito desse fato em intimidade ou amor da parte dele; mas é suficiente saber que posso trabalhar junto com ele". Foi um sonho bom, integrativo.*

Embora Eugene não tenha conseguido elaborar inteiramente o impacto das falhas de seu pai, veio a honrar o pai por aquilo que tinha sido para ele. E quando Eugene estava mais velho, sentiu verdadeira gratidão por aquilo que seu pai havia provido. "Meu pai", Eugene escreveu, "que trabalhou arduamente, decidido a colocar pão na mesa e carne na panela, [lançou] os alicerces que sustentariam minha vocação pastoral."

Em 21 junho de 1993, que teria sido o aniversário de 83 anos de Don, Eugene escreveu: *Hoje é aniversário de meu pai. Lembrando-me dele com gratidão e pedindo perdão por desprezar suas dádivas e seu amor da forma que ele os expressou.*

* * *

Tristeza, inquietação vocacional e pura exaustão ameaçaram soterrar Eugene. Aos domingos, o que ele mais queria era estar na igreja, dirigindo o culto. Às quartas-feiras, porém, ele não tinha mais tanta certeza. *Tudo exige tanto esforço*, ele escreveu. *Sinto-me abarrotado, sem criatividade.* Alguns meses depois, sua confissão foi mais detalhada:

> *Voltei ao ponto em que sinto desarmonia entre todas as coisas dentro de mim, energias vocacionais/espirituais, e o trabalho que faço como pastor da Cristo Nosso Rei. A pergunta crucial: essa "desarmonia" é porque estou fora de proporção, porque minha vida está perdendo seu fundamento de humildade, de rendição? Ou é porque há outra coisa, ou algo mais que Deus quer que eu faça?*

Eugene precisava de uma pausa. Estava no ministério fazia mais de duas décadas e nunca havia tirado um período sabático. A seu ver, alguns meses não seriam suficientes. Precisava de um ano inteiro. O conselho da igreja estava disposto a buscar soluções para essa questão junto com Eugene, mas havia algumas barreiras. A primeira era como custear esse período.

Eugene nunca havia feito nada parecido em sua vida, mas ligou para seu amigo Russ Reid. Russ havia deixado o mercado editorial e aberto uma agência de publicidade estrondosamente bem-sucedida. No obituário de Reid no jornal *LA Times*, ele recebeu crédito por ajudar a Visão Mundial a passar "de uma modesta organização com 60 colaboradores a uma rede de bilhões de dólares com 45 mil colaboradores em quase cem países". Russ tinha ganhado muito dinheiro, e perguntava a Eugene com frequência se podia fazer algo por ele. Eugene sempre tinha dito que não, mas agora estava prestes a fazer um pedido e tanto. Russ não hesitou; ele pagaria o salário de Eugene por um ano.

A segunda barreira a ser transposta era encontrar um pastor que substituísse Eugene por doze meses. Steve Trotter, aluno do Seminário Fuller, lia artigos de Eugene e os citava para um amigo. Por fim, o amigo se cansou das referências constantes a Eugene e disse: "Por que você não escreve para ele e pede um emprego?". E foi o que Steve fez. Uma semana depois, Eugene telefonou para ele. Steve, que costumava pregar peças em outros, atendeu e disse: "Bar e Restaurante do Joe". Surpreendentemente, Eugene o contratou e, no início de 1985, Steve se mudou para Bel Air. Trabalharia alguns meses com Eugene para se situar e, depois, ficaria em seu lugar durante seu ano sabático.

Naqueles primeiros meses, Steve viu um lado de Eugene com o qual poucos tiveram contato. "Por vezes, Eugene se enfurecia. Não tinha paciência com gente inconveniente. Tinha um executivo da denominação, um sujeito simpático, mas que fazia piadas bobas e se referia com frequência a conhecidos importantes." Certa vez, depois de conversar por telefone com esse executivo, Eugene desabafou: "Esse sujeito é um idiota. Por que ele não vai procurar serviço e para de me fazer perder tempo!". Steve se lembra de que, em uma ocasião, "estávamos de carro e vimos uma igreja feia de doer. Eugene disse: 'Já observou que, quanto pior a teologia, pior a arquitetura?'". O que mais chamou a atenção de Steve, porém, foi a autenticidade de Eugene. "A humildade dele era verdadeira."

A admiração era mútua. Eugene ficou feliz de ter alguém com quem compartilhar os detalhes mais íntimos do pastorado.

Ontem, Steve me falou [de sua visão do ministério] e daquilo que ele vivenciou aqui, onde não tento fazer grandes coisas, mas procuro ficar atento para o que o Espírito está realizando. É bom ver que ele enxerga isso e deseja o mesmo. Creio que ele sabe, pelo menos em parte, o quanto é difícil. Mas a maior dificuldade é interior, a luta para estar presente, para não levantar obstáculos, e para orar sem forçar nada ou sair por aí contradizendo com ações aquilo que me proponho fazer por meio de oração.

Com sustento garantido e Steve como substituto, os planos para o ano sabático estavam definidos.

13

Vida à margem

> Ele caminha com a dificuldade de quem leva um peso, de quem carrega um grande fardo ou um barril, de quem o carregou longe demais, mas ainda não encontrou um lugar apropriado para depositá-lo. Em outros tempos, era capaz de carregar o dobro do peso. Agora, metade seria demais.
>
> **Wendell Berry,** *The Memory of Old Jack*

Antes do período sabático, Russ queria que Jan e Eugene viajassem com ele e sua esposa, Cathie, para Israel. Eugene tinha ido a Israel uma vez, e Russ queria que ele explicasse a história bíblica e fosse seu mentor espiritual durante a viagem. Para Eugene, essa experiência reuniu duas coisas essenciais: espiritualidade e presença física.

O que eu quero de Israel: quero estar presente, no início, nos lugares de origem. Quero ter a sensação de primeira mão. [...] Quero fazer uma peregrinação: sentir algumas das dificuldades, das provações e da realidade árdua de vivenciar a fé em condições físicas: rocha, sol, areia e chuva. A conjunção de santidade e clima meteorológico, entender a integração de mundos.

Em Tel Aviv, Eugene e Jan levaram os Reids a um restaurante húngaro do qual tinham gostado quando tinham estado lá quatro anos antes. Visitaram Cesareia, e Eugene caminhou no meio das ruínas impressionantes das construções de Herodes, imagens que voltaram à superfície quando ele escreveu *O caminho de Jesus* décadas depois. Visitaram o Monte Carmelo e Cafarnaum. Nadaram no Mar da Galileia, caminharam pelas ruas de Nazaré e contemplaram a vista do alto do Monte Tabor. Jerusalém e

VIDA À MARGEM

Belém, Jericó e Berseba. O Vale de Elá, o Monte das Oliveiras e Massada, todos os sabores e aromas, a poeira e a água fria do mar. Na volta, visitaram Atenas e Roma, onde ouviram o papa João Paulo II falar na Praça de São Pedro.

* * *

Infelizmente, assim que chegaram ao aeroporto de Baltimore, o descanso se dissipou. Um membro do conselho foi buscá-los e, quando mal haviam trocado saudações, ele os informou de que tinham surgido problemas. "Eugene, tem ervas daninhas no seu jardim, e precisam ser arrancadas". Na ausência de Eugene, vários membros do conselho tinham expressado críticas: ele escrevia livros demais (não era pago pela igreja para escrever livros); ele viajava demais; planejava usar o período sabático para sair da igreja.

Eugene ficou transtornado. Essas críticas pessoais o magoaram e iraram. Uma anotação em seu diário dá um vislumbre de sua frustração e catarse espiritual:

A reunião do conselho na terça à noite me deixou furioso. [...] Na quarta, terminei minhas visitas um pouco mais cedo e passei na igreja. Das 17h30 às 18h, tranquei-me no santuário e berrei/gritei/orei durante meia hora. Tirei toda a tensão de meu estômago. Livrei-me da impressão de que estava passivo e abafei a voz do diabo com meus gritos: usei os salmos 24 e 114, línguas, Yahweh Elohim, cântico. Não fazia isso há muito tempo, mas foi maravilhoso, embora temporário.

Durante essa época tumultuada, ele escreveu a introdução para *O pastor segundo Deus*. Não é de admirar que essas páginas tragam algumas das palavras mais mordazes de Eugene sobre o conflito entre as expectativas das pessoas e o trabalho do pastor.

É possível fingir ser pastor sem ser pastor. [...] Ser o tipo de pastor que agrada a congregação é uma das tarefas mais simples da face da terra, *se* nos contentarmos em agradar congregações. [...]

É extremamente difícil fazer algo quando a maioria das pessoas ao nosso redor pede que façamos outra coisa bem diferente.

Por volta dessa época, encontramos a primeira anotação no diário em que Eugene se preocupa que talvez dependa do álcool mais do que deve. *Dormi até tarde hoje cedo — 8h50! Não estava com vontade de levantar. Cabeça enevoada. Será que bebo demais à noite? Gosto dessa hora para relaxar e refletir, mas talvez haja uma forma melhor de fazê-lo. Não quero acabar com meu fígado e com meu cérebro!*

Eugene, embora fosse um homem de imensa disciplina, não era imune às fraquezas ou à tentação que uma garrafa poderia oferecer como mecanismo de enfrentamento. Seu avô e vários tios haviam sucumbido ao alcoolismo, e durante anos foi uma luta para Eugene entender como desfrutar bebida sem cair em excessos. E, em ocasiões como essa, quando o estresse era forte e havia intensa necessidade de afrouxar o colarinho clerical, o uísque, antes um presente, parecia ter se tornado um fardo.

Várias semanas depois dessas críticas desanimadoras da igreja, o coração de Eugene sossegou. Ele experimentou nova leveza e graça à medida que o conflito arrefeceu. No fim das contas, as "ervas daninhas no jardim" eram apenas uma pequena (porém incômoda) minoria. Depois de muitas conversas francas com o conselho, Eugene estava pronto para o período sabático. E veio em boa hora, pois ele estava exausto. *Reflito com frequência a respeito do que está/não está acontecendo comigo,* ele escreveu em seu diário. *Por que cada dia é tão difícil? Por que estou tão cansado? Será que o ano sabático irá curar esse mal, ou há algum outro problema? Como é possível tudo parecer estar correndo tão bem e eu não me* sentir *melhor?*

* * *

A aproximação do período sabático veio acompanhada de uma série de distrações. Eugene recusou vários convites para dar palestras que interromperiam seu tempo de descanso. Em apenas uma semana, disse não para um congresso de pastores luteranos em Wisconsin, um retiro da igreja e um retiro com a equipe da Visão Mundial.

Surgiu, então, uma oferta para sair da Cristo Nosso Rei. O Seminário Teológico Presbiteriano de Louisville o convidou para lecionar homilética e estudo da adoração. No entanto, o universo dos seminários não o atraía. Essa convicção se consolidou depois que ele se tornou parte do conselho editorial da revista *Theology Today*, do Seminário de Princeton. O conselho era formado por figuras importantes como Walter Brueggemann,

VIDA À MARGEM

George Lindbeck, Thomas Long, Susan Thistlethwaite, Richard Neuhaus, Cornel West e Stanley Hauerwas. Eugene considerava Hauerwas "o melhor eticista do país" e ficou atônito de ver como Hauerwas conseguia inserir determinada imprecação de modo tão variado e natural tantas vezes em uma só conversa. "Nunca vi tantas variações desse termo em toda a minha vida." Um artigo que Eugene escreveu para a *Theology Today*, "Annie Dillard: de olhos abertos", apresentou Dillard para um público cristão amplo, e certa vez ela disse a um aluno do doutorado que a estava pesquisando que Eugene entendia melhor do que muitos outros o trabalho dela.

Embora as conversas e personalidades em Princeton fossem estimulantes, Eugene sempre ficava ansioso para voltar para casa. Era *pastor*, não acadêmico. E, no momento, era um pastor exausto que se perguntava até quando conseguiria prosseguir, riscando os dias no calendário e se arrastando em direção ao período sabático.

Na segunda semana de outubro de 1985, Eugene e Jan colocaram a bagagem no carro e começaram o percurso conhecido para o oeste. Dessa vez, porém, só voltariam doze meses depois.

Foi um ano glorioso. Caminhavam e esquiavam; à noite, passavam longas horas na frente da lareira, livros nas mãos. Meses antes, Eugene tinha lido *The Memory of Old Jack* [A memória do Velho Jack], romance de Wendell Berry. Foi a primeira vez que leu um livro de Berry, e foi cativado por ele de tal modo que comprou todas as suas obras e as levou consigo para Montana, onde as devorou sentado no deque à luz da manhã e na frente da lareira, com a lua sobre o lago. Um amigo levou Jan e Eugene para um passeio de avião sobre as montanhas, mergulhando em vales e elevando-se acima deles, mostrando-lhes sua casa da perspectiva de um falcão. Naquele Natal, a família toda se reuniu na casa deles. A baía estava inteiramente congelada. Todos patinaram e, depois, se aqueceram ao redor de uma imensa fogueira debaixo das estrelas. Tudo estava bem.

Pela primeira vez, Eugene teve o luxo de levar uma vida de escritor, com manhãs dedicadas a escrever em seu escritório. Na noite de ano-novo de 1985, antes de terminar a contagem regressiva em Times Square, do outro lado do país, Eugene escreveu as últimas frases de sua mais importante obra sobre os elementos essenciais da integridade pastoral. *Terminei* O pastor segundo Deus *ontem à noite. O texto ainda está bagunçado, mas a parte de escrever está pronta. Espero que seja um bom livro, e espero que conduza alguns pastores de volta à obediência.* Como sempre,

FOGO EM MEUS OSSOS

Jan fez mágica: revisou o manuscrito que o próprio Eugene considerou bagunçado e digitou o texto na primeira forma do livro que se tornou um clássico moderno.

Aproveitando o embalo, logo em seguida Eugene começou a escrever *Trovão inverso*, em que ele apresenta a imaginação piedosa ao explorar a visão apocalíptica de João. Foi trabalho pesado e, exceto pela Bíblia *A Mensagem*, foi a obra que ele levou mais tempo para escrever. *Apocalipse é angustiantemente difícil. Estou na metade do cap. 10, Julgamento. Com dificuldade de manter o foco pastoral. Minha concentração é irregular. Minha vontade é deixar esse texto de lado e fazer outra coisa, mas tenho a impressão de que, se abandoná-lo, nunca mais voltarei. Portanto, insistirei até conseguir fazer direito.* Terminou no final de março, mas, uma semana depois, acordou com um frio na barriga. Sabia que o trabalho não estava bom. Tinha um número excessivo de notas de rodapé e citações, estava árido, sem vida. Precisava reescrever tudo.

E foi o que fez. Voltou a trabalhar, despedaçando frases e, dos escombros, construindo novas páginas. Quando terminou, pegou uma folha em branco e começou um terceiro livro naquele mesmo ano produtivo: *A oração que Deus ouve: O livro de Salmos como guia básico de oração.* O ano sabático foi prolífico, e palavras fluíram como se um poço profundo houvesse, finalmente, se aberto dentro dele.

Todavia, o ano sabático chegou ao fim, e partiram de Montana em direção a Maryland. Na viagem para casa, acamparam no Parque Yellowstone. *[Passamos de carro] por essas cadeias de montanhas gigantescas, adornadas com o esplendor de álamos amarelos, choupos e salgueiros.* A viagem de carro, com vistas majestosas a cada curva, batizou Jan e Eugene com beleza e graça. Mas, a cada quilômetro que percorriam rumo ao leste, procuravam juntar coragem para a chegada. Como preparativo final antes de reingressarem na rotina, passaram várias noites no Eremitério Nada, uma comunidade carmelita em Moffat, Colorado. *Jan e eu temos conversado bastante sobre nossa volta à Cristo Nosso Rei. Nós dois sabemos o quanto será difícil, mas estamos prontos, estamos preparados para realizar o trabalho incrivelmente difícil de viver como cristãos no meio de uma comunidade de fé.* Jan não tinha tanta certeza de que *ela* estivesse preparada. Receio. Apreensão. "O ano sabático havia sido excelente, pois tive meu marido só para mim. Não estava pronta para voltar ao caos e ver Eugene ser puxado em múltiplas direções."

172

VIDA À MARGEM

O Eremitério Nada ofereceu o ambiente perfeito para a conclusão do período sabático. Eugene se sentiu totalmente à vontade entre as carmelitas: as horas rítmicas de oração, o silêncio e a reflexão, tudo cercado pela paisagem austera das montanhas. Depois de se encontrar várias vezes com a Irmã Constance (Connie, como Eugene e Jan a chamavam) ao longo dos anos, ele se sentiu em casa nesse ambiente conhecido, e foi lembrado dos muitos dons da Irmã Constance. *Quando converso com ela, aflora o que há de melhor em mim; sua presença/vida são tão* autênticas *que eu sou autêntico. Espero ter esse efeito sobre outros, pelo menos alguns.*

Ao sair do período sabático Eugene esperava nunca mais fazer as coisas às pressas. Voltou à Cristo Nosso Rei revigorado. "Tive a sensação de que poderia trabalhar mais vinte anos", observou. Mas essa animação não durou. Em pouco tempo, seu estado emocional começou a sofrer fortes variações. Depois de horas de encontros com membros da igreja imersos em histórias difíceis, ele fez uma oração desesperada: *Deus, não quero mais ser pastor. Não aguento.* Então, algumas horas depois, ao refletir sobre as pessoas que ele amava e sobre esse trabalho verdadeiro e vivo, sua oração fez uma volta de 180 graus: *Deus, fico tão feliz de ser pastor.*

Uma das coisas que Eugene descobriu durante o ano sabático foi que, muitas vezes, ele não revelava plenamente quem ele era. Sentia com frequência que outros não o entendiam e morria de medo da rejeição que poderia sofrer dos membros se eles sondassem a profundidade de suas convicções ou sua visão oblíqua da igreja.

Sua apreensão não era inteiramente injustificada. Nem todos amavam Eugene. Ele era introvertido e contemplativo e, por isso, alguns o consideravam "frio". E não foram poucos aqueles que o ouviram pregar e disseram: "Seus livros são ótimos, mas, em pessoa, ele não impressiona tanto". No púlpito, Eugene era lento e metódico e falava de coisas profundas. Sua voz baixa e rouca tornava necessário fazer esforço para ouvi-lo. Se havia um homem que precisava de microfone, era Eugene.

Não obstante qualquer outra coisa, porém, Eugene era pastor *com* seus membros. Passava horas com eles em seu escritório ou na sala da casa deles, em longos períodos de silêncio sem pressa, olhando para eles com aquele grande sorriso que aquecia os ossos. Seus diários são cheios de nomes, de pessoas específicas, de histórias específicas, repletos de desejo de estar com mais pessoas, de usar o telefone com mais frequência e perguntar a mais membros da igreja como estavam.

FOGO EM MEUS OSSOS

Depois que Jan e Eugene foram a um *show* de Bob Seger, Eugene ficou tão fascinado com o banjo de Seger que comprou um banjo Aria de cinco cordas por 25 dólares em uma loja de penhores. O banjo se tornou parte de sua caixa de ferramentas pastorais, e ele o levava consigo quando visitava membros idosos, que não saíam de casa. Durante o culto para os alunos de pré-escola na igreja, não era raro encontrar o pastor Pete sentado no chão tocando para as crianças. Leigh e Joe Phillips queriam um pouco de Emmylou Harris em seu casamento, então Eugene pegou o banjo e tocou "Farther Along" [Mais adiante], enquanto ele e Jan cantavam.

Eugene acreditava na singularidade de cada pessoa de sua igreja, e acreditava que pastorear é um trabalho lento e individualizado. Durante férias em que ele e Jan foram viajar, Jack Craft, jovem membro da equipe pastoral, concordou em pregar na igreja e cuidar da casa dos Petersons. Jack ficou decepcionado quando descobriu que não tinham televisão. Em um sermão de domingo, Jack contou que precisava visitar um amigo nas noites de quinta-feira para não perder episódios da série *Hill Street Blues*. Quando Eugene voltou, chamou Jack de lado e o repreendeu gentilmente: "Você está espalhando meus segredos". Em vez de Eugene anunciar uma disciplina para que todos o imitassem (uma atitude que também teria aumentado sua fama de asceta espiritual), a maioria dos membros da igreja não fazia ideia de que ele e Jan não tinham televisão.

* * *

A vida à margem era acompanhada de dificuldades, e 1987 foi um ano sombrio. Embora Eugene tivesse escrito vários livros e fosse considerado por alguns uma das principais vozes sobre visão pastoral, não era raro ele acordar com uma sensação de decepção e sentir que era mais eficaz por meio de livros do que em pessoa. Tinha a impressão de que não estava liderando bem a igreja. Via apenas um acúmulo de fracassos. Seus sermões também não iam bem. Eugene costumava escrever os sermões, mas, por vezes, sentia-se livre e cheio de energia e passava algum tempo sem fazer esboços. Depois de um domingo especialmente desconexo, Jan sugeriu que ele voltasse a escrever os sermões antes de pregar.

Não é de admirar, portanto, que em agosto de 1988 encontremos os primeiros sinais de que Eugene estava considerando a possibilidade de se aposentar. *[Flathead transmite] uma profunda sensação de solo sagrado,*

VIDA À MARGEM

de lugar santo com imensa energia, de concessão de poder espiritual. Quero passar cada vez mais tempo aqui e me aposentar aqui. Não há outro lugar em que eu me sinta mais em casa.

* * *

A luta mais profunda de Eugene, porém, era para ter a alma verdadeiramente rendida a Deus, para que sua pessoa exterior fosse congruente com seu interior. Certa vez, quando foi convidado para falar em um congresso em Carolina do Norte, um sermão entusiástico de um preletor bastante proeminente o perturbou. *Ligeiro desconforto — isso é pregação ou drama religioso? Ultimamente, acho que estou mais interessado em santidade. Estou à procura de santos.* E, em seguida, Eugene anotou uma frase que ele repetiria muitas vezes nos anos vindouros, uma frase que ele expressava apenas na solitude de seu diário: *Quero ser um santo.*

Fora de contexto, essa frase talvez dê uma impressão de grandiloquência. Mas, rabiscadas no caderno brochura de 49 centavos que Eugene usava como diário — pensamentos íntimos de um homem que expressava seus mais profundos anseios para Deus —, essas palavras ecoam uma recorrência sagrada. E não se tratava de um desejo de hiperespiritualidade. Antes, o que Eugene ansiava era ser mais e plenamente *humano*, seguir os passos de Jesus. *Por que não ser um* santo? *Por que essa espiritualidade minimalista? Por que nos ater a ser resgatados do inferno? Por que não começar a explorar o céu?* "Santo" *não significa* bonzinho. *Bem-educado na presença de Deus. Não é uma voz de vitral e [...] asas de anjo. Não é jamais cochichar na igreja. Exercer censura sobre nosso vocabulário.*

À medida que a fama de Eugene crescia (livros que vendiam como água e montes de convites para dar palestras), essas tensões também aumentavam. Seu mais verdadeiro anseio era ser santo, ser *um* santo; contudo, esse desejo muitas vezes era conflitante com as atrações do palco. Ele se impressionava não com pregadores que viajavam pelo país e atraíam grandes multidões, mas com pregadores que tinham fogo dentro de si, integridade, seriedade a respeito de seu trabalho. Pregadores como Desmond Tutu, que ele ouviu em Hopkins. *Tutu era pregador; era veemente e simples. Uma vida virtuosa é* extremamente *impressionante quando a vemos em ação.* E, no entanto, Eugene ainda lutava com todas as tentações. Escreveu em seu diário sobre o conflito com seu ego, sobre a consciência

175

de que seus livros, embora fossem muito bem recebidos, ainda eram, em grande medida, desconsiderados em comparação com nomes mais importantes, vozes mais dinâmicas. Ele desejava oferecer algo substancial, desejava ser uma voz respeitada em assuntos de oração e espiritualidade, e no entanto temia que esses desejos o destruíssem. Temia que não tivesse os recursos espirituais para conviver com maior proeminência sem abrir mão do mais essencial: humildade, comunhão com Deus, santidade, o anseio de ser um santo.

Talvez a obscuridade de Bel Air, um lugar afastado, fosse aquilo de que ele precisava.

> *Reflito sobre essa estranha situação em que me encontro; bastante conhecido em outros lugares, desconhecido aqui. O que significa permanecer em Bel Air? Fico por medo de aceitar um desafio maior e fracassar? É uma possibilidade. Mas não creio que seja o caso. Talvez eu precise explorar e examinar o que, exatamente, esse "exílio" em Bel Air significa: a pobreza cultural, a ausência de amigos, estar separado das montanhas e da natureza, a luta/dificuldade constante em relação à identidade de pastor/escritor (ninguém me pedindo para fazer o que faço melhor — e aquilo que pelo menos algumas pessoas de todo o país consideram que seja o que faço melhor). Isso tudo produz sofrimento? Sinto que sim, mas esse também é meu chamado, de levar esse trabalho adiante, de descobrir como ser pastor e então fazê-lo aqui onde estou em vez de procurar um lugar ou uma igreja que valorize meus dons, um lugar em que eu possa brilhar. Acolher a realidade presente da Cristo Nosso Rei.*

> *Torna-me um santo. Estou tão longe desse alvo. É uma jornada tão longa. Creio que estou no caminho certo. [...] É o que desejo ser como pastor. "Há somente uma tristeza: não ser um santo." [...] Nada mais importa. E nada mais fará qualquer diferença. E agora, arrependo-me da imagem que projeto, de tempos em tempos, a fim de parecer competente e sábio quanto às coisas do mundo, ao competir. [...] Mas nunca fui capaz de manter essa artificialidade por muito tempo.*

A imagem do exílio era profunda. Viver à margem, mesmo que fosse apenas algo que ele sentisse internamente, era um caminho solitário. *Sinto falta de companheiros. Com meus livros, minha esposa e minha igreja tenho meus companheiros, e preciso ter contentamento. Abençoado. E o sou em grande medida. Mas por que, no fim das contas, percebo essas feridas abertas de solidão?*

* * *

Claro que Eugene lidava com as mesmas preocupações de todo pastor: Onde estão as pessoas? Onde está o dinheiro? Durante algum tempo, ele orou para ter trezentas pessoas nos cultos e 4.500 dólares no cesto de ofertas, mas a frequência continuou baixa e o dinheiro, curto. Eugene sentiu a dor de um compromisso desprovido de *glamour*.

> *E agora, reflito sobre ontem, sobre a mistura de prazer e dor de cada domingo, a energia e a sensação de realidade; e a mágoa causada por tantas ausências. Por que nem todos comparecem aos cultos? Por que a igreja não está lotada nas manhãs de domingo? Se o culto é bom, como as pessoas dizem que é, se eu prego bem, se a comunidade está se desenvolvendo, por que mais pessoas não são atraídas, mais pessoas não são fiéis? Dor e tristeza cada vez maiores. Sinto rejeição pessoal, e também a rejeição a Deus; não é comigo que estão sendo tão indiferentes, mas com Deus. Eles têm alguma ideia do que estão perdendo? Sabem que troca infeliz estão fazendo?*

É importante ouvir que Eugene fazia orações específicas por pessoas específicas da igreja. Essa preocupação individual matiza sua convicção a respeito do crescimento da igreja. Mais adiante, à medida que a igreja cresceu, os sentimentos de Eugene a respeito dessas questões se intensificaram.

> *Estou prestes a ser dogmático quanto a um detalhe: trabalho pastoral bom e autêntico, resultado de santidade vocacional, não pode ser realizado em uma igreja grande. Requer uma comunidade pequena. "Grande" traz consigo dinâmicas e percepções que destroem os relacionamentos próximos. Estou disposto a reconhecer que há exceções ocasionais, mas apenas exceções, nunca o modelo. Temos de repudiar a ideia de que é desejável ter grandes igrejas, com uma equipe de obreiros "profissionais". O número máximo é quinhentos.*

A convicção de Eugene se consolidou não porque ele fosse um pastor rabugento, que não entendia o ministério moderno, mas porque ele acreditava que pastorear não podia ser feito no atacado. O pastorado era uma arte pessoal e relacional. E, quaisquer que fossem as lutas e os aborrecimentos de Eugene, ele amava ser pastor. E amava as pessoas.

Mas ele não conseguiu manter a energia. Algo estava mudando. Em 1989, ele registrou estas linhas nada promissoras: *Digo repetidamente que ficarei aqui como pastor até me aposentar, mais nove anos. E, por vezes, realmente acredito nisso. Hoje, porém, me pergunto se é verdade. Não sei se quero, ou mesmo se* consigo. *O simples esforço incessante parece, em momentos como este, insuportável.* O objetivo de Eugene era ficar na igreja mais nove anos. Só conseguiu ficar pouco mais que dois.

Uma tormenta estava por se abater não apenas sobre a vida da Cristo Nosso Rei, mas também sobre o casamento de Jan e Eugene.

14

A longa obediência

> É uma grande coisa — pode ser tudo — ter encontrado uma
> ave companheira com a qual você possa se sentar no meio
> das vigas enquanto bebedeira, vanglória, recitações e brigas se
> desenrolam lá embaixo; uma ave companheira da qual você
> possa cuidar e para a qual possa encontrar insetos e sementes;
> alguém que trate de suas feridas, ajeite suas penas desalinha-
> das e se entristeça com suas dores quando você voa acidental-
> mente ao encontro de algo com que é incapaz de lidar.
>
> **Wallace Stegner, *The Spectator Bird***

Jan e Eugene haviam se tornado uma verdadeira equipe na Cristo Nosso Rei. Um refrão que ouvi com frequência dos membros da igreja foi: "O ministério na igreja não é o ministério de Eugene. É o ministério de Jan e Eugene". Eugene tinha ímpeto, mas Jan promovia união. Quem recebia sua hospitalidade e seu afeto efervescente se sentia revigorado. Com muito jeito, ela convidava outros a compartilhar suas histórias. E Jan quebrava a seriedade de Eugene e gostava de dizer coisas absurdas. Certa vez, quando estavam esquiando com um amigo que também era pastor, Jan apontou para Eugene e disse: "Você não acha que meu marido tem o traseiro mais fofo do mundo?". Eugene ruborizou em todos os tons de vermelho.

Quando os filhos saíram de casa, Jan se viu mais livre, e Eugene pediu que ela viajasse com ele sempre que pudesse. *Jan veio comigo desta vez. Que diferença. Sinto-me muito mais inteiro. [...] Segui o caminho do casamento, e ele faz parte de minha espiritualidade tanto quanto o celibato faz parte da espiritualidade de um monge. Preciso manter esse fato em primeiro plano, e não sair por aí dando palestras sozinho a menos que seja uma decisão refletida.* As anotações em seu diário nessa época revelam sua identificação com o modo de vida monástico, seu desejo de ser um santo consumido por Deus, mas, para ele, essa era uma ideia entremeada com sua vida com Jan. O casamento provia um encontro espiritual místico. Teresa de Ávila tinha suas visões flamejantes; Eugene tinha Jan. *A espiritualidade do casamento é muito mais complexa que sua sexualidade. Hoje, quero apenas permanecer atento, ser obediente e acreditar em Jan, minha companheira e meu ícone.* Enquanto Jan estava em uma longa viagem de carro com Karen, Eugene refletiu mais sobre esse tema.

> *O casamento [é] uma forma de santidade. A santidade se desenvolve em um contexto de amor, um amor definido por aliança e fidelidade, um amor que amadurece em família e hospitalidade. Ao fazer uma retrospectiva dessas três décadas, creio que não se tratou tanto de eu encontrar satisfação no casamento quanto de encontrar maturidade, de ser refinado, aguçado e simplificado. O casamento manteve meu foco na "longa obediência". Com certeza, houve um bocado de atividade sexual, mas esse contentamento erótico não é o que mais se destaca; antes, é a volta à obediência diária, a descoberta de santidades obscuras. [...] Quero santidade, mas não do tipo manso, domesticado. Jan orou por esse aspecto e o nutriu em nós, em mim.*

Para o aniversário de casamento de trinta anos, Eugene levou Jan em uma viagem surpresa para Berkeley Springs, Virginia Ocidental, lugar conhecido como "primeiro *spa* do país". Um buquê de flores estava à espera de Jan no quarto. E um poema afetuoso de Eugene:

> *Temos feito as pazes durante três décadas*
> *e não nos falta diversão como casal,*
> *embora não tenhamos quebrado recordes mundiais,*
> *tenho a sorte de viver ao sol,*
>
> *Ao brilho de seu corpo que faz amor, de seu*
> *coração que faz amor. Manhãs e noites,*
> *muitas passagens da lua acima,*
> *bem-aventuranças em sorrisos diante de nós.*
>
> *Das trinta bênçãos de Jan e Eugene,*
> *cada ano um gole mais profundo de alegria,*

um olhar mais demorado de amor, de carícias
e beijos: O casamento é o emissário do céu.

Casamento, o emissário do céu. Casamento, o lugar específico (as "condições reais", como Eugene observou) em que Eugene descobriria Deus, seria transformado por Deus. O casamento proveu a base central para o desejo de Eugene de ser um santo.

Como todos os casamentos, porém, havia fricção. Eugene se retraía em livros e silêncio. Jan queria conversar sobre cada interação e analisar cada pensamento interior. Eugene queria se afastar das pressões de outros, enquanto Jan, por vezes, sentia que vivia à sombra dele, como se não tivesse voz. Certa ocasião, quando um pastor se inclinou por sobre Eugene para continuar uma conversa interessante com Jan, ela ficou surpresa. "Isso nunca acontece", ela observou. "As pessoas muitas vezes me ignoram, mas ninguém ignora Eugene." Eugene era sereno, com uma constância quase métrica, enquanto Jan era cheia de energia, de alegria e empolgação, mas também de ansiedades a respeito de relacionamentos e de detalhes do cotidiano, a respeito de todas as engrenagens da vida deles. Uma discussão entre os dois ocorreu no meio de uma onda de calor em Baltimore.

Quente. Quente. Quente. Escaldante. Não dormi direito. Ontem, Jan foi para
o andar de baixo. Tivemos um pequeno desentendimento. Ela está irritada
com minha impaciência por causa de sua preocupação com a viagem de car-
ro para o oeste. Ela acha que preciso ser mais compreensivo em relação a suas
ansiedades e inseguranças, e eu acho que ela não deve alimentá-las tanto.

Certa ocasião, quando Eugene e eu estávamos sentados no escritório no segundo andar, Eugene na cadeira de balanço, fiz uma pergunta que levou a algo muito mais sério e preocupante do que desentendimentos conjugais de modo geral, uma conversa que trouxe à baila uma época terrivelmente sombria de seu casamento. "Você tem algum arrependimento em relação a sua vida?", perguntei.

Ele fez uma pausa. "Duas mulheres se apaixonaram por mim, mas eu não tratei essas situações como deveria". Ao conversar mais com ele e com Jan e ler seus diários, descobri como o relacionamento complicado de Eugene com essas duas mulheres abriu uma fenda profunda e dolorosa. Jan sentia compaixão da primeira mulher. "Ela era uma pessoa boa com um marido terrível. Não é de surpreender que tenha se interessado por um homem amável". Quando mencionei a segunda mulher, porém, ela respirou fundo e estreitou os olhos. "Essa era um *problema*. Estava correndo atrás de Eugene."

Entender melhor as nuanças desse segundo relacionamento pastoral é complicado, especialmente em nossa cultura voyeurística, em que tudo entre mulheres e homens é articulado, de imediato, dentro de uma estrutura de intimidade sexual. Não deixamos espaço para as muitas camadas e complexidades relacionais, para as dimensões multifacetadas de proximidade e relacionamento com outro ser humano. Ou atropelamos todo o decoro e todos os limites, ou nos tornamos pudicos e agimos como se emoções, e mesmo atrações, fossem algo a ser negado com horror puritano. Quando essa mulher vibrante e sincera procurou orientação espiritual de Eugene, ele a atendeu com genuíno prazer. Por um longo período, ela se encontrou com Eugene, muitas vezes em almoços com ele e Jan ao redor da mesa da cozinha. Eugene admirava sua vitalidade espiritual, sua fé pura, seu entusiasmo e sua disposição de se arriscar. Em muitas áreas da vida pastoral, Eugene sentia como se estivesse andando com dificuldade em um lamaçal, ao lado de pessoas obstinadas; agora, havia surgido alguém que transbordava de energia e de fome de Deus. *[Em contraste com toda a] indolência espiritual e preguiça [...] [encontrar agora uma pessoa] entusiasmada, vulnerável para Deus, para o amor, empolgada e radiante [...] Sinto uma brisa de beleza e graça que vem dela e, então, fico extremamente descontente com o pântano estagnado e fétido da vida na igreja.* E, no entanto, Eugene (então com 57 anos) se perguntou se, em sua animação, havia algo mais, sinais de alerta indicando que ele devia agir com extrema cautela. *[Mas] será que é isso que está acontecendo? Estou dizendo a verdade a respeito de mim mesmo para mim mesmo?*

Essa era uma pergunta de suma importância. Posteriormente, Jan reconheceu que suas lutas ("dificuldade de oferecer graça [...] negatividade") contribuíram para a tensão crescente. A seu ver, Eugene, com seus ideais elevados e buscas espirituais intensas, corria o risco de perder contato com a realidade, possibilidade que desencadeava uma reação de ansiedade da parte dela: "Eu fincava os pés no chão e me apegava obstinadamente a meus posicionamentos para que ele não ficasse à deriva de seus entusiasmos". Jan desejava que Eugene participasse das lutas que ela enfrentava.

Ele tinha grande empatia pela dor de outros e lhes dava espaço para serem eles mesmos, sem julgá-los, e Jan precisava de doses mais generosas dessa presença e dessa graça para si. Portanto, em períodos em que Eugene ansiava por entusiasmada validação e parceria, Jan resistia. E, em períodos em que Jan precisava mais da terna presença de Eugene, ele se ausentava. Era um relacionamento desencontrado.

Uma tarde, Jan viu na escrivaninha de Eugene uma carta dessa mulher. Todos os alarmes dentro de Jan soaram de uma vez só. Na carta, ela demonstrava grande familiaridade com Eugene e expressava seu amor por ele. Jan e Eugene haviam chegado a uma importantíssima encruzilhada.

Em conversas aflitivas com Jan, Eugene explicou que o relacionamento dele com essa mulher era singularmente revigorante. E, em um momento imensamente doloroso, compartilhou que, em certo sentido, podia dizer que a amava, embora nunca houvesse ocorrido nenhum tipo de contato físico inapropriado. Eugene explicou que, nas conversas com ela, percebia uma energia espiritual sagrada e que não era, de maneira nenhuma, sórdida nem ilícita.

É difícil analisar todos os níveis de emoções desse relacionamento, e o diário de Eugene revela sua reticência ao tentar processar essas complexidades nas páginas brancas pautadas. Ele não se esquivou da realidade bastante humana de sentir certa atração por outra mulher, mas procurou canalizar essa energia em uma direção santa, sempre irredutível no compromisso de jamais trair seu casamento. *Não sou bom de escrever em diário. Sempre imagino que alguém lerá essas palavras e não as entenderá ou as interpretará equivocadamente e, portanto, fico inibido e censuro a mim mesmo.*

Jan compreendia, em certa medida, essas ambiguidades. Sabia que nossas emoções nunca são tão organizadas ou perfeitamente contidas quanto fingimos que são. Mas ela também chegou a um ponto de ebulição. "Estou cansada de espiritualizar as coisas", ela escreveu em seu diário. "Eugene desviou, *sim*, energia de nosso casamento [...] preciso encarar esse fato. Gostaria que ele fizesse o mesmo. Não posso mais me esconder atrás de espiritualidade para justificar que está acontecendo algo que vai além. [...] Por que Eugene precisa balançar o relacionamento conjugal sobre o precipício?"

A resolução veio e, com ela, esclarecimento. Eugene deu ouvidos às expressões de preocupação de Jan e parou de se encontrar com a mulher.

FOGO EM MEUS OSSOS

Pouco tempo depois, ela lhe enviou uma carta, dando uma bronca nele por sua indiferença. Essa interação, em que a mulher expressou fortes emoções, o assustou. Ele não respondeu à carta.

Esse episódio foi motivo de tristeza no casamento de Jan e Eugene por muitos anos. Em conversas íntimas, esse episódio voltava à tona. Por vezes, Eugene tentava examinar seu mundo interior para entender o que, exatamente, havia acontecido e, a certa altura, algo ficou mais claro: *[Há] em minha psique um medo profundo que me torna vulnerável a essas excursões em gelo fino.* Quando Jan e Eugene leram um para o outro o romance de Stegner, *The Spectator Bird* [O pássaro espectador], paralelos na história de Joe e Astrid levaram a novas conversas que abriram velhas feridas. *[Jan] ainda sente o terror, a exclusão, daqueles dias. A possibilidade de rejeição, de divórcio.* Jan sentia que Eugene não a valorizava. Embora ele não tivesse transgredido limites claros, não havia se dedicado a Jan e colocado as necessidades dela acima das necessidades de outra mulher. Jan escreveu:

> Sempre subordinamos as necessidades de nosso casamento às necessidades de outros, pois nosso casamento é bom e sólido. Mas [...] é espantoso que mais pastores e esposas não entrem com pedidos de divórcio. É um negócio perigoso. E, se eu tivesse um emprego fora de casa, com colegas de trabalho do sexo masculino, e tivesse de lidar com tentação nas horas em que Gene estava tão absorto em outras coisas, quem sabe o que teria acontecido?

Quinze anos depois, Eugene sentiu a dor de modo mais agudo e considerou a situação mais séria do que havia considerado na época. *O tempo de perigo que poderia ter destruído [nosso] casamento, família, vocação [...] e a graça que o salvou.*

Em anos posteriores, Jan expressou por escrito, de várias maneiras, como seu casamento era rico, o quanto se sentia ligada a Eugene. "Eugene quer apenas escrever e me amar", ela escreveu certa vez. E, naquela tarde em que perguntei a Eugene se ele tinha algum arrependimento em sua vida e ele relatou uma história que eu não estava preparado para ouvir, ele se inclinou para trás na cadeira de balanço, sorriu e suspirou, como se tivesse acabado de provar a mais pura satisfação. "O que eu mais gosto em minha vida, agora que parei de pastorear e de escrever, é que posso

A LONGA OBEDIÊNCIA

mostrar a Jan que ela é a pessoa mais importante do mundo para mim. Nem sempre fiz isso. Mas é o que estou fazendo agora."

* * *

Outra mulher trouxe apenas alegria para Eugene e Jan. Além de Steve Trotter, mentoreado por Eugene e seu substituto durante o ano sabático, a Cristo Nosso Rei tinha apenas uma assistente em meio período. Durante vários anos, Eugene havia orado pedindo um pastor assistente para cuidar dos jovens e do ministério diaconal. Quando Tracie Bullis (na época, Cloninger) chegou, Eugene ficou encantado.

Eugene e Jan acolheram Tracie de imediato em sua família. Ela saía para caminhar com eles nas segundas-feiras de descanso. Quando paravam para almoçar, Eugene gostava de ver alguém mais desembrulhar um sanduíche de atum e cebola, alguém mais para causar repulsa ao olfato sensível de Jan.

Tracie observava como Eugene era próximo dos membros da igreja, como se relacionava com eles e os visitava com frequência. Separava uma noite só para telefonar para eles. Qualquer um que precisasse conversar com o pastor conseguia marcar um horário na mesma semana. Depois que Eugene saiu da Cristo Nosso Rei, uma pergunta que Tracie ouviu inúmeras vezes foi: "Quem vai fazer o casamento dos nossos filhos?". Os membros da igreja não conseguiam imaginar acontecimentos importantes de sua vida sem a presença de Eugene. Ele era o mentor pastoral que você escolheria se pudesse. "Ele se comunicava bem", Tracie recordou, "sempre dava atenção a minhas propostas e ouvia de verdade quando trocávamos ideias." E ele assinava todas as mensagens que enviava para ela com as palavras "Companheiros na Fé". "E de pensar que eu tinha a idade dos filhos dele." Tracie descobriu que, durante muitos anos, a Cristo Nosso Rei não tinha pagado a Eugene o salário mínimo estipulado pelo presbitério, mas ele não tinha dito nada. Anos a fio, Jan cultivou uma horta e confeccionou roupas para a família a fim de economizar. Eugene, que não pensava muito em dinheiro, foi na contramão do costume presbiteriano ao se recusar a exigir dos membros da igreja o compromisso de dízimos e ofertas. Quando Eugene se aposentou, Tracie e sua família passaram a visitar os Petersons em Flathead todos os anos nas férias.

* * *

FOGO EM MEUS OSSOS

Toda a família Peterson estava crescendo e mudando. Karen se dedicou à arte. Peças de vidro suas decoram a casa em Flathead, e uma cruz celta de 2,5 metros que ela confeccionou serve de sentinela junto à entrada da casa. Leif se lançou de cabeça em seus escritos e começou a publicar uma revista literária chamada *Kinesis* que, mais tarde, ele vendeu.

Depois de subir o Monte Reynolds com Leif no Parque Glacier, Eugene percebeu com alegria o quanto o relacionamento deles estava amadurecendo. Eric, ciente de que seu pai havia tentado pelo menos duas vezes estudar no Seminário de Princeton, mal pode esperar para lhe telefonar e contar a boa notícia: "Pai, acabei de ser aceito em Princeton", Eric disse. "Vou ler a carta para você: 'Prezado senhor Peterson, trinta anos atrás, recusamos uma vaga para seu pai, o que hoje nos causa grande pesar. Mas esperamos expiar um pouco da culpa ao receber o senhor."

Eugene e Eric riram juntos.

O tempo no seminário foi produtivo em vários aspectos para Eric, e quando Jan e Eugene receberam a feliz notícia de que Eric e sua esposa, Lynn, estavam esperando o primeiro filho, Eugene passou semanas na oficina construindo um berço para seu primeiro neto. Escreveu em seu diário: *O berço é uma lembrança física de nossas esperanças e expectativas.* Drew Peterson chegou *con gusto*, o primeiro de muitos netos a desfrutar o presente feito pelas mãos de Eugene, e aquilo que ele simbolizava.

Eric, fiel a sua linhagem, amava o ofício de carpinteiro. E, mesmo durante o tempo no seminário, sempre considerava a possibilidade de construir casas quando terminasse os estudos. Em Princeton, contudo, Eric encontrou clareza a respeito de seu chamado para pastorear e voltou os olhos para o ministério. Eugene sentiu-se honrado quando o seminário pediu que ele fizesse o discurso oficial na formatura de Eric. A emoção foi ainda maior quando Eric voltou para casa a fim de concluir os trâmites da ordenação para pastorear a Cristo Nosso Rei e Eugene pregou o sermão de ordenação. Eugene usou uma passagem de Jeremias, velho patrono bíblico de Eric. Quando Eugene impôs as mãos sobre o filho, foi um marco inicial para Eric. Eugene, contudo, foi tomado de uma forte sensação de completude. Sentiu algo passar de pai para filho. Eugene manteve essa revelação em segredo, mas, posteriormente, reconheceu que foi o dia em que entendeu que seu ministério pastoral estava próximo do fim.

* * *

A LONGA OBEDIÊNCIA

Em meio a todas as mudanças que estavam ocorrendo na vida e no ministério, um movimento tectônico surgiu gradativamente nos diários de Eugene.

Minha vocação sagrada para escrever/pastorear. Hoje, com toda a corroboração do ano que passou, ouso me chamar escritor, bem como pastor. Pastor-escritor, escritor-pastor. O caráter sagrado das palavras, o caráter sagrado das pessoas, ambos ao mesmo tempo, nenhum sacrificado pelo outro. Foram poucos os que tentaram proteger a integridade dessas duas formas de santidade.

Ele considerava o chamado para escrever uma disciplina espiritual, uma expressão de sua esperança de uma vida santa. Mas não era algo assim tão idílico. Tornou-se cada vez mais difícil encontrar as horas necessárias para escrever, e essa falta de tempo parecia uma lenta hemorragia.

Preciso escrever. Essa é minha vocação agora. Parar o que estiver fazendo e escrever; a ansiedade é um chamado para o ser interior, um sinal de que saí de mim mesmo. Um sinal de advertência, para que eu cesse a ação e escreva a mim mesmo de volta à existência. [...] Minha âncora, que me firma a minha alma e a meu Deus, se encontra nessa caneta.

Sinto que, para manter a sanidade, minha sanidade espiritual, preciso simplesmente dar as costas para as exigências e deveres e criar. Trabalhar em minhas coisas. Depois de algumas horas, sinto-me disposto o suficiente para voltar às responsabilidades e à rotina, mas se não posso orar, correr, ler e escrever, não consigo viver.

Eugene ansiava por aprimorar sua aptidão como escritor, honrar o caráter sagrado das palavras com trabalho não apenas verdadeiro, mas também belo. A leitura da obra vencedora do prêmio Pulitzer *Lições de vida*, de Anne Tyler, atiçou o fogo em seus ossos. *Quero escrever sobre espiritualidade com a mesma erudição que ela traz para a ficção. Por que é tão comum as pessoas imaginarem que, quando escrevem sobre Deus, a Bíblia e o Espírito, estão isentas, de algum modo, de escrever bem?* No café da manhã, enquanto Jan lia do jornal nomes de expoentes literários que estavam apresentando suas obras na Associação Americana de Livreiros, uma pergunta transbordou de dentro dele: *Posso escrever sobre espiritualidade evangélica americana com o mesmo esmero que eles escrevem? Essa é minha esperança. Ambicioso demais? Orgulhoso?*

* * *

À medida que os laços de Eugene com a Cristo Nosso Rei se afrouxaram, ele notou mais tranquilidade em casa. *O casamento com Jan está se aprofundando em percepção e carinho — liberdade e prazer extraordinários. Pareço ter bem mais tempo livre com ela. À medida que tiro o foco da igreja, tenho muito mais atenção para dedicar a Jan. Tenho consciência de quanta energia uma igreja requer.*

Nesses anos finais, várias igrejas, entre elas a Igreja Presbiteriana da Avenida Madison, onde Eugene havia sido pastoreado por George Buttrick, o contataram com ofertas de ministério, mas ele nunca chegou a considerá-las demoradamente. Não estava procurando uma nova responsabilidade pastoral. Queria espaço, liberdade. Queria escrever e lecionar. Os deveres pastorais que, em outros tempos, haviam representado compromisso para Eugene agora haviam começado a representar confinamento.

Com tudo isso se acumulando debaixo da superfície, foi necessário apenas um simples convite para colocar em movimento grandes engrenagens no lar dos Petersons. O Seminário Teológico de Pittsburgh convidou Eugene para se tornar parte de sua equipe como escritor residente. A proposta era atraente: o seminário forneceria um apartamento, e sempre que Eugene e Jan quisessem, poderiam usar o refeitório dos alunos. Eugene lecionaria uma matéria e, no restante do tempo, poderia se recolher no escritório e *escrever*. Um sonho. E também um chamado.

No domingo, 7 de abril de 1991, Eugene anunciou sua saída à igreja. A semana que antecedeu o anúncio foi tensa para ele e Jan, mas os dois ficaram aliviados quando os membros, ainda processando a informação, lhes deram sua bênção em vez de expressar ansiedade ou mágoa. Os últimos meses, repletos de refeições e despedidas, passaram voando.

Eugene comentou com Jan que gostaria de fazer como Frodo: colocar um anel para se tornar invisível e sair de cena discretamente. Essa brincadeira os levou a encomendar de um joalheiro local dois anéis, cada um feito de três anéis mais finos e entrelaçados. Um anel de prata representava sua vida na Cristo Nosso Rei. Outro anel de prata representava seu trabalho futuro. O anel de ouro no centro representava seu casamento.

A LONGA OBEDIÊNCIA

O simbolismo se desdobrou em novos significados: três décadas na Cristo Nosso Rei, três filhos, a Trindade. Eugene e Jan diziam que aqueles eram seus anéis de Frodo e nunca os tiravam do dedo.

Apesar de todo o alívio e de toda a expectativa, partir foi *difícil*. Aquele havia sido seu lar, seu pedaço de terra para cuidar. Os membros da igreja haviam sido seu povo. Eugene foi tomado de fortes emoções naquelas semanas finais. Procurou conter as lágrimas ao pronunciar para a igreja pela última vez as palavras que resplandeciam no cerne de tudo o que ele havia sido e se tornado como pastor e homem: *Adoremos a Deus.*

Embora Eugene nunca tenha duvidado de sua decisão, ela veio acompanhada de tristeza dolorosa. Uma bela porção de sua vida havia chegado ao fim, como um poço do qual toda a água foi drenada. Ele havia sido fiel àquilo que lhe tinha sido confiado em Bel Air, Maryland. Agora, porém, o conhecido rasto, a resplandecente atração do espírito, o estava conduzindo adiante.

* * *

Eugene escreveu sua derradeira carta circular *Amém!* para agradecer à igreja pelo último domingo que tiveram juntos. Suas palavras pintam um retrato mais nítido que uma foto:

> Vocês não poderiam ter feito uma despedida melhor nem mais apropriada ao nos abençoar com seus presentes e suas orações. Jan e eu ficamos e ainda estamos comovidos com sua generosidade atenciosa, expressa com tanto bom gosto. Sua presença já foi dádiva mais que suficiente, ao fazer o santuário transbordar, reunir-se conosco na presença do Senhor, ouvir as palavras de Deus, apresentar ofertas, cantar e orar.
>
> Tivemos uma história que deu forma bíblica a nossa experiência: Moisés e a congregação de Israel se despedindo um do outro nas campinas de Moabe. Haviam se tornado uma congregação no pé do monte Sinai e, agora, se preparavam para sua próxima empreitada à sombra do monte Nebo. Montes são marcos em nossa peregrinação e nos convidam ao Além. Levantamos nossos olhos, mas a prática ocorre nas campinas de Moabe, o lugar em que ouvimos a palavra de Deus e escutamos uns aos outros, em que cantamos e oramos nossas respostas, em que abençoamos uns aos outros, um nome de cada vez. Nas campinas de Moabe, reunimos

tudo o que experimentamos e aprendemos nos anos de adoração conjunta e nos preparamos para entrar na terra magnífica sob a liderança de Josué, cujo nome, em grego, é Jesus.

E depois, no salão social, houve um almoço e despedidas. As crianças e os jovens entoaram seus cânticos, testemunhas de cada década expressaram diferentes aspectos de nossa vida conjunta e entregaram presentes de despedida. Dirigidos por Jim, Rand e os presbíteros, vocês nos comissionaram para nosso novo trabalho de escrever, servimos a Eucaristia uns aos outros ao redor das mesas e, depois, cantamos juntos o hino "Sometimes a Light Surprises" [Por vezes uma luz surpreende]. Tracie, com sua narrativa, costurou em uma colcha de retalhos as diferentes vozes e perspectivas. A verdadeira colcha de retalhos que vocês costuraram para nós manterão as recordações vivas em nossa mente.

Abraços e lágrimas, risos e piadas se misturam agora em uma bênção que pulsa com memória e expectativa, que olha para trás e adiante, que nos faz sentir muito profundamente ligados a vocês e convictos de que "aquele que começou boa obra em nós vai completá-la no dia de Jesus Cristo".

Como último ato pastoral, Eugene serviu a Eucaristia em um pequeno culto de quarta-feira na Cristo Nosso Rei. Partiu o pão e distribuiu o vinho às pessoas que ele havia amado e servido durante três décadas. *Não quero perder nada. Não quero perder nenhum significado e nenhuma fruição nesse momento em que as coisas se completam aqui. "Isso aconteceu para que se cumprissem as Escrituras...", para que se cumprisse minha vocação.*

Na última tarde em Bel Air, Eugene caminhou pela área ao redor da igreja e refletiu sobre três décadas.

Senti todas as velhas dificuldades de me ajustar a essas condições, de entrar na pequenez, na morosidade e na realização do bom trabalho pastoral. Como foi difícil [...] E como é boa a sensação de deixar tudo isso completo e valorizado e mover-me em direção a algo muito mais fácil, embora não exija menos do espírito, da mente e do corpo.

E assim, Eugene Peterson deixou sua amada igreja e entrou, com lágrimas e um sorriso, na última grande estação de sua vida.

TERCEIRA PARTE

15

Tão sortudo

Querido Deus, quero ser escritor para tua glória; quero formar frases e palavras que venham de minha alma, e não apenas de minha mente. [...] Frases novas, vivas, piedosas. Para que A Mensagem *seja fiel. Ofereço-me como servo desse texto e aceito o ascetismo apropriado para ele. Por favor, querido Senhor, ajuda-me a ser moderado e submisso a teu jugo. E a servir, desse modo, a ti e ao casamento/a Jan.*

Eugene Peterson, oração anotada em seu diário

Ao longo das duas décadas seguintes, os textos de Eugene o colocariam em um palco nacional proeminente, mas as palavras que ele registrou nas páginas nasceram do solo da Igreja Cristo Nosso Rei. Nenhum versículo, nenhuma frase e nenhum capítulo teriam sido possíveis sem o ministério pastoral.

No início da década de 1980, Eugene ficou assustado com a ansiedade que tomava conta das regiões suburbanas de classe média. Com a economia em recessão, muitos (em sua maioria brancos) foram embora de Baltimore. Mais perturbador ainda era o racismo, expresso com frequência de forma velada como desejo de "segurança", mas transformado em paranoia. Depois das conturbadas manifestações em Miami nessa mesma década, uma agitação que se espalhou para outras cidades, muitos, entre eles membros da Cristo Nosso Rei, compraram armas, instalaram alarmes em casa e estocaram *bunkers* com alimentos enlatados. E, o que era ainda pior, não faltavam insultos e expressões de preconceito contra os afro-americanos.

Eugene sabia que sua igreja estava sendo absorvida por uma narrativa americana carregada de medo, e não pela narrativa das Escrituras.

O individualismo radical minava os temas fundamentais da Bíblia, e o racismo transpassava o cerne dos ensinamentos básicos das Escrituras. Mas os bancos da Cristo Nosso Rei estavam cheios de gente que não conseguia ouvir a palavra clara da Bíblia. Aborrecido de longa data com o pecado racial americano, Eugene certa vez disse a Jonathan Wilson-Hartgrove que ele havia se sentido atraído pela marcha com o dr. King (especialmente em Selma em 1965), mas que tinha ouvido o Espírito lhe dizer, repetidamente, que seu trabalho era lutar contra o racismo nos bairros suburbanos de classe média. E lá estava ele, quinze anos depois. Era seu momento. Eugene combateria sem fazer alarde: avisou seus alunos de escola dominical que passariam um ano inteiro estudando Gálatas.

Essa epístola sobre liberdade em Cristo seria seu antídoto para o individualismo desenfreado, para a propagação de medo e para a superioridade branca que havia obscurecido parte tão grande da mentalidade americana. Meses a fio, Eugene fez café, arrumou cadeiras ao redor da mesa no salão social e abriu o texto. No entanto, as conversas morreram. Gálatas era eletrizante, mas os alunos expressavam a mesma empolgação que reservavam para visitas ao dentista.

Em busca de uma fagulha que os reanimasse, Eugene resolveu que traduziria, ele mesmo, o texto de cada semana, e expressaria o grego na linguagem de Harford, Maryland. Talvez, com isso, cativasse a atenção da turma. No primeiro domingo em que ele distribuiu o texto traduzido, os alunos se concentraram. A discussão se acendeu. Haviam descoberto algo.

De modo semelhante, quando as pessoas pediam ajuda de Eugene para orar (o que, de acordo com ele, é uma das principais tarefas do pastor), ele as conduzia por Salmos, o livro de orações da Bíblia. Os salmos são brutalmente honestos, quase irreverentes em sua audácia, mas muitos ouviam as versões comuns dessas orações, traduzidas em linguagem rebuscada, ou em linguagem vernácula pasteurizada. Limpa. Educada. Cautelosa. Um erro trágico. "Em hebraico, os salmos são isentos de qualquer afetação, quase grosseiros", Eugene afirmava com veemência. "Não são polidos. Não são orações de pessoas bem-educadas." Ele queria ajudar os membros da Cristo Nosso Rei a *ouvir* essas orações corajosas, ouvir *de verdade* e ir além da linguagem religiosa, do hábito de frases desgastadas. Portanto, como fez com Gálatas, ele mesmo começou a traduzir os salmos e a distribuí-los naqueles domingos no salão social.

TÃO SORTUDO

Em 1982, Eugene escreveu *Traveling Light* [Bagagem leve], baseado em Gálatas, e colocou os textos que havia escrito para sua classe de escola dominical junto de cada capítulo. Um editor da NavPress, Jon Stine, gostou tanto da tradução que copiou esses trechos das Escrituras, colou-os em um só arquivo e os imprimiu para ter à mão. Em 1990, Jon entrou em contato com Eugene e propôs que ele traduzisse todo o Novo Testamento. A conversa acendeu um estopim. *Não consigo parar de pensar no texto, de fazer esboços. [...] Terminei o primeiro capítulo de Mateus ontem de manhã, quando devia estar fazendo outra coisa. Gostaria demais de trabalhar nesse projeto. Será que Deus está fazendo a colheita de outra parte de minha vida?*

Eugene escreveu para Bruce Nygren, diretor editorial da NavPress, e lhe enviou algumas páginas de tradução.

Não esperava mandar esse material tão logo, mas não consegui parar de trabalhar nele. A cada minuto livre, mexi com o texto, procurando diferentes modos, vozes. E, embora essa não seja a versão final, creio que tenha encontrado minha "voz" e que esta seja uma boa amostra do que sou capaz de fazer ao traduzir para o "inglês americano coiné".

Em 1991, Eugene escreveu um artigo para a *Christianity Today* com o título "Ouça, Yahweh", em que explica a franqueza visceral de Salmos. Como suplemento, anexou suas traduções de vários salmos. Os leitores ficaram eufóricos. Onde poderiam encontrar mais textos como esses?

Quando o agente literário Rick Christian abriu seu exemplar da *Christianity Today*, mal terminou de ler os salmos no quadro lateral (nem mesmo leu o artigo) e foi atrás do número de Eugene.

— Os salmos são extraordinários — Rick disse em tom efusivo. Em seguida, propôs que Eugene fizesse o mesmo com a Bíblia toda. Eugene ouviu, e houve momentos em que Rick se perguntou se ele ainda estava na linha.

Por fim, Eugene fez apenas uma pergunta:

— Com quem você trabalhou?

— Não sei quais são os autores que você lê, mas um de nossos escritores de ficção é Walter Wangerin.

— Walter e eu somos amigos — Eugene respondeu.

— Outra escritora de ficção é Virginia Stem Owens.

— Ginger e eu somos amigos há anos.

— Também trabalho com a poetisa Luci Shaw.

— Sim, Luci e eu somos amigos.

E, depois, silêncio.

Um tanto sem jeito, Rick explicou o trabalho do agente, como funciona o relacionamento e o que seu papel acrescenta ao processo de publicação. Rick partiu do pressuposto de que Eugene ainda estivesse do outro lado da linha. "Senti como se estivesse tentando vender para ele produtos de limpeza", Rick lembrou. "Tive a impressão de que a conversa estava indo por água abaixo, e rápido. Eu dizia algo, ele respondia com três palavras."

Então, quando Rick não tinha mais o que dizer, desligou.

Três dias depois, recebeu um telefonema de Eugene. Walter, Ginger e Luci haviam lhe garantido que Rick fazia um bom trabalho. "Deixe-me explicar", Eugene falou. E em seguida, contou que havia traduzido Gálatas, uma parte dos Evangelhos e um bom tanto de Salmos. Eugene passou tudo o que tinha por sua máquina de Xerox e enviou o calhamaço para Rick. "Não conheço nada do mercado editorial, Rick. Não tenho um pingo de aptidão para publicidade. Só sei que quero realizar esse projeto, mas preciso de alguém que possa supervisionar a parte comercial, caso você tenha interesse."

"Eu adoraria", Rick disse. Colocou mãos à obra e elaborou uma proposta para as principais editoras cristãs. E, em seguida, esperou o telefone tocar. Nada. Nem um pio. Então, fez as malas ("senti-me como um caixeiro-viajante") para o encontro da Associação de Livreiros Cristãos em Orlando, da qual participavam onze mil editoras e livreiros. Rick se reuniu com o pessoal da Zondervan, na época uma das maiores potências no mundo editorial cristão. "Reuni-me com os responsáveis por planejamento e estratégia e logo tive a sensação de que estava frito."

A equipe da Zondervan perguntou qual seria o público-alvo da tradução. "O público mais imediato é de pastores", Rick explicou. "Eles darão ouvidos ao que Eugene disser, mas passarão adiante. Creio que poderá alcançar igrejas de todas as denominações. Homens, mulheres, alunos do ensino médio, universitários e, com o tempo, a igreja toda. É para todo mundo." Silêncio total, alguns sorrisos amarelos. Em seguida, explicaram para Rick como funcionava o mercado de traduções da Bíblia e como a competição era feroz. Disseram que era ingenuidade ter a expectativa de um público tão amplo. "Não é realista. Você precisa pensar em uma resposta melhor."

TÃO SORTUDO

Ainda assim, a Zondervan deixou a porta *ligeiramente* aberta e enviou amostras da tradução de Eugene para seus principais clientes de varejo, as livrarias de grande porte. Uma vez que Eugene não era muito conhecido entre membros de igreja em geral (ao contrário de grandes nomes como Chuck Swindoll ou James Dobson), Rick teve medo que as pessoas desconsiderassem o texto antes mesmo de lê-lo. Pediu à Zondervan, portanto, que não colocasse nome nas amostras. O resultado foi pior do que Rick ou a Zondervan poderia ter esperado. Nenhum livreiro gostou da tradução. Pior que isso, muitos expressaram medo de que fosse prejudicial a seus negócios. Um deles foi apocalíptico: "Se eu vender esse material, vão atear fogo à minha loja".

O único peixe no anzol era a NavPress, que nunca havia publicado uma Bíblia. Eugene assinou o contrato, e os Petersons se mudaram para Pittsburgh. No pequeno apartamento do seminário, Eugene começou a preparar o terreno para um de seus maiores legados: *A Mensagem*.

* * *

Joe trabalhava para a transportadora Allied Van Lines e ajudou Jan e Eugene nos últimos dias antes da mudança, empacotando caixas e colocando-as no caminhão para Montana, onde deixariam guardada a maior parte das coisas. Levariam para Pittsburgh apenas o essencial. Os olhos de Joe se arregalaram quando ele viu as pilhas de livros. *Um terço* do peso do caminhão foi de livros de Eugene. Enquanto trabalhavam, Joe falou de sua família e dos anos na estrada, transportando os pertences de famílias de um lado para outro do país. E ele se transformou no público-alvo. Enquanto Eugene traduzia, muitas vezes tinha em mente Joe, o Mudanceiro, e procurava produzir um texto que ele quisesse ler e que compreendesse prontamente.

A tradução é uma ciência e uma arte. Demandou de Eugene sua competência como estudioso, poeta, pastor, artífice de palavras. Não bastava ter gramática correta. O texto precisava respirar, mover-se de uma forma de existência para outra forma nova, e fazê-lo com fidelidade. Era *relacional*. O objetivo era um novo encontro espiritual, semelhante ao que os primeiros leitores haviam experimentado.

A tradução feita por Eugene exigiu interpretação (o que gerou muitas críticas mais adiante), mas esse é o caso de todas as traduções e, mais que isso, o *objetivo* delas. A novidade e a sensação de convite pastoral foram resultado direto dessa dinâmica. Línguas não são equações matemáticas; são modos complexos e expansivos de pensamento e comunicação. Eugene nunca presumiu que seu método (ou seu propósito) fosse o único (ou o melhor) modo de traduzir. Mas era a melhor maneira que ele conhecia de ajudar as pessoas que tinha em mente a ouvir o ardor da voz de Jesus nos textos antigos. Eugene acreditava que a tradução é uma espécie de "*lectio divina*, mais que apenas encontrar as palavras certas, há o espírito, a vibração do texto, o caráter vivo da mensagem". A Bíblia não era um livro morto. Era vibrantemente viva.

Eugene compreendia, contudo, que caminhava por um campo minado. Tinha consciência de que, na década de 1940, os críticos ingleses haviam esfolado vivo J. B. Phillips em razão das "liberdades" dele com o texto bíblico; que, na década de 1950, literalistas fundamentalistas haviam fustigado Kenneth Taylor por realizar um trabalho semelhante. *Taylor recebeu ameaças de morte. Eu ficava horrorizado de imaginar o que eu receberia, tendo em conta as maldades das quais os literalistas são capazes em nome de Jesus.* Ainda assim, ele se lançou à tarefa monumental.

> *O trabalho não consiste em voltar ao original (com cuidado e cautela), mas em recriar no presente, correr riscos. Os riscos significam que existe a possibilidade de cair de cara no chão, mas é a única coisa que vale a pena fazer nesse caso.*

> *Será que estou fazendo um bom trabalho? Muitas vezes, sinto que, em algum ponto crucial, alguém dirá que o trabalho está péssimo, presunçoso. Ainda assim, por enquanto tenho de fazê-lo, e sei que parte dele está bom. Tenho uma fantasia (distante) de ser colocado na mesma categoria de Phillips e Tyndale, Lutero e Jerônimo. Que bela companhia!*

Eugene continuou a labutar, dia após dia. Terminou as Bem-Aventuranças, e o editor amou o texto. (Jan também. Eugene começou a ler as Bem-Aventuranças para ela enquanto ela dobrava roupas. "Pare", ela disse. "Tenho que sentar e ouvir de verdade.") Só havia um problema. Em vez de usar "bem-aventurado", Eugene inseriu o termo *sortudo*, o que não é uma tradução ruim para o termo grego *makarios*, cujo sentido é "afortunado", bem como "abençoado". Eugene continuava a pensar nos membros da Cristo

Nosso Rei: "Pastor Pete, recebi o resultado dos exames. Não tenho mais câncer. Sou muito sortudo". Ou o pai cheio de alegria: "Dei muita sorte. Consegui o emprego". *Sortudo* era o termo que usavam para descrever bondade e graça copiosas, imerecidas. Portanto, o termo que ele escolheu foi *sortudo*.

"Você não pode usar *sortudo*", o editor explicou. "Há todo um universo de texanos que imagina que *sortudo* é um codinome para Lúcifer. E outro grupo enorme que considera que *sortudo* é um termo ímpio, que nega a providência de Deus. Perderíamos uma fatia grande de nosso público-alvo." Eugene pegou o telefone. "Rick, eles vão tirar meu *sortudo*. Você precisa fazer alguma coisa". Por fim, Eugene se rendeu, embora tenha inserido o termo "sortudo" furtivamente em alguns outros lugares. Mais tarde, ele conseguiu fazer as coisas à sua maneira quando lançou um livro de poemas baseados nas Bem-Aventuranças e lhe deu o título *Holy Luck* [Sorte Santa].

* * *

Passaram-se meses. O trabalho prosseguiu. *Terminei Romanos 8 ontem*, ele registrou no final de março de 1992.

> *Está indo mais devagar do que eu esperava, e por vezes sei que estou fazendo um excelente trabalho, mas em outras ocasiões é bem mediano. Jon Stine acha que consegui recuperar minha "voz". Finalmente peguei o espírito da coisa. Eles querem uma "versão Peterson", a voz/o estilo distintivo de* escrever *que desenvolvi. [...] Tenho procurado ser mais livre e espontâneo; espero ter internalizado o texto o suficiente para fazer isso sem problemas.*

No domingo de Páscoa daquele ano, não parecia tempo de ressurreição. Eugene se sentia enterrado.

> *Bastante cabisbaixo agora cedo; a tradução pesa sobre mim. Sinto-me inadequado. O que estou escrevendo não é assim tão bom. O que me vem à mente várias vezes por dia é que sou medíocre nessa tarefa. Pergunto-me o que o pessoal da NavPress vê no meu projeto e espero que eles não saiam no prejuízo.*

Em setembro, ele atravessou, cambaleante, a linha de chegada e terminou o Novo Testamento. Durante um ano inteiro, havia se derramado nas páginas. Jan passou centenas de horas digitando revisões. Em lugar de imenso júbilo, porém, o maior sentimento de Eugene era de exaustão, combinada com apreensão e determinação.

A tradução continua a reforçar meus sentimentos de inadequação, e a me levar a orar, confiar, trabalhar sem levar em conta o ego. Será que estou disposto a ser aviltado por causa desse trabalho? Sim. É o trabalho que Deus me deu para realizar, não os presbiterianos, nem a NavPress, e certamente não minha ambição. Tenho de continuar a trabalhar no "canto".

* * *

Enquanto Eugene refinava seu texto e avançava lenta e penosamente na tradução que se tornaria *A Mensagem*, uma comunidade de escritores acolheu Jan e Eugene em um círculo de afinidade singular.

Em 1986, Richard Foster reuniu um grupo de luminares: Madeleine L'Engle, Calvin Miller, Emilie e William Griffin, Luci Shaw, Walter Wangerin, Philip Yancey, Robert Siegel, Stephen Lawhead, Harold Fickett e Karen Burton Mains. Entre eles, havia campeões de venda do *New York Times*, finalistas do prêmio Puschcart, ganhadores de medalhas National Humanities, do prêmio National Endowment for Arts e do prêmio ALAN. "Foi como convidar um bando de anarquistas para formar uma democracia", Foster lembrou. Mas havia sinergia, e assim nasceu a Sociedade Crisóstomo. Dois anos depois, Eugene e Jan se tornaram parte do grupo.

Os encontros da sociedade eram realizados no centro ecumênico de retiros Laity Lodge, no Texas. Durante esses encontros, os participantes apresentavam seus trabalhos, faziam refeições juntos e expressavam solidariedade mútua diante de problemas do mercado editorial ou de acontecimentos do momento. Depois que a obra de Salman Rushdie incitou ameaças de morte, Virginia Owens disse ao grupo: "Gostaria que alguém levasse meus textos a sério o suficiente parar querer me matar". Esse comentário ficou na memória de Eugene. Que escritor não deseja que sua obra tenha verdadeiro peso? Como de costume, Eugene falava pouco nos encontros da Sociedade Crisóstomo, mas ouvia com atenção e oferecia palavras de ânimo a seus amigos. Não era raro os participantes pedirem a Eugene que dirigisse o culto ou a Eucaristia aos domingos. Sempre pastor.

A Sociedade Crisóstomo, talvez ao contrário de qualquer outra comunidade, ofereceu a Eugene um lugar de pertencimento. Embora ele ainda se sentisse claramente diferente, também formou vínculos profundos. Ele, Luci e Walter (que, por vezes, chamava Jan sua "irmãzinha querida" e Eugene seu "irmão mais velho") trocavam cartas com frequência. Durante um desses encontros, Eugene expressou sua gratidão em uma anotação no diário: *Desfrutando amigos, relacionamentos [...] a rica textura de amor e amizades que crescem, amadurecem e dão frutos.*

* * *

Depois que Eugene terminou o Novo Testamento da Bíblia *A Mensagem*, ele e Jan contemplaram um vasto horizonte, e Eugene sentiu com força inédita o chamado para lecionar. Quando o Seminário de Princeton, o mais importante seminário presbiteriano, lhe ofereceu emprego (o que certamente trouxe mais riso quando ele se lembrou de que o haviam rejeitado como aluno), ele foi a New Jersey para as entrevistas. Eugene se reuniu com o presidente e com vários outros membros do corpo docente no saguão do hotel Nassau Inn, "uma espécie de clube frequentado por influenciadores". Sentados em cadeiras de couro vermelho, todos os presentes cruzaram as pernas, e Eugene observou que ele era o único de meias curtas, com as canelas aparentes. Naquele breve encontro, ele percebeu que não se encaixava em Princeton. Não conhecia o código da Ivy League e não tinha espaço para ser autêntico. Nessa mesma época, estava estudando uma oferta da Faculdade Regent, e tinha interesse em Vancouver. Aquele momento nas cadeiras de couro vermelho, com as canelas brancas expostas no saguão do hotel, foi uma confirmação. Iria para o Canadá.

* * *

Regent era um centro em que importantes teólogos desenvolviam seus trabalhos: a teologia sistemática de J. I. Packer e Bruce Waltke, a exegese bíblica de Gordon Fee (antigo companheiro de Eugene nas pistas de corrida), a teologia espiritual de James Houston, a teologia da criação de Loren Wilkinson (que se tornou o amigo mais chegado de Eugene na Regent) e os estudos pioneiros de Paul Stevens sobre teologia no âmbito secular. Depois de algumas negociações, a instituição fez uma oferta que Eugene aceitou. Ao considerar o grande prestígio dos outros professores, Eugene ficou apreensivo com a possibilidade de que descobrissem que ele não passava de um neófito intelectual, de que decepcionasse seus colegas e não tivesse um nível de erudição à altura deles. Jeffrey Wilson, pastor mais jovem do qual Eugene foi mentor espiritual durante anos e que havia se tornado como membro de sua família, aconselhou Eugene a não ir para o Canadá, temendo a proeminência que Eugene alcançaria. *[Jeffrey] é fortemente contrário a minha ida à Regent. Ele acredita que sou suscetível a "guruíte".* O que Eugene sentia, porém, era inferioridade.

Quando Eugene chegou a Vancouver uma semana antes do Natal, seu vigor se renovou.

> *Primeira manhã em nossa casa, nosso apartamento em Vancouver. [...] É difícil acreditar que todas as questões de transição foram negociadas e que, finalmente, estamos aqui, prontos para começar esta última (ou penúltima?) volta da jornada. Passei a última hora e meia sentado aqui, tomando café e orando, observando o dia nascer e as montanhas se tornarem visíveis. E pensando em nossa nova vida, nosso casamento e nossa vocação.*

Uma nova estação, mas o mesmo anseio antigo e profundo:

> *A única coisa que quero fazer é me tornar um santo; mas secretamente, para que ninguém fique sabendo. Um santo sem paramentos. [...] Cada detalhe da rotina e da imaginação, cada carta que escrevo, telefonema que faço, cada gesto e cada encontro, reunidos e colocados no altar e amarrados, cada dia uma nova caminhada para Moriá.*

Pela primeira vez na vida, Eugene e Jan tiveram de encontrar uma igreja. Visitaram uma pequena congregação perto de seu apartamento (a maneira que Eugene sempre recomendava de encontrar uma igreja: o que houver em sua vizinhança). *Cinquenta ou sessenta pessoas, no máximo, um ambiente simples, sem adornos. É só o que eu quero no culto: um lugar e um momento para atentar para Deus e um pastor ou sacerdote que não seja um entrave. Será que encontrarei algo assim?* O que Eugene desejava da Faculdade Regent também era simples: propósito concentrado e uma comunidade para relacionamentos. Antes de entrar no *campus*, tinha lido os livros de todos os professores. E caminhava para as aulas com trinta minutos de antecedência a fim de passar pelo pátio e conversar com os alunos.

TÃO SORTUDO

* * *

Como havia acontecido na Igreja Cristo Nosso Rei, Eugene se moveu em direção aos que estavam à margem. Regent era o lugar mais improvável de todos para encontrar alguém como Cuba Odneal, mãe sozinha que não sabia quase nada sobre a faculdade, mas que a considerou um bom lugar para retomar o contato com a fé de sua infância. "Não me encaixava na Regent", Cuba recordou em uma conversa comigo. "Não devia estar lá." Sobrecarregada, cogitando desistir dos estudos, ela participou de um almoço para os alunos em que teve "a forte sensação de ser uma intrusa". Estava sentada sozinha, tomando sopa, quando uma senhora animada "e falante" sentou-se ao seu lado. Em seguida, um senhor grisalho, um tanto careca, sentou-se do outro lado da mesa. Só depois de vários minutos, Cuba percebeu que os dois estavam juntos, e eles se apresentaram como Jan e Eugene.

"Sua presença tranquila me deixou à vontade de imediato, e ao longo daquela refeição resolvi ficar na Regent." Durante o almoço, Cuba perguntou a Eugene quais matérias ela devia fazer e, depois de ela insistir um pouco, ele citou algumas opções. Ele não lecionava nenhuma delas. "Mas eu não estava interessada em estudar aquelas matérias. Queria estudar *Peterson*." Ao longo dos dois anos seguintes, Cuba estava em sala de aula sempre que Eugene lecionava. "Complementava as matérias dele com algumas outras, mas não considerava muito relevantes as coisas que aprendia fora das aulas de Eugene." Cuba observou o mesmo que muitos dos alunos de Eugene e membros de sua igreja lembram: "Eugene via nas pessoas a parte que correspondia a Deus. Via isso e me definiu dessa forma; as outras coisas não me definiam. Era algo espantoso."

Gisela Kreglinger se encontrava com Eugene a cada duas semanas na Regent para receber orientação espiritual. "Em nossa primeira reunião, ele sentou-se comigo durante uma hora, e nós dois olhamos pelas janelas. Ele sabia que eu precisava que ele simplesmente sentasse comigo. Foi profundo." Gisela passou a infância na Alemanha, em um armazém de cereais do século 17 transformado em casa. O edifício tinha um enorme porão, com quatro andares subterrâneos. Durante anos, ela teve pesadelos em que subia e descia as escadas enquanto era perseguida por uma presença maligna.

Antes de sair da Regent, o pesadelo voltou. A mesma casa, o mesmo terror. Só que, dessa vez, Eugene apareceu no sonho. E a sombra maligna que a havia assombrado por tanto tempo se dissipou. "Poderia ter passado a vida toda debaixo do peso dessas aparições sombrias", Gisela relatou, "mas a presença fiel de Eugene e sua insistência em esperar comigo diante de Deus trouxe livramento que só ocorre quando nos mudamos para a vizinhança de nossa alma e resolvemos permanecer, amar, cuidar. Muitos pastores cristãos ficam impacientes com aqueles que demoram a aprender e com pessoas cheias de problemas, como eu. Mas Eugene não era assim. Ele persistia, confiante de que Deus curaria, restauraria e restabeleceria." E foi o que aconteceu.

O que chamava a atenção era a fidelidade simples de quem Eugene *era*, a forma que o mundo mudava na companhia dele. O ritmo, o silêncio, a santidade — todos esses elementos eram transformadores. Cuba recordou: "Aprendia apenas com sua presença, firmemente consciente de estar ali e de estar em Deus, presa a uma âncora, dirigida por uma estrela guia. Ele era *firmado* em Deus. Não importava para onde a conversa nos levasse, sempre voltávamos a esse ponto". Poucos enfatizam o conhecimento bíblico que adquiriram com Eugene, embora tenha havido muito aprendizado. As pessoas falam de sua presença.

David Taylor, aluno de Eugene e hoje ministro anglicano e professor no Seminário Fuller, recordou-se do som e da sensação dessa realidade alterada, enquanto Eugene balançava de leve em sua cadeira, olhando pela janela. Havia momentos em que David se perguntava: *Será que ele lembra que estou aqui? Vai tocar um despertador em algum momento? Devo dizer algo?* Contudo, não basta dizer apenas que o espaço era *silencioso*. "Seu *corpo* era sereno", David lembrou, à procura das palavras certas. "Ele se movia devagar. Falava devagar. Respondia devagar. À vontade, mas não indiferente. De vez em quando, fazia uma pergunta pessoal. Tinha um semblante gentil, bondoso." Por vezes, Eugene pegava um livro da estante. "Experimente este aqui", ele dizia, ou: "Já pensou em ler este?". E sempre havia uma oração serena, lenta e pessoal. E, em raras ocasiões, ele dizia uma palavra que marcava a alma. "Eugene definiu meu futuro", David explicou, "pois ele reconheceu minha identidade como ninguém havia feito antes. Ele viu quem eu era. Viu que eu era pastor *e* acadêmico. Reconheceu minha identidade como ninguém tinha feito, e, agora, vivo de acordo com essa identidade."

Pete Santucci, que desejava muito conhecer Eugene, marcou uma reunião de quinze minutos no horário em que ele ficava no escritório. Um tanto ansioso com o encontro, Pete anotou três perguntas, para as quais

TÃO SORTUDO

Eugene deu respostas concisas. Depois, ele simplesmente permaneceu ali, sentado e sorrindo. "Ele não tinha nenhum problema de ficar em silêncio. Não sentia nenhuma responsabilidade de entabular uma conversa." Em encontros posteriores, se Eugene e Pete não tinham nenhum assunto do qual tratar, desfrutavam o silêncio. Naquele primeiro encontro, Eugene chamou Pete pelo nome errado, Steve, o tempo todo, mas Pete nem ligou. Inscreveu-se no curso sobre a Formação da Alma, que Eugene lecionava, e se impressionou de imediato com sua bondade.

A princípio, as aulas de Eugene pareceram maçantes para Pete, "como um avião que dá voltas antes de pousar". Pensou até em desistir daquele primeiro curso, mas o prazo final para desistências tinha vencido fazia dois dias. Portanto, continuou a assistir às aulas. Não eram poucos os alunos que desistiam das matérias de Eugene. Uma aluna o abordou depois do segundo dia de aula e disse, um tanto inquieta: "Dr. Peterson, três vezes durante a aula o senhor ficou em silêncio durante trinta segundos. Eu contei no relógio". Outro aluno se queixou depois de uma semana: "Não me matriculei em uma aula sobre oração. Queria estudar Salmos". Vários alunos comentaram com Eugene que só na metade do semestre tinham entendido qual era o propósito do curso. "Tive de me tornar professor assistente de Eugene para entender o que ele estava fazendo", Pete reconheceu. "Eugene não se interessava pela maior parte das coisas sobre as quais as pessoas conversavam." Ele abordava temas de forma transversal e lecionava sobre romances (*Middlemarch*, *O poder e a glória*, *The Book of the Dun Cow* [O livro da vaca parda], *Os irmãos Karamázov*) junto com as Escrituras. Os alunos começavam a prestar atenção.

Jan também desenvolveu um excelente ministério na Faculdade Regent. Quando ela falou na capela, Eugene ficou radiante. Vários alunos, como Toni Kim, procuravam Jan. Durante três anos, Toni e Jan se reuniram, sempre acompanhadas de um bule de chá quente. E muitas dessas amizades lançaram raízes profundas. Nos anos seguintes, inúmeros alunos visitariam Jan e Eugene no Lago Flathead. Uma vez, quando Gisela e os Santuccis estavam na casa dos Petersons, Gisela convenceu as mulheres a ir nadar sem roupa no lago. "Não vamos contar para ninguém o que fizemos", Jan disse. Na manhã seguinte, porém, ela estava ao telefone com um teólogo de grande prestígio, contando-lhe sobre o banho "ao natural" no lago. Era diversão boa com gente boa, e nessa época em que Eugene e Jan eram mais velhos, viram-se, estranhamente, de volta à faculdade.

FOGO EM MEUS OSSOS

* * *

Foi um tempo especial, em parte porque seu novo lar era um lugar especial. "Havia todo um ecossistema na Regent", Walter Kim explicou. "Algo no ambiente, no *éthos* e no local físico, a *beleza*, que fazia da faculdade aquilo que ela era. Tudo isso permitiu que Eugene fosse ouvido da forma que ele era." Eugene oferecia uma voz pastoral singular nesse ecossistema espiritual e relacional. Um aluno o comparou a James Houston, o icônico teólogo e diretor da faculdade. "Houston era exatamente o oposto de Eugene", Walter recordou. "Se você entrava no escritório de Houston, ele avaliava qual era seu tipo dentro do Eneagrama e desandava a falar. Se você entrava no escritório de Eugene, porém, ele apenas sorria e esperava até você falar." E alguns preferiam o estilo de Houston. Ao contrário da maioria dos acadêmicos, Eugene não se apressava em expressar opiniões e frustrava os alunos com sua reticência em dar conselhos. Em todos os anos durante os quais Eugene e Gisela se reuniram, Eugene pediu apenas três coisas: (1) que ela não usasse *e-mail*, (2) que ela não fizesse um doutorado, e (3) que ela jamais fizesse um teste de personalidade.

Ao que parece, o terceiro pedido revelou algo que era motivo de especial aborrecimento para Eugene. Certa vez, ele perguntou a outra aluna da Regent, Kristen Johnson, se ela sabia qual era seu tipo de personalidade no teste Myers-Briggs. Quando Kristen disse que não, Eugene respondeu: "Eu sabia que achava você legal".

"Ele raramente nos dava conselhos", disse David Taylor, "e embora parecesse ter uma alergia inerente a distribuir recomendações práticas, ele orava por nós. Orava por nós porque acreditava que era disso que mais precisávamos como alunos de seminário: orar e ter outros que orassem por nós." Eugene orava e Eugene cantava. No início de cada aula de seu curso de Espiritualidade Bíblica, ele distribuía a letra do hino "Eu hoje ato a mim", baseado nas palavras de uma oração por proteção de São Patrício. O cântico tem sete estrofes e um refrão. "É uma das melodias mais complicadas da história da humanidade", David observou, rindo da recordação. "O texto é magnífico, mas, gente do céu..." O cântico era, repetidamente, um desastre total. Mas, a cada aula, Eugene fazia todos se levantarem para cantar, e David gemia de desalento. "Era tão desconcertante. Tantas palavras, tão difícil de cantar, demorava tanto." No entanto, depois de quatro ou cinco semanas, David entendeu qual era o propósito de Eugene. Ao fazer os alunos cantar

TÃO SORTUDO

um hino difícil, não estava apenas lhes ensinando verdades, mas atraindo-os para uma vida de fé. "Eugene estava nos ajudando a entender que estudamos teologia ao orar nossa teologia e ao *cantá-la*. E ele queria nos mostrar que certas práticas de oração exigem algo de nós. Não temos como dominar certas coisas, como orar a Deus, de forma rápida, imediata."

Julie Canlis também teve uma interação com a resistência de Eugene ao simples domínio de conhecimento e a respostas rápidas. Julie e Matt Canlis eram alunos da Regent que se tornaram amigos queridos, e Julie procurou Eugene durante um período especialmente sombrio para ela. De repente, Deus parecia ter sumido, e Julie não conseguia encontrar um rumo. Até então, para lidar com situações difíceis, ela sempre havia lido mais a Bíblia. À medida que as perguntas aumentavam, ela simplesmente acrescentava mais capítulos, mais estudo. Mas essa tática outrora confiável já não estava funcionando. Por certo, o professor que havia traduzido tantos textos das Escrituras poderia revigorar suas leituras bíblicas. Em vez disso, porém, depois de ouvir as lutas que Julie estava enfrentando, Eugene se inclinou levemente em direção a ela, tirou a Bíblia de suas mãos e a colocou na prateleira. Vasculhou suas pilhas de livros como se estivesse trabalhando em um canteiro no jardim. Separou dez romances, entre eles textos de Dostoiévski, Kingsolver e Eliot. "Depois que terminar de ler, volte para conversarmos mais", ele disse. Julie foi embora com os livros nas mãos e um novo fio de esperança.

* * *

Embora Eugene tivesse a impressão de que os primeiros dias em sala de aula haviam sido um desastre, com o tempo os alunos começaram a se matricular em suas matérias. Ele sempre convidava os alunos a começar a aula orando com ele. "Mas, em seguida, fazia uma pausa interminável antes de dizer alguma coisa", David lembrou. "Era apenas um minuto ou dois de silêncio. Naquele instante, porém, parecia que não teria fim; engolia-nos, pesava sobre nós, deixava-nos sem jeito e inteiramente ambivalentes em relação a nossos sentimentos. Nossos sentimentos não entravam na equação." E, então, Eugene, trajando camisa *jeans* e botas, começava a aula, falando com sua voz rouca e, com frequência, fazendo ainda mais pausas. Com o tempo, esse silêncio rítmico, a princípio desconcertante, criava uma cadência litúrgica. Embora a sala de aula para duzentos alunos estivesse lotada, o silêncio era absoluto antes de a aula começar. Luz penetrava as janelas, e a sala era uma catedral para essas horas santas. "Seu ensino era marcado por solenidade e riqueza, pois ele verdadeiramente acreditava naquilo que estava dizendo", Walter Kim recordou. "Mesmo que você não participasse de nenhuma aula de Eugene, havia algo de sua presença, de sua abordagem e de seu *éthos* que permeava a Faculdade Regent."

"Eugene nunca foi um professor carente", David comentou. "Ele simplesmente era ele mesmo. Tinha coisas a dizer que, por certo, ele desejava que ouvíssemos, mas nunca procurava apenas nos satisfazer ou nos impressionar, nunca se mostrava indiferente." Eugene era ele mesmo; oferecia sua presença e apontava para Deus.

* * *

Jan e Eugene se encantaram com a vida em Vancouver. Faziam caminhadas no Parque Stanley, com sua bela floresta. Circulavam pela estilosa Ilha Granville. Jantavam no Parque Queen Elizabeth. Perambulavam pela praia Spanish Banks. Exploravam o museu antropológico da Universidade de British Columbia. Pegavam a balsa de Tsawwassen para Sidney, na Ilha Vancouver, a fim de visitar os Jardins Butchart. Eugene gostava especialmente das caminhadas pela floresta onde, algumas tardes, fazia suas "orações das vésperas". E, nas noites longas e alegres, tocava seu banjo.

Uma aventura monumental foi a tentativa de Eugene de escalar o Monte Rainier com Leif e Eric. Infelizmente, Eugene sobrestimou seu vigor, e o único preparo físico que realizou foi subir escadas com mais frequência. E, então, houve uma mudança brusca do tempo, variável que nunca deve ser subestimada no indômito noroeste americano.

Enquanto uma forte tempestade se abatia sobre o monte, os três bivacaram e aguardaram até passar a fúria branca que os açoitou por horas e cancelou a tentativa de chegar ao topo. "Papai não teria conseguido subir nem com céu limpo", Eric disse. "Estava exausto." Ainda assim, Eugene não pôde conter sua alegria em meio aos esforços excruciantes, sentindo uma nova afinidade que somente um pai mais velho na presença dos filhos pode experimentar.

Foi uma escalada maravilhosa. [...] Os dois me trataram com tanta bondade, cuidaram de mim, não se importaram com minha lentidão. Não há nada parecido com o companheirismo na montanha. Embora não tenhamos chegado ao topo (impossível em razão das condições do tempo), em retrospectiva, cada detalhe parece perfeito: o tempo, as vistas, as montanhas, o próprio Rainier, as brincadeiras, o esforço físico, chegar ao limite. E estar ali com meus dois filhos! Foi uma experiência rica — o cenário, a camaradagem, o bivaque, o perigo.

* * *

Todavia, em conformidade com o tema de toda a sua vida, Eugene nunca se sentiu inteiramente à vontade na faculdade. Uma carta de 2001 revela dissonância nessa época, inquietação subjacente às alegrias.

Hesito em escrever estas palavras, pois a Regent foi muito boa para mim e me vi cercado de pessoas generosas, gente de várias partes do mundo, companhia estimulante e aprazível. Mas também estou feliz de ter saído dos meios acadêmicos. Há muito barulho e papel e pressa e informação. É provável que não haja lugar menos agradável e auspicioso que a sala de aula para moldar a mente e o espírito, para cultivar amor e relacionamentos. Serve apenas para informação e certificação. Mas, com certeza, acaba com a imaginação.

Mas não faltaram alunos na Regent. Nem trabalho de escrever. Os meios acadêmicos não acabaram com a imaginação de Eugene. Durante os anos em Vancouver, ele escreveu *A vocação espiritual do pastor* e a série "Orando com...", entre outros títulos.

Mas foi *A Mensagem* que virou o mundo de Eugene de cabeça para baixo. Em abril do primeiro semestre de Eugene em Vancouver, Rick Christian entrou em contato para dar a notícia de que a NavPress estava "vibrando de empolgação". Já havia vendido trinta mil exemplares do Novo Testamento *A Mensagem*. E ainda nem tinha ido para impressão. Em lugar de grande entusiasmo, porém, Eugene sentiu persistente apreensão. *Isso tudo me deixa extremamente tenso, receoso. Quero me retirar por um tempo, recolher-me em obscuridade e não reconhecimento.*

Em julho, uma caixa chegou.

A Mensagem chegou no sábado. Finalmente! E, ao segurá-la e lê-la, descubro que estou satisfeito. Tenho dificuldade de ver meu nome impresso; parece muito mais do que eu sou. Nunca senti como se estivesse realizando

FOGO EM MEUS OSSOS

algo especial, importante ou relevante; estava apenas fazendo meu trabalho diário. E agora, vejam só! É o maior sucesso.

Em 1993, Eugene planejou a próxima década de trabalho. Seu objetivo era completar o Antigo Testamento, e sua expectativa era passar anos enclausurado em alegre obscuridade, labutando nos textos em hebraico. Esse anonimato não passou de sonho. Poucos meses depois do lançamento de *A Mensagem*, Eugene se tornou conhecido em todo o país. Além das salas de aula abarrotadas, seiscentas pessoas lotavam o auditório nas palestras abertas para o público. Ele recebia até cinquenta convites por semana para falar. Recusava muitos deles, mas o simples volume era sufocante. Por fim, Eugene deixou sua caixa de entrada de *e-mail* encher até que não pudesse receber mais novas mensagens. Em seu diário, ele revelou distanciamento crescente e, depois, temor diante da notoriedade. *Quanto mais tempo fico aqui e quanto mais sou enaltecido, mais desconfortável me sinto; não me encaixo; não sou erudito; tenho impressão de que vão descobrir a verdade a meu respeito a qualquer momento. [...] Sou pastor aqui, não professor.* Quanto mais as pessoas o procuravam, mais ele temia por sua alma. O insidioso pedestal. A sedução da celebridade. *Temo uma enorme discrepância entre quem sou e quem as pessoas pensam que sou — a proeminência e o aplauso têm um quê de despersonalização.*

Empurrado para dentro dessa nova realidade, Eugene sentia-se inquieto. *Quero um interior adequado a meu exterior (preciso disso!). Todos imaginam que sou tão maravilhoso, mas sei muito mais do que coloco em prática.* Lecionar sobre oração com mais de duzentos alunos em sala de aula lhe causava desânimo. *Fico muito incomodado. Afinal de contas, o que passa pela mente deles? Quem eles pensam que sou? Cá estou, com enorme dificuldade em minhas orações, e esse pessoal todo aparece para me ouvir lecionar sobre o assunto.* Eugene era avesso à fama. *Folheei a edição mais recente da* Christianity Today *e vi as celebridades ali. Houve um tempo em que me perguntava se, algum dia, alguém me notaria. E agora, a única coisa que desejo é ficar escondido, ocultar-me na obscuridade de Montana, manter meu nome fora de circulação.*

* * *

TÃO SORTUDO

Em meio à atenção pública, por trás da cortina, Eugene enfrentava problemas de saúde. Em dezembro de 1995, ele recebeu o diagnóstico de câncer de próstata.

Eugene adiou a cirurgia para depois do casamento de Leif e Amy em fevereiro e usou esse tempo para terminar *Transpondo muralhas*. Tinha contrato com a NavPress, mas, quando entregou o manuscrito, pediram que ele reescrevesse ou simplificasse o texto. Eugene não gostou. "Não. Esse foi o livro que me propus escrever. Vocês podem escolher se desejam publicá-lo ou não." Eles recusaram, e a editora HarperOne aceitou o manuscrito. *Transpondo muralhas* foi um grande sucesso e chegou até ao Escritório Oval, na Casa Branca, quando Gordon MacDonald, conselheiro espiritual do presidente Clinton, deu um exemplar para ele e disse a Eugene que ele estava lendo.

Logo depois do casamento, Eugene foi operado. A cirurgia removeu o câncer, mas as preocupações cresceram, pois, meses depois da esperada recuperação, sua incontinência persistia. *Meu encanamento não funciona*, ele escreveu. Ele sentia falta da intimidade com Jan. *Sinto-me como um eunuco.* A recuperação de Eugene nunca foi completa, uma realidade acompanhada de forte consciência de sua fraqueza e de sua mortalidade. Durante anos, ele afirmou que a espiritualidade tinha de ser vivida, integrada na experiência humana como um todo, integrada no corpo. Agora, essa convicção tinha significado mais profundo.

> *O que a Trindade significa em minha vida? Como dá forma, estrutura e conteúdo para mim neste momento? Se teologia/dogma tem algum significado, precisa significar algo agora. [...] Por isso os santos são foco de tanto interesse e atenção. Se não tem que ver com meu esfíncter de uma forma ou de outra, não tenho certeza se estou interessado.*

* * *

Além da fama e dos problemas de saúde, Eugene também lutou com uma velha nêmesis, e se perguntou novamente se o uísque interferia com a vida intencional que ele desejava ter com Deus. Beber operava contra seu anseio por ser um santo? Como o salmista, ele desfrutava a bênção e a alegria da bebida no fim do dia, mas será que *dependia* demais dela? Em

FOGO EM MEUS OSSOS

1992, seguindo o exemplo de austera disciplina de seu velho amigo Barth, Eugene se esforçou para impor limites rigorosos.

> *Durante toda a noite e ao acordar, um desejo claro e crescente de cortar o uísque à noite. A questão não é o beber em si, mas as doses duplas que embotam a mente e interferem com as orações da manhã, e talvez da noite. Já tive esses pensamentos/sentimentos antes e não deram em nada, mas essa parece ser mais uma decisão estilo Karl Barth, vinda de algo mais profundo. Pode ser chamada decisão Jim Beam.*

Pouco antes de Eugene começar a trabalhar na Regent, renovou sua determinação.

> *E agora, preciso testar a necessidade/validade de minha decisão experimental Jim Beam. Um estado alerta à noite que garanta um estado alerta pela manhã. Tenho de parar de vacilar: quero mesmo ser um santo? Há um elemento de retraimento/recolhimento no uísque, uma pseudoespiritualidade. E talvez tenha cumprido um excelente propósito até agora. Mas [esse trabalho de] tradução, e a intensidade do casamento exigem algo mais de mim. Quero fazer tudo direito. Esses próximos dez anos de escrita/amor/ensino. E há essa decisão Jim Beam. Vou contar para Jan agora cedo no carro e tornar esse voto algo sério!*

Um mês depois: decepção. *Minha decisão Jim Beam não deu em muita coisa; continuo dentro do mesmo esquema. Será que a única solução é a abstinência?*

Eugene se referia a sua luta (a certa altura, ele disse que essa dificuldade secundária com o álcool durou trinta anos) como seu "arco de Efraim", outro exemplo de como ele via sua vida *dentro* do mundo bíblico. Semelhante aos homens efraimitas, que fugiram da batalha em vez de empregar sua aptidão como arqueiros, Eugene considerava seu flerte com o uísque o campo de batalha em que ele precisava escolher entre fugir ou entrar em combate. Reanimaria seu desejo de disciplina, de ascetismo, de intensidade e consciência de Deus mais profundas? Ou cederia à comodidade e ao conforto? Entraria de modo mais pleno em seu anseio por ser um santo? Quando um amigo contou para Eugene que sempre lutou contra alcoolismo, Eugene reconheceu o perigo: *O mesmo pode acontecer comigo.* No entanto, sua verdadeira inquietação dizia respeito à perda de acuidade espiritual, à consciência de que, por vezes, seu *espírito [ficava] enevoado, não asceticamente aguçado ou de prontidão.*

Duas anotações no diário revelam esse conflito:

Há uma pressão crescente, acumulativa, para entrar na indolência noturna desconcentrada por meio do uísque. E todas as manhãs, sinto o efeito de um espírito indisciplinado. Faço isso há um bom tempo, décadas! Mas, certamente, é hora de parar: entrar nesses anos finais (10, 20?) tão atlético de espírito quanto sempre fui de corpo.

Eu oro, mas minhas orações não fluem de minha vida de modo abrangente. Trabalho a cada manhã com determinação de manter a abstinência. Mas essa determinação se dissipa à noite. E uso o uísque em lugar da oração para me entregar aos cuidados dos anjos e do descanso noturno.

Eugene era um homem de disciplina extraordinária. Os treinos para as maratonas, a rotina diária, as horas de estudo das Escrituras nas línguas originais, a memorização de longos trechos do Saltério, o imenso cuidado que tinha com suas palavras, a maneira que demonstrava autocontrole (em seus escritos, sua alimentação, seus horários, suas orações). Todas essas características louváveis podem nos tentar a colocá-lo exatamente no tipo de pedestal que ele tanto detestava. Eugene vivia com intenso desejo por Deus e pela santidade, um desejo consumidor de ser santo, mas esse desejo sempre assomava diante dele, sempre o chamava a avançar.

* * *

Eugene também tinha dificuldades com a subcultura evangélica. A maioria considerava a Igreja Cristo Nosso Rei uma igreja evangélica, embora Eugene não tivesse escolhido essa designação, e as afiliações e propensões de Eugene levavam muitos a pressupor que ele era membro da mesma tribo (seus posicionamentos teológicos certamente o situavam dentro da tradição evangélica mais antiga e ampla). No entanto, ele sempre existiu à margem e nunca se interessou por participar de nenhum movimento amplo. Eugene certamente nunca simpatizou com discursos vociferantes, com busca por poder político, com guerras culturais ou com uma fusão de Deus e nação. Sua igreja, a Cristo Nosso Rei, era local. E agora, ele se

FOGO EM MEUS OSSOS

sentia mais à vontade no banco da Igreja Luterana Eidsvold, em Montana, que em uma reunião de professores da Faculdade Regent.

Embora houvesse muitos professores da Regent que Eugene admirava e dos quais gostava (e ele considerava o presidente, Walter Wright, uma presença revigorante, com sua "ausência de pretensão e de preocupação com sua imagem"), havia na Regent um ambiente institucional que não o agradava. A seu ver, alguns se levavam a sério demais e tinham certeza demais "daquilo que Deus está fazendo". Eugene sentia a presença de elementos insalubres e irritantes redemoinhando na subcultura cristã predominante. "Há pulgas no *éthos* evangélico", ele escreveu.

Depois que um artigo de Eugene foi publicado por uma importante revista evangélica, um periódico para o qual escrevia com frequência, ele refletiu sobre suas apreensões.

Meu artigo sobre espiritualidade acabou de ser publicado na Christianity Today. *[...] A meu ver, o texto parece claro. Mas fico apreensivo com o termo "evangélico", da forma que é usado com tanta frequência. Será que não promove um espírito sectário? Orgulho? Imaturidade? Por que precisamos de um adjetivo, pelo menos de um que seja usado de modo tão proeminente? [...] Percebo que estou um tanto irritado com a identificação própria compulsiva que ocorre [...] debaixo desse rótulo. Não me incomodo com os significados positivos representados, mas com a crítica implícita (e talvez explícita) de outros que não têm esse mesmo rótulo. O uso excessivo desse termo levanta muros demais.*

Mais de um ano depois, ele escreveu de modo mais claro.

Não sou, verdadeiramente, um evangélico de carteirinha; em certo sentido, sinto-me mais à vontade com a designação "evangélico intruso" nas esferas da tradição. Regent é um lugar cômodo demais para mim, e não há percepção de um contexto mais amplo: da realidade da complexidade da igreja. O evangelicalismo é combativo e definido demais para meu gosto.

Certa vez, quando um pastor perguntou a Eugene o que ele diria a pastores evangélicos, essa sensação incômoda veio à tona:

A coisa principal que quero dizer é que precisam parar de se levar tão a sério. Não estou falando de levar a sério o Senhor e sua vocação, mas de levar a si mesmos tão a sério. Pastores evangélicos levam a si mesmos a sério, mas, de modo geral, não levam a sério a teologia, a Bíblia, os membros de igrejas: para eles, a teologia é um meio para alcançar um fim, a Bíblia é uma ferramenta para o ensino e para a pregação, os membros da igreja são matéria-prima para programas e causas. Tudo isso, porém, destrói o crescimento no Espírito, o crescimento em Cristo. Continuamos tentando realizar, com nossas próprias forças, a obra da Trindade. E não somos a Trindade. Quero dizer a todos os pastores para deixar de ser tão ocupados e aprender a se aquietar, para deixar de falar tanto e aprender a permanecer em silêncio, para deixar de tratar os membros da igreja como clientes e tratá-los com dignidade, como almas em processo de formação. Como pastores, a coisa mais importante com a qual lidamos é a Palavra de Deus. E a coisa mais importante que precisamos aprender como pastores e como membros de igrejas é ouvir. E, tendo em conta que Deus é a voz principal nesse universo do evangelho, nós pastores temos de ser exemplo da capacidade de ouvir ao adotar essa prática e incentivar outros a fazê-lo.

De modo geral, não faltam aos pastores evangélicos energia, motivação ou conhecimento. No entanto, não são claramente atentos, não ouvem com reverência a voz/palavra de Deus e não estão inteira e pessoalmente presentes com aqueles com os quais interagimos e aos quais servimos. Aquilo que é "santo" exige reverência, o que a Bíblia chama "temor do Senhor". Uma Bíblia sagrada exige que ouçamos de modo reverente; e uma igreja/congregação santa exige que estejamos presentes com reverência.

Na Regent, Eugene não se acomodou no conforto dos anos de ocaso. Interagiu novamente com a voz santa, a voz de tempos remotos, que pronunciava palavras muito antigas em sua alma, como se ele fosse, mais uma vez, garoto em Montana, despertando para novo encantamento. A vida se estreitou em anos ao mesmo tempo que se aprofundou em intensidade. *Estou pronto para começar de novo como santo. Há uma consciência crescente de que estou recomeçando nessa história do evangelho, aprendendo a ser cristão como alguém que está morrendo.* O panorama se contraiu e o vigor diminuiu, mas o fogo sagrado continuou a arder.

16

Mosteiro em Montana

Não cessaremos de explorar
E o fim de toda a nossa exploração
Será chegar ao ponto de partida
E, pela primeira vez, conhecer esse lugar.

T. S. Eliot, "Little Gidding"

Quando o compromisso de cinco anos de Eugene com a Faculdade Regent se aproximava do fim, ele planejou sua partida. Sentia-se imensamente grato pelos relacionamentos, pela afinidade, pela oportunidade de trabalhar com tantos pensadores sagazes. Temia, porém, uma tensão crescente em sua alma. Perigos haviam surgido com a fama e com a atenção constante voltada para ele.

Outro capítulo, portanto, estava se encerrando. Os anos se esgotavam. Esse último passo seria uma volta para casa que certamente parecia inevitável desde o início de sua história. Eugene sentia que precisava de solitude a fim de combater o veneno do reconhecimento. O isolamento em Montana seria a cura.

No entanto, não foi uma transição interior suave. Depois que deixou Regent, surpreendeu-se com a falta que sentia da deferência dos meios acadêmicos. Quase ninguém em Kalispell sabia de suas realizações, e ninguém se importava. Foi assustador dar-se conta do quanto ansiava pela atenção que não recebia mais. De acordo com Eugene, levou três anos para "voltar a [se] sentir à vontade outra vez com o anonimato". Os anos na Regent tinham sido uma área de perigo.

Em uma das últimas matérias que Eugene lecionou, relatou, com sua voz rouca, os tristes contornos dos últimos anos de Davi, como esse homem

MOSTEIRO EM MONTANA

de tamanho desejo e fervor, de forte promessa e intenção, desperdiçou a parte final de sua vida. Eugene fazia pausas frequentes. "Ele simplesmente se calava", Cuba recordou. E certa vez, depois de um longo silêncio, Eugene disse apenas uma frase: "Nem sempre terminamos muito bem".

Eugene ansiava por terminar bem, viver de modo fiel. Ser consumido, no final, pelo amor ardente de Deus. Tornar-se um santo. E, para percorrer os quilômetros finais, teria de voltar a seu lar tranquilo. Eugene precisava de Montana.

* * *

Seu maior projeto era completar o Antigo Testamento da Bíblia *A Mensagem*, uma empreitada que havia exigido dele cada minuto livre de sua agenda como professor e longos períodos das férias. Uma década de tradução, tarefa árdua que ele temia jamais concluir. Ezequiel se mostrou especialmente tedioso, pois, a seu ver, Ezequiel não tinha senso de humor. Trabalhar com Êxodo, porém, o fez arrepiar-se. "Os escritores antigos, sem falar no Espírito Santo, sabiam como escrever uma boa história." A colaboração de um extenso grupo de estudiosos de hebraico e especialistas em exegese era, com frequência, uma alegria (como Prescott Williams, seu antigo colega de classe na Johns Hopkins, e Luci Shaw, que editou Salmos). Em outras ocasiões, porém, os comentários editoriais o faziam bater a cabeça na escrivaninha, como as revisões de um dos editores que mais pareciam "os comentários de uma professora rabugenta sem a mínima sensibilidade poética".

Mais exaustiva, porém, era a necessidade de responder a ataques constantes à validade de sua filosofia de tradução vindos de críticos preocupados com a possibilidade de que seu trabalho se desviava das traduções literais. Ele insistia que muitos dos críticos não entendiam o que ele estava fazendo.

Fui procurar fora da Bíblia e peguei três ou quatro das mais respeitadas traduções da Ilíada e da Odisseia. Fiquei surpreso e animado ao ver que nenhuma delas era, em nenhum aspecto, literal, e as melhores eram elogiadas pelos estudiosos do grego por serem "literárias", e não literais. A tradução literal é quase sempre ruim; é impossível transpor uma língua para outra ao ser literal. Sempre há interpretação. O trabalho consiste em captar o tom e

FOGO EM MEUS OSSOS

o significado do original e expressá-los em algo equivalente em inglês. Essa constatação me deu coragem, e prossegui. Era impossível crer que "inspirado" significava que não podia ser traduzido para [...] inglês americano coloquial e vernáculo.

Isso não significava que Eugene sentia liberdade de inserir no texto especulações imaginativas. *A tradução é uma espécie de obediência obstinada ao texto; quanto menos de mim se infiltrar, melhor.*

Também havia os conflitos com a editora. Eugene sempre se opôs à ideia de numerar versículos, pois os considerava um estorvo moderno, uma barreira que impedia o leitor de ver o texto como um todo, como uma história integrada. A numeração de versículos não fazia parte do texto original e impunha força editorial excessiva. No entanto, comentários importantes de leitores indicavam que era difícil demais para grupos fazer a leitura e o estudo conjunto do texto sem versículos. E, ao contrário das intenções de Eugene, pastores estavam usando *A Mensagem* no púlpito, e era impossível os membros acompanharem a leitura. Eugene protestou o quanto pôde, mas, por fim, chegou a um meio-termo e concordou em agrupar os versículos em parágrafos, com uma numeração discreta.

Em 5 de junho de 2001, Eugene escreveu a última frase de Juízes: "Naquele tempo, não havia rei em Israel. As pessoas faziam o que bem entendiam". Uma nota desesperadora em um livro, em sua maior parte, desesperador. Eugene não acreditou que tivesse guardado para o final um texto tão cheio de violência, infelicidade e desesperança. Tinha imaginado que jamais fosse conseguir terminar. Mas conseguiu, por pouco.

* * *

Agora, Eugene estava em seu sossegado lar em Montana e havia terminado *A Mensagem*. Poderia escrever seus livros e passar tempo em paz com Jan, com a família e com amigos queridos. Não fazia ideia de que havia embarcado em um trem desgovernado.

Depois de um sucesso estrondoso entre livreiros cristãos, *A Mensagem* chegou ao público mais amplo e se tornou campeã de vendas em todas as principais livrarias. Só no atacadista Sam's Club, ao lado de pneus, televisões e sacos de dois quilos de amendoim, *A Mensagem* vendia mil exemplares por semana. Em 2003, sua venda ultrapassou sete milhões de exemplares. Tornou-se capa de revistas em todo o país. Até Alex Trebek se referiu à Bíblia *A Mensagem* em uma pergunta de seu programa *Jeopardy!*. O que mais fez Eugene vibrar, porém, foi ver o artigo no jornal *Daily Inter Lake*, de Kalispell. "Prefiro aparecer aqui a aparecer no *New York Times*", ele disse.

Cartas transbordavam da caixa postal dos Petersons. Havia alguns malucos, como a mulher que pediu que Eugene traduzisse *A Mensagem* para uma língua baseada no alfabeto copta, morta há muito tempo, e afirmou que todos os cristãos deviam se mudar para o Polo Norte, o local da volta de Jesus. Um homem queria saber detalhes sobre o fungo maligno de Levítico 14.44. Mas a maioria dos leitores, de todos os tipos, de todas as denominações (e até mesmo muitos presidiários), escrevia para expressar profunda gratidão. Leitores enviavam para Eugene pinturas e músicas inspiradas pela Bíblia *A Mensagem*, cartas escritas em caligrafia ou acompanhadas de desenhos elaborados.

Eugene gostava especialmente de cartas de crianças, como esta:

Caro sr. Peterson,

Olá, meu nome é Brianna. Eu moro [...] no Canadá e tenho 9 anos. Durante as devocionais em família, estávamos lendo "A Mensagem", Um Samuel, sobre Davi e Golias. Meu irmão e eu vimos que você falou que Golias tinha cerca de dois metros de altura. Depois da devocional, eu olhei na Nova Versão Internacional da Bíblia Sagrada e vi que eles dizem que ele tinha quase três metros de altura. Mas não é nada pra se preocupar. Só queria avisar o senhor. Gosto da Bíblia "A Mensagem". É bem mais fácil de entender. Tenha um bom dia. Tchau.

A maioria dos críticos, porém, não foi tão generosa. *A Mensagem* suscitou detratores ferozes. A convite do amigo Arthur Boers, Eugene visitou o Seminário Tyndale para dar uma palestra. Do lado de fora do seminário, a recepção foi atroz. Quando pessoas se reuniram com cartazes e começaram a gritar seu apoio à Versão King James, Lorna, esposa de Arthur, saiu à rua com um prato de biscoitos. "Somos irmãos e irmãs; somos cristãos. Quero orar com vocês." Ela começou a orar, e a multidão se calou. Mas assim que ela disse "amém", a gritaria e os protestos recomeçaram.

Um número surpreendente de cartas acusava Eugene de inserir feitiçaria ou espiritualidade da Nova Era em *A Mensagem*. Ele respondia com

FOGO EM MEUS OSSOS

exasperação: *Não sei nada de "nova era", nada mesmo. Não conheço [...] feiticeiras, etc.*

Claro que, para um homem que ansiava por sossego e paz com todos, essas críticas feriam, mas a condenação que o afetou mais profundamente veio de Hank Hanegraaff, autor e apologista cristão e apresentador de programa de rádio conhecido como "Homem das Respostas Bíblicas". Hanegraaff rejeitou o trabalho de Eugene considerando-o inconfiável e, na opinião de Eugene, o humilhou cabalmente. *Fui atacado por pessoas que imaginei que me apoiassem; não sei bem o que pensar disso. É um tanto desnorteante descobrir que você é "o inimigo" de pessoas que você pensou que estivessem do seu lado.*

Eugene foi criticado repetidamente por não usar a palavra *homossexual*. Ele repassou cada caso e apresentou motivos textuais para suas escolhas (como a ambiguidade de um termo grego raramente usado e difícil de entender, inúmeras outras questões interpretativas e os casos em que a tradução dele era, na verdade, mais explícita). No entanto, evitou o termo principalmente por motivos pastorais:

> *Algo aconteceu com o termo "homossexual" em nossa época: tornou-se polemizado; tornou-se um rótulo que despersonaliza e, consequentemente, que traz atitudes desumanizadoras. "Homossexual" é tirado do contexto da lista de Paulo (idólatras, adúlteros, ladrões, gananciosos, bêbados, caluniadores) e é tratado não mais como um comportamento imoral, mas como uma identidade imoral que é, então, atacada como se fosse um inimigo. O termo tem sido usado com tanta frequência de modo maldoso e desumanizador que é difícil empregá-lo em nossa cultura no espírito de Paulo e de Jesus.*

Houve inúmeras perguntas a respeito de questões gramaticais. Por vezes, os leitores tinham razão, e Eugene dizia: "Pisei na bola aqui. Obrigado". Ele respondia com graça a qualquer um que discordasse dele, mas o fizesse de boa vontade. Os encrenqueiros que expressavam julgamentos malucos ou arrogantes, em contrapartida, o aborreciam imensamente.

Depois de uma dessas cartas mordazes, Eugene chegou a seu limite e não teve dó nem piedade:

> *Traduzi o texto que se encontra em* A Mensagem *diretamente dos textos originais em hebraico e grego. Lecionei essas duas línguas em seminários*

220

cristãos evangélicos durante anos. [...] Quando as pessoas se dirigem a mim como você fez, com perguntas e pedidos de esclarecimento, sempre lhes respondo da melhor maneira possível, e nunca ninguém escreveu de volta nem para agradecer, nem para condenar. Portanto, desisti de explicar. O que faço agora é sugerir que meus críticos aprendam hebraico e grego para que possamos conversar sobre o termo ou a frase em questão. Considero praticamente inútil, porém, discutir algo inteiramente fora de contexto; se você não está disposto a trabalhar com a língua da qual traduzi o texto, creio que não tenha muita coisa que possamos fazer. Três ou quatro anos de estudo para cada língua deverão lhe proporcionar o conhecimento necessário para que conversemos sobre minha tradução. Mas estou com 82 anos e, portanto, provavelmente já terei morrido quando você terminar seus estudos.

* * *

Além dos críticos insuportáveis, o mercado editorial — a publicidade e os aplausos — o incomodava. Ele tinha deixado a Faculdade Regent para sair do centro do palco, mas os holofotes haviam se tornado ainda mais luminosos. Era tudo impessoal, perigoso. Depois de uma entrevista espalhafatosa em uma emissora de rádio em Dallas, ele se sentiu violado. "Senti-me vulgar e sujo o resto do dia", ele disse. "Nada mais de entrevistas como essa."

Embora *A Mensagem* talvez tenha sido o que levou a maioria das pessoas a conhecer o nome de Eugene Peterson, ele nunca considerou a Bíblia verdadeiramente trabalho seu. Tinha aguda consciência de suas limitações, de como sempre ficava aquém do texto. E, no entanto, em outro sentido, a tradução foi profundamente pessoal, um encontro com Deus. *Ninguém nota nem comenta o que fiz na tradução — ler e ouvir o texto com o coração, e não apenas com a cabeça — manter as histórias em minha imaginação vivas e presentes o tempo todo.* E, mesmo depois de terminar, sua impressão era de que poucos entendiam o que ele havia feito, a meticulosidade. *Cada palavra traduzida em* A Mensagem *chegou à forma impressa no contexto de ritmos, sintaxe e dicção aprendidos nas estradas de Harford [...] com um bocado de compostagem no húmus de Montana.*

* * *

A intencionalidade que Jan e Eugene desejavam para os anos que lhes restavam tinha como centro sua casa junto ao Lago Flathead. Uma visita à Abadia de Iona, na Escócia, revelou as profundezas dessa visão. Depois que Eugene fez uma série de preleções na Catedral de Lichfield, Gisela, a amiga que os Petersons haviam conhecido na Regent, foi ao encontro deles em Iona, e sua imersão nesse espaço luminoso proporcionou clareza. Queriam levar essa espiritualidade celta para sua casa em Flathead e, portanto, batizaram-na Casa Selah. Seria sua versão de um "mosteiro em Montana". Pediram a Karen que esculpisse uma cruz celta para a entrada e fizeram uma lista dos primeiros hóspedes que convidariam.

Outra peregrinação sagrada teve significado profundo para Eugene. Em uma viagem para Israel com o Seminário Western, em que Ray Vander Lann (por quem Eugene tinha grande afeição) foi o guia, Eugene conheceu Trygve Johnson, que se tornou um de seus mais queridos filhos na fé. Ray apresentou a Trygve e a Eugene o banho ritual judaico de purificação (*miqvah*), e Eugene gostou tanto que começou a se lavar todas as manhãs no lago.

* * *

Eugene e Jan estavam decididos a construir uma vida serena de amor e simplicidade, com tempo para escrever e oferecer hospitalidade. Recebiam amigos e viajantes cansados em seus dois quartos de hóspedes no segundo andar. Jan os levava à cozinha para sovar pão ou cortar legumes. Eugene os recebia em seu escritório para conversar enquanto contemplavam o lago pelas grandes janelas e permaneciam vigilantes para avistar águias pescadoras. Os peregrinos participavam de seus ritmos de oração, caminhadas na floresta, refeições e riso. Ao longo dos anos, receberam um número espantoso de hóspedes. Quem folheasse suas agendas e diários poderia concluir que eram donos de uma pousada. Amavam receber essas pessoas, mas as visitas se tornaram tão frequentes que os dois não conseguiam tomar fôlego entre uma e outra. Em um ano (relativamente típico) eles tiveram 152 hóspedes. Até mesmo Jan, mãe consumada que vivia para abrir as portas e arrumar a mesa para os amigos, registrou em seu diário a exaustão, a sensação de que não conseguiria dar conta por muito tempo.

Enquanto se esforçavam para encontrar o equilíbrio em seu mosteiro em Montana, a terra os renovava com infinitos prazeres. Levavam os

MOSTEIRO EM MONTANA

hóspedes para caminhar em volta da casa e explicavam o nome de cada árvore e cada flor. Durante anos, o centro de retiros da igreja luterana, próximo da casa dos Petersons, pediu a Jan e Eugene que organizassem caminhadas com os conselheiros dos retiros durante o período de treinamento para que conhecessem a flora da região. E era o que os dois faziam.

Tinham amor por todos os seres vivos. Certa vez, Eugene descreveu os animais que tinha visto em um só dia: *um urso pardo em uma campina, uma cabra-montês com seus filhotes, três tartaranhões azulados, uma marmota, um esquilo terrestre, um veado-mula, duas mutucas, cinco pernilongos (recém-chegados do Canadá) e um cão vira-lata.* Quando faziam esqui nórdico no Monte Blacktail, procuravam avistar animais e pássaros. Depois de uma caminhada, Eugene observou como *os pássaros cantavam a plenos pulmões: vários tiês e uma solitária juruviara conspícua no meio deles.* Outra tarde, depararam com um monte de entranhas, mais de sete metros de intestinos frescos que cortavam a trilha. Também havia excremento de urso, de odor forte, espalhado pela grama encharcada de sangue, mas nenhuma carcaça. "Concluímos que um puma fez a festa. Foi um passeio tranquilo pelo meio do apocalipse."

Eugene percebeu sua vida inteira voltar ao ponto de partida. *Amo o aroma da floresta quando chove, os reflexos da luz na água. Memórias antigas (até de 45 anos atrás) desse lugar reverberam em minha mente enquanto caminho, lembro e oro. Espero que possa me tornar tudo o que experimentei, todas aquelas coisas da infância e da adolescência, e agora, por meio da oração, torná-las parte da santidade madura.* Os Petersons compraram dois caiaques e, com remadas fortes, saíam pela manhã para contornar a beira do lago, cortando o nevoeiro que se elevava da água como uma porção de fantasmas. Não era raro Eugene parar diante da janela da cozinha, mãos nos bolsos, e observar a luz do sol se derreter na vastidão de água azul até as montanhas cobertas de neve. "Amo o prazer que esse lugar proporciona aos sentidos", ele comentou.

Eugene se deleitava nessa vida cotidiana de espiritualidade plenamente inserida nos detalhes do lugar.

Levanto às 5h50, vou para a cozinha e faço o café para Jan e para mim. Ligo o rádio na emissora NPR para ter uma ideia do que está acontecendo. Passo no moedor grãos de café africano do Quênia ou do Zimbábue. Enquanto o café está em repouso na prensa francesa, caminho até a beira do lago para fazer minha miqvah *matinal, uma oração purificadora [...] como preparativo para seguir Jesus durante as próximas dezoito horas. As "notícias" são razoavelmente previsíveis: a morte de algum líder mundial ou de alguma celebridade; vítimas de guerras; escândalos ou rivalidades na política; claramente desprovidas de beleza, bondade e verdade. Não há nenhum sinal de transcendência.*

O café fica pronto em seis minutos. Coloco o equivalente a duas canecas em uma garrafa térmica de alumínio e levo para Jan. Encho uma caneca para mim e bebo o café sentado em um banco com vista para nosso lago da montanha. Bebo um pouco, oro Salmos, medito na presença e na palavra de Deus, oro...

* * *

Eugene sentia um anseio crescente, uma necessidade profunda, de voltar seu foco e sua hospitalidade para Jan. "A maior dádiva desses anos finais", Eugene me disse, "tem sido poder mostrar para Jan — de maneiras que, como agora percebo, não mostrei no passado — que ela é a coisa mais importante do mundo para mim." Eugene chamava o casamento sua "escola de amor sagrado". *Se eu for um santo algum dia, quero ser um santo das coisas básicas: amar Jan, ser fiel em minhas orações, escrever bem e bastante, preparar-me para morrer.*

No entanto, Jan e Eugene sempre haviam tido dificuldade de calibrar suas necessidades. A língua nativa de Eugene era o silêncio, a habitação em um mundo interior profundo, em uma realidade vasta em que sua mente e sua alma se enchiam de profusa contemplação. Jan precisava de mais palavras, mais interação, mais opiniões. "Eu só queria que esse garoto falasse mais", Jan costumava dizer, colocando a mão sobre o joelho de Eugene.

Três anotações no diário, escritas na época em que moravam em Vancouver, revelam uma vida inteira de busca por um caminho no meio dessa tensão:

Ontem foi um ótimo domingo de Páscoa: culto, almoço, caminhar pela praia, fazer amor, jantar, conversar. A conversa no jantar foi um pouco tortuosa: Jan quer "mais"; mais intimidade, mais acesso a minha vida interior, mais ajuste ao ritmo dela. Eu continuo tentando; sei que não sou bom nessas

MOSTEIRO EM MONTANA

coisas, e quero ser. Quero ser o melhor amigo/amante/marido possível para ela. Por vezes, tenho uma necessidade irresistível de me recolher — para incubar ideias, orações e sentimentos — e, nesses momentos, muito naturalmente, ela se sente excluída. Será que existe uma forma de eu ainda ser eu mesmo e prover a intimidade da qual ela precisa para ser ela mesma?

A complexidade do casamento: desejar intimidade maior com Jan, desejar servi-la com quem eu sou, entregar-me a ela; e, ao mesmo tempo, desejar cultivar solitude, oração e um espaço criativo. Ontem, senti incisivamente a [intersecção] de marido/pai/escritor/pessoa que ora.

Junto com minha decisão Karl Barth e minha decisão Jim Beam, há também minha decisão Jan: a decisão bastante deliberada de voltar minhas energias eróticas inteiramente para Jan, de valorizá-la e cuidar dela. [...] Esses anos todos de sacrifício pastoral, de amor tão abnegado e profundo. De agora em diante, porém, Jan receberá tudo, e isso desemboca nas questões de determinação e concentração para os próximos anos.

Essa tensão conjugal nunca se dissipou completamente. Na última década de casamento, eles consideraram procurar um conselheiro. Eugene escreveu em seu diário sobre uma noite difícil: *De algum modo, ela não confia em mim. Ainda sou, como Jan diz, o Número Um. Procurei permanecer atento e ouvi-la por um longo período: foram duas horas e meia. Lá pelas 23h, parecia que havíamos chegado a uma clareira. Será que esse é um ponto decisivo ou apenas mais do mesmo de sempre?* Mas ele continuou a crescer. Embora as tarefas domésticas nunca tivessem sido o ponto forte de Eugene, aos 78 anos ele resolveu começar a lavar as roupas. Certa vez, depois do jantar, Jan insistiu para que Eugene secasse e guardasse a louça. "Se não secar a louça, não pode dormir comigo hoje à noite", Jan disse, rindo. Então, ela olhou para mim com um sorriso maroto e observou: "Eu sei como convencê-lo a fazer aquilo que eu quero. Sexo é parte muito importante de nossa vida".

Ainda assim, o amor deles era robusto. Desde a primeira semana de casados, praticavam um ritual à noite: uma hora de leitura em voz alta. Abrir mão dessa rotina era como perder uma refeição. Eugene atiçava as chamas no fogão a lenha, Jan servia as taças de vinho e, enquanto o sol se punha atrás das montanhas, liam memórias e romances. Acrescentaram até um

FOGO EM MEUS OSSOS

ritual da tarde (que chamavam hora do penhasco) em que se sentavam no banco voltado para a água e falavam da vida e de suas esperanças e dissabores.

No aniversário de casamento em agosto de 2005, fizeram uma trilha até Jewel Basin, a última vez que acamparam. No fim da trilha, armaram a tenda em um "vale edênico", ladeado pelos Lagos Picnic, "com um monte alto coberto de neve como cenário de fundo", onde conversaram e leram o romance escrito por Leif, *Catherine Wheels*, até altas horas.

Beleza espetacular repleta de memórias de caminhadas com nossos filhos ao longo dos anos, animais que vimos, orações, nosso casamento, muita doação e muito perdão. Ontem, antes de ir embora, sentamo-nos sobre um tronco caído e oramos nossas memórias e gratidão naquele santuário com suas torres de pinheiros alpestres, e o sol recém-despontado formou uma auréola em volta dos Montes Aeneas e Great Northern. [...]

Mas nunca nos sentimos tão cansados fisicamente, nosso corpo levado a seu limite absoluto. Cada um levou cerca de treze quilos na mochila. Cambaleamos pelo quilômetro final, tanto na ida quanto na volta. [...]

Maravilhosa sensação de realização, de satisfação. Ficamos imaginando quantos anos ainda nos restam. [...]

Nosso último acampamento na floresta!

* * *

Jan e Eugene tinham grande apreço pela intimidade no casamento e também com a família. Seus diários falam com frequência de banquetes animados em família, de visitas de netos, de jogos de futebol, peças teatrais e programas de escola, de cuidar dos netos enquanto os pais passavam um fim de semana a sós. Esse abrigo sereno, onde Eugene batizou seu neto Hans, foi âncora para a vida de várias gerações. Amavam as divertidas conversas em família ao redor da fogueira e sob a luz das estrelas, as brincadeiras na água, colher amoras, caminhar no Parque Glacier e escalar os picos que foram sentinelas de sua vida durante tantos anos.

As férias em família junto ao lago eram festivais de alegria. Certa vez, quando todos estavam reunidos para o jantar, Eugene interrompeu as brincadeiras. ("Todo mundo parava e ouvia quando Pop Pop dizia alguma coisa", seu neto explicou). Ele se voltou para Drew e disse: "Seu pai se

MOSTEIRO EM MONTANA

tornou melhor pastor do que eu. E você se tornou melhor banjoísta do que eu. Quero lhe dar meu banjo". Eugene pegou o estojo com o velho instrumento Aria protegido por veludo e o entregou a Drew. Na faculdade, Drew tocava banjo em uma banda. Fizeram uma apresentação no quintal de casa no fim de semana de formatura, o canto do cisne do grupo. Eugene sentou-se quieto em uma cadeira de jardim e desfrutou a música. "Era o cara mais fácil de passar despercebido", Drew lembrou, "embora fosse a pessoa mais conhecida ali." O diário de Eugene revelou a importância dessa interação. *Não quero ser excessivamente dramático a esse respeito, mas sinto que estou me preparando para morrer, preparando-me para uma boa morte. Um sinal: alguns dias atrás, dei meu* banjo *para Drew.*

Um fim de semana em que Jan e Eugene ficaram com os três filhos de Leif e Amy (Hans, Anna e Mary), saíram para almoçar depois do culto. Outros dois casais mais velhos da Igreja Luterana Eidsvold foram até a mesa dos Petersons, cheios de expressões efusivas. "Crianças, vocês se comportaram tão bem na igreja hoje. São uma graça!" E teceram mil elogios mais. Quando os casais expansivos foram embora, Hans, então com 10 anos, disse: "Vovó e vovô, nós não somos, de jeito nenhum, tão bem-comportados quanto eles pensam".

Anos a fio, Eugene deleitou as crianças com histórias de Skogen e outros *trolls* que tinham vindo da Noruega com sua família e ainda moravam na floresta ao redor da casa. Quando Eugene passeava com Drew, Lindsay e Sadie na floresta, inventava novas histórias. Uma delas se tornou parte de seu livro infantil ilustrado *The Christmas Troll* [O *troll* de Natal].

Certo mês de dezembro, Jan e Eugene estavam sentados ao lado de sua neta Mary, de 10 anos, em uma apresentação teatral de *A noviça rebelde*. No intervalo, Mary perguntou:

— Vovô, o que você quer de Natal?

— Silêncio — Eugene respondeu.

Em 22 de dezembro, Leif chegou carregado de presentes, entre eles uma caixa de chapéu grande, com o nome de Eugene. Dentro dela, havia uma folha de papel coberta de rabiscos amarelos. Trazia os seguintes dizeres em giz de cera preto: "O silêncio é dourado... ou talvez amarelo. Feliz Natal, Vovô".

"Foi meu presente de Natal predileto naquele ano", Eugene disse.

Eugene gostava de inventar projetos com seus meninos. Quando Leif matava um cervo, Eugene afiava a faca e mostrava aos filhos o trabalho de açougueiro. Depois de ajudar Eric a construir uma cerca, Eugene se expressou com profusão. *Que alegria trabalhar juntos desse jeito, os ritmos de trabalho braçal, o cheiro de cedro, o peso do martelo, a habilidade simples de aprumar as tábuas, alinhá-las. Nosso companheirismo de* trabalho, *e a proximidade que vem dele.* Quando Leif e Eric resolveram construir junto ao lago um espaço para jogar ferradura, trabalharam com a madeira e "transformaram [o projeto] em uma obra de arte". Eugene os observou enquanto usavam a motosserra e depois a marreta para cravar os espigões. Quando chegou a hora de esvaziar os sacos de trinta quilos de areia dentro da caixa, Eugene tentou levantar um deles e não conseguiu. "Cresci jogando quartos de boi de quase setenta quilos sobre a bancada do açougue de meu pai, e agora não consigo levantar trinta quilos de areia." Ele não se *percebia* idoso. Ficou estarrecido de descobrir que era.

Mesmo na velhice, porém, ainda houve tempo para aprender mais sobre o que significava a identidade paterna. Quando o casamento de Eric e Lynn desmoronou, Eric derramou toda a tristeza para seu pai. Essa proximidade tocou algo profundo em Eugene. *Eric me chamou várias vezes de papai, papai [...] E creio que, naquele momento, consegui ser para ele o pai que nunca fui, que nunca soube ser. Meu filho, meu filho...*

* * *

Durante aqueles anos, Jan e Eugene se dedicaram não apenas à família, mas a muitos de fora. Além da hospitalidade onerosa para os inúmeros convidados do "mosteiro em Montana", também faziam outras tantas contribuições financeiras. Legaram somas consideráveis para faculdades, seminários e igrejas e davam ofertas generosas para os necessitados. Ao longo de anos, receberam cartas de pessoas que tinham ouvido falar de sua liberalidade e precisavam de ajuda em meio a doenças terminais ou sérias dificuldades financeiras. Pagaram faculdade e pós-graduação para diversos estudantes. Proveram fundos para que pastores tirassem períodos sabáticos. Contribuíram para diversas ONGs de preservação ambiental, entre elas sua predileta, A Rocha. Durante uma de minhas visitas, o jornal *Daily Inter Lake* publicou uma reportagem sobre uma menina que precisava urgentemente de um tratamento médico para salvar sua vida. A mãe não tinha condições de obter os milhares de dólares necessários. Na manhã seguinte, ouvi Jan ao telefone com o repórter, pedindo o contato da mãe para pagar as despesas médicas da menina.

MOSTEIRO EM MONTANA

* * *

Apesar do desejo de Jan e Eugene de ter uma vida simples de recolhimento ao lado de familiares e amigos em seu canto retirado, era impossível abafar os ruídos. Convites para palestras (bem mais de trezentos por ano), o trabalho de escrever, as entrevistas e os pedidos de endossos os cobriam como ondas que batiam inexoravelmente contra uma praia exaurida.

No final de 2001, enquanto a nação ainda se encontrava aturdida depois do Onze de Setembro, Eugene foi a Washington, D.C., dar uma palestra no Instituto C. S. Lewis a pedido de seu amigo Craig Barnes. Esse encontro, repleto de pastores circunspectos, em sintonia com Deus, deixou uma sensação de esperança e propósito. No dia seguinte, Eugene se encontrou com trinta assessores da Casa Branca em um estudo bíblico semanal realizado durante o almoço no elegante Refeitório da Marinha, entre a Sala de Crise e o subsolo da Ala Oeste. Era um salão suntuoso, cercado de painéis de mogno e pinturas a óleo de navios, com mesas cobertas de toalhas brancas e adornadas com flores frescas.

No entanto, a conversa, com seus "ares messiânicos", perturbou Eugene.

Eles têm convicção de que o presidente Bush é "o Homem de Deus" para este momento, o que pode muito bem ser verdade, mas essa convicção não é acompanhada de nenhum discernimento. Enquanto isso, Bush continua a intensificar sua retórica do "mal" e agora [...] faz discursos no país inteiro que revelam completa ingenuidade a respeito do pecado e do mal (ele precisa de um teólogo em sua equipe!).

Um dos assessores, que havia acabado de sair de uma reunião com o secretário de Defesa Donald Rumsfeld, comentou com alguns pastores proeminentes que estavam participando do almoço: "Rumsfeld e Peterson com certeza pensam de forma bem diferente a respeito do papel dos pastores nos dias de hoje".

* * *

Tendo em conta a aversão de Eugene aos holofotes, o que poderia ser mais improvável que sua amizade com Bono? Quando foram lançados o Novo

Testamento e os Livros de Sabedoria da Bíblia *A Mensagem*, Bono adquiriu um exemplar. Escreveu posteriormente:

> No camarim, antes de um *show*, líamos [Salmos] como grupo e depois, cheios de ardor e inspiração daquelas palavras, saíamos para a arena ou estádio. Algumas noites, eu me lembrava de palavras dos salmistas e as invocava durante a abertura plangente de "Where the Streets Have No Name" [Onde as ruas não têm nome], uma canção que é, ela própria, uma invocação. Não importa quão excelente ou quão terrível seja um *show* do U2, esse é um dos momentos [...] em que a presença divina ali é mais, e não menos, provável.

Em uma entrevista feita com as figuras de destaque do ano em novembro de 2001, a revista *Rolling Stone* perguntou a Bono que livros ele estava lendo. "Uma tradução das Escrituras, o Novo Testamento e os Livros de Sabedoria", ele disse, "que um cara chamado Eugene Peterson resolveu fazer. Tem sido uma grande força para mim. Ele é poeta e erudito, e devolveu ao texto o tom em que os livros foram escritos."

Quando um amigo perguntou a Eugene se ele sabia que Bono havia elogiado seu trabalho, Eugene respondeu: "Quem é Bono?". Pouco tempo depois, começaram a chegar recortes de revista do mundo inteiro. "Não acredito que tantos amigos e conhecidos nossos leiam a *Rolling Stone*", Eugene brincou. "Pensei que lessem somente a Bíblia." Quando ele viu a capa da revista, com uma foto provocante de Britney Spears saindo da água, só lhe restou rir. *Na entrevista com Bono, ele usa determinado palavrão em quase todas as frases; é seu termo favorito. Não sei bem o que pensar por ter chamado a atenção do mundo do rock na companhia da curvilínea Brittany [sic.] e do desbocado Bono.*

Jack Heaslip, ministro anglicano que lecionou para os meninos do U2 nos tempos de colégio e depois se tornou capelão da banda, entrou em contato com Eugene para convidá-lo a ir a Chicago se encontrar com Bono. Mais tarde, em uma entrevista com Dean Nelson durante um simpósio com escritores na Universidade Nazarene, Eugene explicou: "Na época, eu estava terminando o Antigo Testamento, e não tinha como sair". Dean reagiu com incredulidade: "É possível que você seja a única pessoa no mundo a recusar a oportunidade [de se encontrar com Bono] só para cumprir um prazo. Fala sério".

MOSTEIRO EM MONTANA

A plateia começou a rir, antes de Dean acrescentar: "Gente, é o Bono".

Eugene fez apenas uma breve pausa e retrucou: "Dean, era *Isaías*". Gargalhadas ensurdecedoras da plateia.

Quando o texto completo de *A Mensagem* foi lançado, Bono enviou um vídeo pessoal. Embora Eugene continuasse indiferente, seus netos foram à loucura. No vídeo de baixa qualidade, feito em uma sala simples, um jovem Bono sentado em uma poltrona verde-limão oferece palavras singelas: "Sr. Peterson, Eugene, meu nome é Bono. Sou cantor do grupo U2 e queria lhe enviar esta mensagem com meus agradecimentos e com os agradecimentos da banda pelo trabalho extraordinário que o senhor realizou. Há algumas ótimas traduções, algumas traduções literárias, mas não há nenhuma tradução que eu tenha lido que fale comigo em minha linguagem. Portanto, quero lhe agradecer". As palavras finais só podem ser ouvidas devidamente com o sotaque irlandês caloroso e terno de Bono: "Agora, vê se dá uma descansada, falou? Tchau".

Em 2006, Peb Jackson, consultor que trabalhava com formação de líderes, estava em Davos, na Suíça, para o Fórum Econômico Mundial. Tinha se reunido com Bono para falar de interesses em comum sobre países em desenvolvimento, e quando os dois se encontraram por acaso no bar do hotel, conversaram por uma hora e meia, principalmente sobre Eugene e *A Mensagem*. Peb lembrou que Bono lhe falou de seu desejo de conhecer Eugene. Bono não sabia que Eugene tinha escrito outros livros, e Peb recomendou *Corra com os cavalos*. Vários dias depois, aconteceu de Bono e Peb estarem ao mesmo tempo em Washington, D.C. Peb procurou esse livro de Peterson por toda a cidade e encontrou um exemplar em uma livraria da Igreja de St. Paul. Esperou nos bastidores para presentear Bono com o livro. Posteriormente, Bono expressou sua empolgação: "Esse é um dos livros mais importantes que já li. Estou distribuindo exemplares por aí".

Em 2009, um dos assessores de Bono entrou em contato com Peb Jackson e Rick Christian novamente para tentar marcar um encontro. Eugene concordou, mas depois que Peb mostrou a Eugene o vídeo de um *show* do U2 no Castelo Slane, em Dublin, Eugene se arrependeu. *Cem mil pessoas pulando e saltando durante quatro horas, e Bono dirigindo esse êxtase*, Eugene anotou em seu diário.

Não sei como vou suportar, mas agora parece que não tenho saída. O que levou Peb (e Rick) a imaginar que eu ia querer fazer uma coisa dessas? Essa cultura de celebridades me deixa frio — e até causa repulsa. [...] Daqui um mês, faço 77 anos. Por que tenho que aguentar um programa desses? [...] [Essa história toda] é muito cheia de estrelismo para o meu gosto. E o único motivo pelo qual estou aqui é porque eles pensam que sou uma celebridade.

Bono enviou passagens aéreas para que os Jacksons e os Christians levassem Eugene e Jan a Dallas para um *show* do U2 no Estádio dos Cowboys. Limusines foram buscá-los, eles passaram pelos seguranças do estádio e foram conduzidos a uma recepção VIP, com comidas e bebidas. Quando a hora do *show* se aproximou, uma mulher foi até a mesa deles e chamou Eugene Peterson e Peb Jackson.

Enquanto os dois homens e suas respectivas esposas acompanhavam a mulher, Rick falou:

— Eu sou o agente dele.

— Sinto muito — a mulher respondeu. — Temos pouco tempo, mas se for possível, eu mando um carrinho buscar o senhor.

E foram embora. Rick se voltou para sua esposa Debbie e comentou:

— Não vai ter carrinho nenhum.

Bono recebeu Jan e Eugene, e em seguida o pessoal de sua equipe os levou para assentos no mezanino, lhes deu protetores auriculares e mostrou onde havia uma sala separada caso precisassem de um descanso. Em meio às batidas do baixo e às luzes pulsantes, contudo, Eugene permaneceu sentado na beirada da poltrona, embevecido, até que alguém veio para levá-los até o palco. Eugene ficou ali, do lado direito, sorrindo e cobrindo os ouvidos. Bono se inclinou para o microfone: "Quero agradecer a Eugene Peterson e a Peb Jackson". Em seguida, leu um trecho de *A Mensagem*. Na manhã seguinte, Eugene refletiu sobre essa experiência tumultuosa: *Imerso em uma cultura totalmente nova, mais de cinquenta mil fãs, luzes, cenografia sofisticada e música alta, todos cantando, todos sabiam as letras. Segurei a mão de Jan e pedi para ela ficar por perto. Senti-me um intruso completo. Mas, à medida que o show se desdobrou, fui me sentindo melhor. Bono é um verdadeiro profeta e dá um testemunho cristão que não é importuno.*

Os Petersons estavam hospedados em um hotel em Dallas, mas Bono pediu que o acompanhassem até Houston, a próxima parada do U2, para que pudessem passar algum tempo juntos no dia seguinte. Depois que a banda tocou os últimos acordes de "Moment of Surrender" [Momento de rendição], todos se apressaram para uma fila de limusines pretas, com

Bono e os Petersons no carro da frente. A carreata com escolta policial pegou a rodovia, luzes vermelhas e azuis piscando ao redor. No jato particular do U2, Bono bateu papo com Eugene e Jan e, depois de uma noite no hotel Four Seasons, os dois foram visitar Bono em sua suíte. Jan se apaixonou por ele. "Gente, eu *beijei* o Bono", Jan brincou, fazendo uma voz provocante. Eugene e Bono passaram uma parte do dia a sós, e quando Eugene voltou, Peb perguntou como tinha sido. Eugene respondeu com duas palavras: "Foi precioso".

Ao longo dos anos, Eugene falou muito pouco sobre seu relacionamento com Bono. Mesmo em seu diário, descreveu acontecimentos e ideias da manhã no Four Seasons, mas quando chegou a sua conversa pessoal, apenas anotou: "Almoço c/ Bono", seguido de uma página inteira em branco. Certa vez, quando Pete Santucci foi visitar os Petersons, Eugene estava preparando uma caixa para enviar para Bono. Pete perguntou se podia acrescentar um bilhete. "Não", Eugene respondeu, "este é um relacionamento pastoral."

Depois de Houston, Eugene e Bono mantiveram uma correspondência frequente em que compartilhavam orações e falavam de seus diversos projetos, e sim, as mensagens de Bono eram salpicadas com seu palavrão favorito. Trocavam cartões de Natal, e Bono enviava bilhetes e desenhos (e um vinil de um dos álbuns do U2). Bono queria que Eugene escrevesse um livro para aqueles que não se consideravam cristãos, "algo na linha de C. S. Lewis para o ouvido moderno". Em 2015, a limusine de Bono estacionou na entrada de cascalho da casa dos Petersons. Jan e Eugene o aguardavam na varanda, sorrindo como pais à espera do filho que volta para casa. David Taylor, professor do Seminário Fuller, havia combinado de filmar uma conversa entre Eugene e Bono em torno do amor em comum dos dois por Salmos. Jan recebeu David, Bono e a equipe de filmagem com um prato de biscoitos recém-tirados do forno. "Bono beijou Jan na bochecha quando a cumprimentou", Eugene escreveu para um amigo. "E, desde então, ela não lavou o rosto."

* * *

Um ano depois, em um jantar de David com Bono em Dallas, Bono lhe contou o principal motivo de ele ter concordado em gravar a entrevista sobre Salmos em Montana. "Queria confessar meus pecados", Bono disse.

FOGO EM MEUS OSSOS

Ele havia pedido uma hora de conversa particular com Eugene e Jan antes da filmagem. Enquanto a equipe instalava os microfones e câmeras e comia biscoitos, Jan, Bono e Eugene sentaram-se no deque nos fundos da casa. "Só queria que você soubesse", Bono disse a David, "que depois de confessar meus pecados para Eugene e Jan, eu me senti muito melhor. Foi um verdadeiro presente para mim." Embora tenham continuado a se corresponder, as horas daquela tarde, com o sol de Montana brilhando em seu rosto e graça brilhando em seu coração, seriam as últimas que passariam juntos.

17

Uma forma desgastada, mas santa

Senhor Jesus: eu te agradeço por uma vida bem vivida. Vocação pastoral bem cumprida. Livros bem escritos. Casamento... filhos... Regent.
Neste momento, porém, sinto-me tão falho e inadequado.
Cura minhas memórias... restaura-me... cria em mim um coração puro.

Eugene Peterson, oração anotada em seu diário

A reimersão de Eugene na natureza de Montana e em seus vastos céus gerou uma nova torrente de criatividade. De longa data, ele se sentia comprimido e confinado por responsabilidades concorrentes. *O que mais quero fazer, porém, é escrever. Sou escritor, caramba! Por que preciso lutar tanto só para chegar até minha escrivaninha? Por que todo mundo quer que eu faça uma porção de outras coisas, exceto escrever? Todos pensam que escrever é um hobby sem importância que reservo para meus momentos de lazer.* Ele queria simplicidade: preparar uma boa refeição, tocar seu banjo, servir a Jan. E escrever.

Sentado à escrivaninha naqueles anos finais, produzindo beleza por meio de frases, as incontáveis paixões e convicções de Eugene se transformaram em um mosaico vívido. Para ele, escrever era uma forma de oração. Não tinha tempo para o que se fazia passar por literatura espiritual (assolada por espiritualidade duvidosa e habilidade literária medíocre) em extensas partes do mercado religioso.

[Estou mais interessado] naquilo que eu chamaria [literatura] heurística, descobrir o que se passa com nosso Senhor o Espírito e [com] a alma,

convidar outros, implicitamente, a uma vida de oração comum. [...] Uma literatura quase, talvez completamente, sinônimo de oração. Literatura desse tipo fica evidente apenas de forma secundária na comunidade cristã. Mas houve um tempo em que essa era a única forma que os cristãos escreviam. E veja que legado essas pessoas deixaram para nós. Obviamente, poucos de nossos contemporâneos incentivam esse tipo de literatura. Como poderiam fazer diferente? Enquanto alguém vive no nível informacional/motivacional, esse tipo de literatura não tem nenhum valor, não desperta nenhum interesse. [...] [Quando escrevo], não estou conscientemente orando. Mas, depois, com frequência há uma sensação daquilo que chamo "doação". De que as palavras na página não são algo que saiu apenas de mim, mas, sim, que nasceram de uma espécie de receptividade, da mesma forma que a gente diz algo na conversa com uma pessoa que não teria ocorrido na conversa com outros.

Essa maneira de escrever exigia humildade e autenticidade. Exigia que o escritor se tornasse *a pessoa cuja escrita é verdadeira.* Que se tornasse *autêntico para escrever o que é autêntico.* Escrever como *expressão de vida, e não de conhecimento; como expressão de oração, e não de ciência.*

Durante anos, ele havia sonhado escrever uma série sobre teologia espiritual, o ápice do trabalho de toda a sua vida. Tinha dificuldade com a expressão "teologia espiritual", pois não gostava que "espiritual" fosse usado como adjetivo, como se a espiritualidade fosse meramente um acréscimo àquilo que fazemos (música *espiritual*, livros *espirituais*, vocações *espirituais*, e assim por diante). Eugene afirmava que ser espiritual é estar ligado ao que é real, a Deus: tudo encontra sua essência em Deus; portanto, tudo é espiritual. Ele também não apreciava o fato de que o termo "espiritual" era usado com frequência como se denotasse algo cercado de uma aura, uma devoção extraordinariamente piedosa desmembrada dos seres humanos em seu lazer e trabalho, da criatividade, do alimento e do sexo, da vida genuína. Eugene rejeitava qualquer pseudoespiritualidade que não exercesse impacto no açougue, entre mecânicos e artesãos, nas florestas e nos rios, na maternidade ou nos centros de oncologia. Mais que isso, Eugene lamentava o fato de "espiritualidade" ter se tornado um termo vazio, desligado de qualquer coisa sólida, uma palavra à qual atribuímos o significado que desejamos. Asseverava que "espiritualidade" era "Cristo, o Cristo que revela Deus, que está por trás de tudo e dentro de tudo neste viver". Não obstante suas apreensões, ele decidiu reimaginar o termo, em vez de descartá-lo. Sua breve descrição era simples: *Teologia espiritual é o que pastores fazem: dedicamo-nos a pegar aquilo que sabemos a respeito de Deus/Jesus e praticar esse conhecimento no transcurso da vida comum.*

Em 2000, Eugene esboçou os títulos e as descrições de cinco livros, todos ligados a matérias que ele havia lecionado na Regent. Seu objetivo era escrever uma obra completa sobre teologia espiritual para a presente geração, extraída da medula de sua vida. Esses cinco livros seriam seu coração e sua alma:

1. A maldição do Cristo genérico. *Esse é o livro básico sobre teologia espiritual bíblica, fundamental para todo o restante.*
2. Pratique a ressurreição. *Esse é o curso de formação espiritual estruturado de acordo com Efésios.*
3. O caminho de Jesus e os atalhos da igreja. *Descreveria esse livro como um curso de política espiritual que usa aspectos de liderança em seu contraste entre Jesus, Herodes, Caifás e Josefo.*
4. A linguagem de Deus. *Esse é um curso sobre direção espiritual baseado nas parábolas.*
5. Maravilhosa Bíblia. *Esse é um curso sobre o uso das Escrituras como texto formativo para a espiritualidade.*

Com o projeto claramente delineado em sua mente, ele ficou entre duas editoras: HarperOne e Eerdmans. Mickey Maudlin, editor da Harper, enviou uma carta de duas páginas para deixar bem claro seu interesse. "Eugene era um de meus heróis", Mickey explicou. Ele deparou com o texto de Eugene pela primeira vez quando era revisor na IVP. Mickey lia o manuscrito em voz alta enquanto outro revisor corrigia quaisquer erros que aparecessem no texto. "Foi assim que conheci Eugene. Ao ler *Corra com os cavalos* em voz alta o dia inteiro. Ainda penso em Jeremias com frequência." No entanto, Mickey logo percebeu que essas negociações eram diferentes. Eugene demonstrou obstinada lealdade à Eerdmans, que aceitou seus projetos quando outras editoras mal atendiam a suas ligações (e que nunca aceitavam nada que tivesse sido tirado do catálogo de outras editoras). Mesmo quando a Harper ofereceu um adiantamento bem maior do que aquilo que a Eerdmans conseguiria pagar, Eugene ficou com a Eerdmans, editora independente em Grand Rapids. "Isso nunca acontece", Mickey observou. "Não perdemos contratos para editoras menores.

FOGO EM MEUS OSSOS

Mas se Eugene não se importava com dinheiro, nem com o fato de que poderíamos dedicar muito mais recursos à divulgação [...] se o critério era lealdade, então eu não tinha como competir. Foi uma jogada típica de Eugene." Foi mesmo. Em geral, Eugene procurava nos contratos outros elementos além dos cifrões.

Com o planejamento de aproximadamente um livro por ano, Eugene pôs-se a trabalhar. Ao terminar de escrever cada obra, tinha a sensação de que tinha dado à luz. Quando a Eerdmans lhe enviou um exemplar de *A maldição do Cristo genérico*, ele abriu de imediato no primeiro capítulo. Meia dúzia de páginas depois, ele chamou Jan e disse: "Ficou muito bom!". Depois de mais algumas páginas: "Tenho vergonha de dizer, mas não consigo parar de ler". E também: "Nem acredito que fui eu que escrevi. Não sabia que eu sabia disso". Por fim, Jan respondeu da cozinha: "Cala a boca, Gene".

* * *

Mal a tinta havia secado na série de teologia espiritual e Rick propôs a Eugene que escrevesse suas memórias. Eugene rejeitou a ideia, como fazia havia anos. Mas Rick insistiu e, por fim, com relutância, Eugene aceitou. Quando chegou a hora de procurar uma editora, escolheu a Viking, pois era de Nova York, e ele queria que a obra tivesse alcance além do mercado editorial cristão habitual. Na verdade, porém, um motivo igualmente importante pelo qual ele escolheu a Viking foi o almoço de duas horas no SoHo com os editores. Enquanto editoras concorrentes haviam mostrado gráficos e tabelas e usado palavras como "mercado", "dados demográficos" e "plataforma", os editores da Viking conversaram como amigos. "O livro não foi o tema do almoço. A ideia era apenas nos conhecermos." Eugene assinou o contrato ainda com reservas sobre sua capacidade de escrever uma obra de boa qualidade. Sua preocupação se mostrou justificada. Em uma análise inicial do texto, o editor disse: "Fale mais de si mesmo, Eugene, mais de seus pensamentos interiores, mais descrições. Conduza o leitor para dentro de sua vida. Menos ensino. Essa é sua oportunidade de falar a outros de sua vida. Vá fundo". Eugene fez cortes, acréscimos e ajustes. Em fevereiro de 2009, enviou o manuscrito. "Senti como se tivesse um recém-nascido", ele escreveu para o editor. "Por favor, cuidem dele. Não deixem cair; troquem as fraldas e mantenham-no aquecido." E assinou a carta como "Mamãe Eugene".

Infelizmente, eles deixaram o bebê cair. A Viking considerou o texto deficiente. As memórias de Eugene não eram a história que eles esperavam e, portanto, cancelaram o contrato.

Dessa vez, as negociações com Mickey e a HarperOne deram certo, e a editora colocou a obra de volta nos trilhos. O título inicial proposto por Eugene foi *Quase pastor* (uma alusão ao livro de Anne Tyler, *Quase santo*), mas quando *Memórias de um pastor* chegou às livrarias e se tornou um sucesso, Eugene ficou pasmo. Quer em decorrência da idade, quer de ter passado um ano e meio relembrando sua história pessoal, Eugene terminou suas memórias com o tanque vazio. Com as últimas gotas de sangue em sua caneta, nasceram mais dois títulos: *Holy Luck* [Sorte santa], uma coletânea de poemas que ele havia escrito ao longo de setenta anos, e *As Kingfishers Catch Fire* [Como arirambas se iluminam], uma coletânea inédita de sermões. O trabalho de Rick Christian foi fundamental para essa empreitada. "Rick me ajudou a fazer coisas que eu jamais teria feito sozinho", Eugene disse.

* * *

Essa vida que Eugene havia descrito muito tempo antes como "decididamente acidental", que ele sabia que era repleta de imperfeições, havia assumido uma forma desgastada, mas santa. E agora, ele podia refletir sobre o todo.

> *Penso com frequência em "meu legado". Hesito em dar importância demais a essa ideia. Mas, para ser inteiramente honesto, sinto que realizei algo importante, algo quase singular em minha geração: embora o testemunho cristão tenha sido diluído e fragmentado, embora o caráter americano tenha sido despersonalizado e esteja caindo em violência horrenda e perversa, embora a igreja tenha perdido Cristo como seu centro, as Escrituras como seu fundamento e a estrutura trinitária [...] tenho, de modo paciente, persistente e quase inconsciente, trabalhado no meio das ruínas, reconstruindo os muros de Jerusalém. Aquilo que fiz sem alarde, um tanto nos bastidores, sem aparecer nas manchetes, está, aos poucos e quase imperceptivelmente, se tornando algo semelhante a uma grande mudança no cenário, assomando, mas despercebido.*

No ensino médio, Leif brincava que seu pai tinha apenas um sermão, algo que Eugene considerava uma crítica. Anos depois, Leif estava em

FOGO EM MEUS OSSOS

Boulder, Colorado, fazendo mestrado em escrita criativa. Ele se tornou membro da igreja de lá, e Eugene lhe perguntou sobre sua experiência. "Gostei da igreja", Leif respondeu, "mas o pastor ainda não descobriu qual é o único sermão dele." As palavras de um filho pronunciaram bênção sobre a vida do pai: um sermão. Congruência.

* * *

Eugene nunca deixou de pregar seu único sermão e nunca deixou de ser pastor. Agora, porém, a congregação era constituída de amigos seus, e cartas faziam as vezes de visitas pastorais. Sempre pastor, Eugene resolveu que responderia a todas as cartas que recebesse. Diligentemente, digitava suas respostas, como uma galinha ciscando por milho. *Alguns dias, tenho a impressão de que estou dificultando as coisas ao me recusar a ter e-mail. Mas, então, vejo o que a tecnologia faz com as pessoas ao meu redor e renovo minha determinação.*

* * *

Como um monge na igreja e no mundo, praticamente tudo o que Eugene ensinava e vivia podia ser colocado debaixo do termo abrangente que ele usava com tanta frequência: *oração*. Eugene tinha uma disciplina espartana e passava longos períodos em silêncio e contemplação. Orava os salmos em um ciclo de 31 dias e memorizou a maior parte do Saltério (vários trechos em hebraico) e outras partes extensas da Bíblia (como Gênesis). Sempre que alguém pedia orientação espiritual, ele dizia que tinha poucas respostas e nenhuma técnica espiritual, mas que podia ajudar a pessoa a aprender a orar. Ensinar outros a orar e ensiná-los a ter uma boa morte: Eugene costumava dizer que esses eram os dois pontos essenciais da descrição de cargo do pastor.

Além de mencionar *A oração contemplativa*, de Hans Urs von Balthasar, como o melhor livro sobre o assunto e Edith Stein como a escritora preeminente sobre o tema da contemplação, Eugene dava poucos conselhos a respeito de como orar. Em vez disso, caminhava ao lado de outros enquanto se moviam em direção a Deus, ingressando a passos mais firmes em sua verdadeira identidade, e chamava o que estavam fazendo *oração*. Ele não gostava de dar conselhos, pois a vida de cada pessoa com Deus era

UMA FORMA DESGASTADA, MAS SANTA

singular e não havia uma fórmula genérica. Quando oramos, ele escreveu a alguém que lhe perguntou sobre o assunto, *não nos tornamos mais semelhantes a nenhuma outra pessoa, especialmente às "grandes figuras", tornamo-nos mais nós mesmos.* Um pastor de sucesso explicou a Eugene que estava tentando "reproduzir a si mesmo nos membros da geração mais jovem". A reação de Eugene foi: "Um só de você não é suficiente? Por que não desenvolver o que há de singular *neles*?".

Na opinião de Eugene, um bocado da sabedoria popular a respeito da oração era lixo. Estava cansado de clichês e retórica exagerada. *Esses tipos que se dizem guerreiros de oração parecem imaginar que a única forma eficaz de convencer outros de que a oração é o sangue que nos dá vida consiste em abrir uma veia e sangrar por todo o tapete. Não, obrigado. Prefiro manter o sangue dentro de minhas veias [...] onde poderá fazer seu devido trabalho de forma invisível e com um toque de absurdidade.*

* * *

As cartas de Eugene eram repletas de bondade e compaixão. Muitos que escreviam estavam desiludidos com a igreja, e nunca recebiam uma palavra de repreensão, mas *sempre* recebiam cordialidade, gentileza e curiosidade. É impressionante como esse homem que passou a vida no pastorado e que acreditava na igreja com todo o seu ser atraía tantas almas que desconfiavam da instituição. Eugene com frequência se envolvia em longos diálogos com muitos que tinham relacionamentos espinhosos com a igreja, como David James Duncan, autor de *The Brothers K* [Os irmãos K] e *The River Why* [O rio da razão], romances com os quais Eugene se deleitou imensamente.

Talvez fosse sua sensibilidade de intruso que lhe desse um coração tão afetuoso e um ouvido acolhedor. Sua carta para um leitor da Suécia irradia generosidade:

Para alguns de nós, uma congregação cristã é um espaço para imaginar novas possibilidades. Não é o único "espaço" disponível e não é para todos, mas para alguns de nós parece ser nossa comissão, pelo menos foi para mim.

Aqueles de nós que escolhem permanecer na igreja não se veem, em sua maior parte, na mais propícia companhia. A comunidade cristã empobrecida em que nos encontramos gera um bocado de solidão. [...] Aprendi logo cedo que a solidão era inevitável.

Contudo, para os cínicos e para aqueles que escreviam com ácido em lugar de tinta e que zombavam da igreja ou a aviltavam, ele reservava palavras mais mordazes. *Não conheço nenhuma igreja nos últimos dois mil anos da qual eu seria membro se dependesse de mim. [...] E, no entanto, não tenho paciência com o povo anti-igreja que parece esnobe e que tem pouca noção da vivência da alma e de Cristo.*

* * *

O número de pastores que procuravam Eugene (por meio de cartas, visitas e, por vezes, até ao organizar todo um período sabático em função da agenda dele) era inacreditável. Eugene amava pastores e afirmava que ser um pastor fiel na sociedade americana consumista exigia graça monumental e pelo menos um pouco de beligerância. *O que a maioria dos pastores precisa, mais que qualquer outra coisa,* Eugene escreveu em uma carta, *não é de incentivo, mas de discernimento. A maior parte daquilo que os membros da igreja consideram incentivo é apenas incentivo para fazer coisas erradas, coisas que os levem a sentir-se bem.*

Assustado com as pressuposições atraentes que serviam de base para a maioria das tendências de liderança na igreja, Eugene acautelava os pastores de que o verdadeiro ministério costuma exigir que o pastor trabalhe a partir da margem. *Esse é um trabalho despretensioso. Não é trabalho glamoroso; é trabalho de servo, que acontece nos bastidores, ignorado e paciente. Esqueçam a ideia de ser relevantes, de ser eficazes. Meus amigos, vocês vivem no exílio; habituem-se a essa realidade. [...] Quanto menos as pessoas notarem vocês, melhor.*

Quando um pastor perguntou a Eugene como ele havia chegado à declaração de visão de sua igreja, é provável que não esperasse a resposta que recebeu: *Se alguma coisa semelhante a "visão" entrava em cena, eu me livrava dela o mais rápido possível. A igreja que eu queria, ou com a qual sonhava, ou para a qual tinha uma visão, era um entrave para a igreja que eu tinha, para a igreja que Deus havia me dado. Passo longe dessas "declarações de visão" que parecem alimentar a ambição dos pastores hoje em dia.*

UMA FORMA DESGASTADA, MAS SANTA

Por vezes, o caminho de pastores como Daniel Grothe cruzava com o de Eugene. Daniel se mudou com sua família para Colorado Springs a fim de trabalhar na Igreja Nova Vida, com quatorze mil membros, fundada por Ted Haggard. Nos três primeiros anos de trabalho ali, a igreja passou por um escândalo que apareceu nas manchetes de todo o país, e depois um homem carregado de armas e munição entrou no estacionamento da igreja e matou duas moças antes de ser morto por uma policial que estava trabalhando como segurança. Cercado de problemas, Daniel estava em um sebo, à procura de algo para ler, quando encontrou *O pastor contemplativo* à venda por 99 centavos. "Nunca tinha ouvido falar, mas vi o nome de Eugene e pensei: *Acho que esse é o sujeito que traduziu* A Mensagem." Daniel devorou o livro e enviou uma carta a Eugene, perguntando se poderia passar um dia com ele, mas imaginou que não receberia resposta. Algumas semanas depois, contudo, chegou uma carta de Lakeside, Montana.

Prezado Daniel,

Sim, estou disposto a passar um dia com você aqui em Montana. Mas não agora. Creio que seria melhor se você pensasse um pouco mais sobre o que está em questão. Que tal separar um tempo para refletir sobre o que, exatamente, "pastor" significa para você? E o que "igreja" significa para você. Escreva algumas páginas sobre cada um desses termos, "pastor" e "igreja", e envie para mim.

Daniel fez as anotações e Eugene gostou do que leu. Daniel visitou Eugene várias vezes. O relacionamento de Eugene com Daniel complica a conclusão (à qual se pode chegar facilmente) de que Eugene repudiava todas as megaigrejas. No mínimo, ele era cético quanto à obsessão com tamanho e tinha consciência das limitações inevitáveis para relacionamentos próximos em grandes organizações. No entanto, como ele diria, sempre havia exceções à regra. "Não é impossível ser verdadeiro pastor em uma igreja grande. Só é muito, muito difícil."

Um pastor exasperado perguntou a Eugene como fazer sua igreja entender a liturgia e a vida sacramental. E será que era demais pedir que os membros *orassem*? Eugene respondeu com gentileza: *Não gaste seu tempo tentando fazer os membros da igreja praticar as verdades ou viver da forma que você gostaria. Em vez disso, viva dessa forma com eles. Não adianta querer impor alguma coisa a uma congregação. As palavras de Eugene*

243

lembram a observação de um crítico literário a respeito da obra *Walden*, de Thoreau: *Não se pode empurrar* Walden *às pressas para dentro do coração das pessoas; use gestos e alusões.* Embora o dia de descanso fosse um elemento fundamental para Eugene, ele nunca pregou sobre isso na Igreja Cristo Nosso Rei. Ele simplesmente praticava o dia de descanso e, em seus afazeres diários, mostrava um ritmo imerso em graça. Eugene escreveu diversas cartas pastorais em que dizia como era seu dia de descanso. E, então, simplesmente *descansava*.

"Como pastor, como você dribla a oposição e deixa claro qual é seu posicionamento?", Eugene perguntou.

> Você o faz ao ser preguiçoso (ou parecer preguiçoso) e sentar-se em seu escritório meia hora por dia para ler um livro que não tenha nada que ver com seu sermão. [...] Meu pai era açougueiro. Quando ele entregava carne nos restaurantes, sentava-se junto ao balcão, tomava café, comia um pedaço de torta e jogava conversa fora. Esse tempo que ele perdia era essencial para a formação de relacionamentos. [...] Por vezes, vejo pastores que não andam por aí. Não perdem tempo. O tempo deles é valioso demais. [...] A fim de não sermos ocupados, temos de nos desvincular do ego, o nosso e o dos outros, e começar a tratar de almas. E não há como apressar almas.

Eugene desdenhava dos líderes-heróis presunçosos que agiam como se Deus tivesse lhes entregado tábuas de pedra no alto de um monte envolto em chamas. Considerava que ser pastor significa viver com temor e tremor, apegar-se à esperança em Deus ao mesmo tempo que lida com a própria alma instável. Ser pastor exige imensa humildade, consciência própria e firme apego à misericórdia, como um homem que está se afogando se agarra a uma boia. *O sinal mais forte de autenticidade naquilo que você e eu fazemos é a inadequação que sentimos a maior parte do tempo.*

Outro alvo das críticas de Eugene era a ideia de pastorado como carreira, em que pastores, tentados por ambição ou tédio, "abandonam seus postos" enquanto procuram galgar a escada eclesiástica. Ele detestava a pressuposição de que uma igreja maior (seguida de outra igreja maior) definia a trajetória preferida por Deus. Quando Eugene ouvia algum pastor dizer que desejava "alavancar seu ministério", tinha vontade de arrancar os poucos cabelos que lhe restavam. Não tinha, contudo, um posicionamento rígido a respeito de pastores que saíam de suas igrejas.

UMA FORMA DESGASTADA, MAS SANTA

Eugene voltava sua ira contra o capitalismo corporativo que corria solto pelo ministério pastoral, mas partia do pressuposto de que a história de cada pastor era singular.

Houve um tempo em que Dean Pinter se viu atolado em uma situação de ministério impossível de administrar. Ele e a esposa, Darlene, foram de carro passar o dia com Eugene e conversar sobre seu dilema. Darlene estava apreensiva em relação à conversa, pois tinha certeza de que Eugene diria: "Foi isso que Deus os encarregou de fazer. Perseverem; fiquem em sua igreja". Dean e Darlene relataram suas lutas e, assim que terminaram, Eugene se inclinou para a frente e respondeu, sem hesitar: "Bem, parece que vocês têm de sair de lá. É hora de ir embora". Darlene irrompeu em lágrimas de alívio. Aquele homem que eles admiravam tanto, um homem tão avesso a "deixar seu lugar", tinha entendido a história pessoal *deles* e estava mais preocupado com o bem-estar dos dois que com um compromisso com ideais mais amplos.

Em uma carta de grande compaixão para um pastor sobrecarregado, Eugene explicou motivos válidos para deixar uma igreja:

Há outras circunstâncias que precisam ser levadas em conta e avaliadas, circunstâncias que tornam difícil para sua esposa e seus filhos encontrar validação e bênção e que precisam ser seriamente consideradas. Se a igreja, de um modo ou de outro (pode acontecer de várias maneiras), tornar essa situação problemática, você precisa pensar seriamente em sair. Se sua vida conjugal ou familiar estiver em perigo, quanto antes você sair, melhor. É possível ser médico, banqueiro ou professor e ter uma péssima vida conjugal/familiar, mas o mesmo não se aplica a ser pastor. Esse é um motivo válido para sair.

Outro sintoma perigoso é uma congregação disfuncional com um histórico de disfunção. Algumas congregações são verdadeiramente tóxicas e, em geral, é uma toxicidade que tem um histórico. Por vezes, pode ser disfarçada por três ou quatro anos, mas não por tempo indefinido. Esse é um motivo urgente para sair.

Contudo, é possível que o motivo mais comum para sair seja a sensação de que você não deseja mais fazer esse trabalho, quer por exaustão, depressão ou uma mudança com a qual você não está preparado para lidar.

* * *

Tanto no escritório quanto nas correspondências, Eugene raramente lidava com uma dúvida de modo direto. A renúncia do conceito de perfeição rígida lhe permitia certa agilidade. Era possível até que houvesse ocasiões em que algo *pastoralmente* necessário talvez não fosse, obrigatoriamente, *teologicamente* preferível. "Pureza absoluta e respostas incontestáveis não ocupam uma posição elevada em minha lista de prioridades", ele dizia. Uma amiga procurou Eugene para ser rebatizada. "Não é ortodoxo", ele disse, "mas o farei com prazer e acompanharei você nesse processo." Ele a conduziu na liturgia e a batizou no lago. Não sei se Eugene teria feito o mesmo novamente por alguma outra pessoa. Por certo, não tinha interesse em elaborar uma argumentação teológica a favor do rebatismo. No entanto, *naquele* caso, para *aquela* pessoa, a seu ver, era o que devia fazer. Eugene acreditava que a Bíblia muitas vezes oferece menos clareza do que desejamos, ou, pelo menos, não oferece o *tipo* de clareza que desejamos. E questões pastorais, especialmente associadas à alma, exigiam sagacidade e uma atitude atenciosa que não eram beneficiadas por éditos teológicos rígidos.

Na Igreja Cristo Nosso Rei, ele havia ignorado a maioria dos fogos-fátuos teológicos e mergulhado no serviço aos membros da congregação e no trabalho de escrever. Descrevia-se, por exemplo, como *quase pacifista, mas não dogmático*. Na igreja, porém, não elencava argumentos a favor do pacifismo; em vez disso, pastoreava as pessoas, deixava que o evangelho penetrasse a vida delas e confiava que o Espírito mostraria como reconhecer as implicações. "Vivo na companhia de pentecostais e presbiterianos", ele escreveu, "republicanos e democratas, evangélicos e cismáticos. Sou seu pastor, e não seu policial."

Em 2006, um rapaz sincero, de vinte e poucos anos, abordou Eugene depois de uma palestra em um congresso em Atlanta e perguntou se ele desejava sair para tomar uma cerveja com ele e alguns amigos. Eugene sorriu: "Bem que eu gostaria, mas tenho outro compromisso". O rapaz não se acanhou e, sem rodeios, fez a pergunta que havia planejado para acompanhar a cerveja: "O senhor é pacifista?". Eugene fez uma pausa para avaliar como poderia responder a uma pergunta tão profunda em apenas uma ou duas frases, enquanto uma fila de pessoas que queriam conhecê-lo se estendia pelo corredor central do auditório. "Bem, eu *quero* ser pacifista", Eugene respondeu, "mas não tenho certeza se sou corajoso o suficiente." Esse foi outro exemplo de sua tendência de se preocupar mais

UMA FORMA DESGASTADA, MAS SANTA

com a especificidade que com a abstração, mais com sua própria atitude que com simples posicionamentos.

Há trigo e joio, ovelhas e bodes e, embora nos esforcemos para discernir e praticar o que é certo, temos de viver com humildade e reconhecer que nem sempre somos capazes de fazer distinção. Graças a essa disposição, Eugene tinha uma atitude aberta, generosa, não ansiosa. Não abordava as Escrituras ou questões teológicas com medo. Antes, confiava na misericórdia de Deus e acreditava tão ferrenhamente na graça que não carregava o fardo esmagador de imaginar que precisava chegar a uma definição absoluta para cada questão.

A Bíblia é inspirada e absolutamente confiável, concedida, protegida e interpretada pelo Espírito Santo. Portanto, posso descansar. Isso me dá um bocado de liberdade. Não preciso ser excessivamente cauteloso e minucioso. Trabalho com base em todo o cânone das Escrituras, deixando que a imaginação seja formada por tudo o que se encontra nele. Então, em atitude de oração, eu me rendo e vagueio, faço ligações, relembro, etc. Nesse sentido, sou muito influenciado pelos primeiros pais (especialmente Gregório de Nissa e Agostinho).

E, no entanto, ele causava surpresa e desaprovação em alguns meios ao questionar conceitos amplamente difundidos de inerrância bíblica que produziam interpretações engessadas e não tratavam das complexidades linguísticas.

Talvez a dificuldade contínua se encontre em considerar o texto bíblico "inerrante". A linguagem precisa sempre ser entendida no contexto. Palavras isoladas não têm sentido, apenas adquirem sentido pela maneira que são usadas. E a maioria das palavras pode ter meia dúzia de significados, dependendo da construção da frase, do tom de voz em que é pronunciada. A linguagem é ambígua, e é especialmente ambígua quando emprega metáforas, algo que a Bíblia faz aos montes.

Se Deus desejasse se comunicar conosco de forma "inerrante", ele teria usado a linguagem da matemática, a única linguagem verdadeiramente precisa que temos. Mas, obviamente, é impossível dizer "eu te amo" em álgebra.

* * *

Eugene queria passar a vida de modo sossegado, cuidando de seu campo, mas esse desejo foi posto à prova. Diversas vezes, líderes cristãos nacionais o abordaram e pediram que assinasse declarações em reação a alguma questão controversa. Ele quase sempre recusava, mesmo quando concordava com o conteúdo. *Não me sinto à vontade para assinar declarações de posicionamento. Parece-me uma forma impessoal de fazer algo pessoal. Sou um pastor que se esforçou ao máximo para manter sua atuação no âmbito pessoal e local. [Assinar declarações] não harmoniza com quem eu sou e com a forma que realizo o trabalho pastoral. Sinto muito.*

Eugene expressou preocupação crescente com os *justiceiros que estão despedaçando a igreja.* Quando as ideias de um amigo sobre a Criação causaram grande confusão com a *Polícia da Bíblia,* Eugene ficou perplexo e triste. *Como esses cristãos odeiam uns aos outros.* Ele refletiu em seu diário sobre o último livro que gostaria de escrever; sua intenção era que *Jesus and His Friends* [Jesus e seus amigos] fosse sua resposta para a hostilidade presente na igreja. Infelizmente, esse projeto não se concretizou.

Quando Eugene endossou a obra de William Paul Young, *A cabana,* livro que provocou uma tempestade em virtude de seu retrato fictício da Trindade, Eugene foi alvo de forte repúdio. Depois de uma resenha crítica de *A cabana* no periódico cristão *Books and Culture* que se referia ao endosso de Eugene, ele esboçou uma carta para responder ao editor. Teria sido uma carta e tanto. Em uma das anotações mais longas de décadas de diários, ele defendeu os esforços de Young e opinou sobre crítica literária, história, filosofia, o avanço indevido da sociedade tecnológica e a necessidade de um vigoroso misticismo cristão. Ele trabalhou na carta durante uma semana, mas decidiu não enviá-la e disse: *Não tenho gosto por polêmica [...] o rancor dos justiceiros da igreja continua a despedaçá-la. Mas também não quero me envolver nessa briga.*

Ao que parece, Eugene não aprendeu a lição, pois, mais adiante, endossou *O amor vence,* a tentativa de Rob Bell de integrar os ensinamentos das Escrituras sobre o inferno com o amor incondicional de Deus. Dá para imaginar o furor que causou. Na verdade, Eugene não considerava que Rob estivesse certo em todos os sentidos. (Algumas partes do livro, de acordo com ele, estavam "mal escritas" e, a seu ver, a obra de Bradley Jersak, *Her Gates Will Never Be Shut: Hope, Hell, and the New Jerusalem* [Suas portas jamais se fecharão: Esperança, inferno e a nova Jerusalém], que ele havia endossado um ano antes, era muito melhor. E, na realidade,

UMA FORMA DESGASTADA, MAS SANTA

a preocupação pessoal de Eugene com Bell dizia respeito mais a sua capacidade de resistir à sedução da fama.)

No entanto, na opinião de Eugene, Bell havia abordado um assunto sobre o qual os cristãos precisavam refletir com maior rigor. "Não fazia ideia de que meu endosso para o livro de Bell despertaria tanto ódio; só pensei que ele merecia ser ouvido." Embora o estilo leve de Bell tenha conquistado um público mais amplo, suas interpretações não eram novas, pelo menos não para cristãos que, como Eugene, haviam passado décadas lendo os pais da igreja e Karl Barth.

Quando o editor Mickey Maudlin pediu que Eugene escrevesse um endosso para o livro de Bell, Eugene não hesitou. "Havia muita gente interessada no livro", Mickey lembrou, "mas praticamente nenhuma figura influente na igreja queria ser associada a ele. Mas Eugene quis. Não se preocupou se estava queimando pontes ou se sofreria represálias institucionais. Pensava com a própria cabeça. Fazia o que considerava certo."

Não faltaram represálias institucionais. Eugene chamou o tumulto subsequente "uma briga de bar, em que os xerifes apareceram com força total".

> *A controvérsia que remoinha em torno do livro de Rob Bell,* O amor vence, *constitui evidência recente do quanto a igreja americana é briguenta. Por causa de meu endosso do livro, uma porção de gente tem procurado me arrastar para o meio da balbúrdia. E com certeza é uma balbúrdia. É espantoso como a comunidade que se diz cristã é capaz de gerar tanto ódio. Não aprendemos nada sobre a troca civilizada de opiniões? Nunca vamos aprender? É tão debilitante. Temos esse evangelho glorioso para proclamar e entregar e formamos panelinhas para atacar uns aos outros e atirar pedras dogmáticas.*

Quando foi pedido a Eugene que falasse de sua perspectiva, ele deu uma resposta honesta, mas (para muitos) pouco satisfatória:

> *Todos os meus instintos se inclinam para o lado universalista: Barth e MacDonald e Buechner e muitos outros. Mas, você tem razão, a Bíblia não permite dogmatismo ou certeza a esse respeito. Portanto, creio que a ambiguidade das Escrituras é proposital da parte de Deus. Não seria bom para nós ter certeza absoluta sobre essa questão. A tendência geral e a tônica*

das Escrituras, da teologia e, sim, da própria vida, são universalistas. Mas nenhum bom autor está interessado em explicar tudo para que sejamos categóricos; antes, a intenção deles é nos envolver nos relacionamentos, na trama, na imaginação do mundo que ele/ela está criando. Nesse caso, Deus é o autor, e há muito mais coisa acontecendo além de salvo/não salvo ou céu/inferno na história para dentro da qual ele nos atrai.

* * *

Isso não significa que Eugene não tivesse críticas a tecer. Muito pelo contrário. A seu ver, porém, a maior parte das críticas públicas demonstrava mais tribalismo e ou farisaísmo que sabedoria. Quando a igreja emergente ganhou força, ele ouviu e simpatizou. Gostava de vários de seus líderes. Contudo, também percebeu a presença de boa dose de imaturidade:

O que mais chama a atenção é que não sabem nada a respeito da igreja, exceto as coisas das quais não gostam. Não têm ideia de como é uma igreja saudável. Estão inventando toda essa história do zero. E não têm noção da complexidade da congregação e da vocação pastoral. Essas ideias "emergentes" são maravilhosas, mas falta um alicerce a partir do qual trabalhar, falta experiência com pastores maduros.

Algumas pessoas, contudo, provocavam verdadeira ira, como o bispo John Shelby Spong. *Ele é uma das poucas pessoas que eu considero excelente candidato para uma queima de livros. Seus textos são tão odiosos, tão perversos em relação à vida no evangelho, que eu faria uma campanha para que, no mínimo, fossem boicotados.*

E, em 2016, Donald Trump. Eugene expressou sua exasperação a um amigo:

Na política, estamos no meio das eleições primárias aqui. [...] Costumo não comentar muito sobre minhas opiniões políticas, mas este ano está sendo difícil permanecer calado, embora eu o faça. Temos um candidato, Donald Trump, um multibilionário, que é grosseiro, humilha as mulheres, tem boca suja e é inacreditavelmente arrogante. E um bocado de gente quer que ele seja nosso líder.

UMA FORMA DESGASTADA, MAS SANTA

Todas as manhãs, Eugene caminhava até a caixa do correio, respirando o ar fresco da manhã e dando bom dia aos pássaros, para pegar o *Daily Inter Lake*. Abria o jornal sobre a mesa da cozinha, com a segunda xícara de café ao seu lado. Algumas manhãs, afundava na poltrona confortável para ler e colocava os pés sobre o pufe. Esse ritual da manhã se desintegrou, porém, com a presença cada vez maior de Trump nas manchetes. Eugene ficou irado e desiludido. Não sabia o que fazer e, a certa altura, pensou em cancelar a assinatura do jornal. Eugene não conseguia entender como seus irmãos e irmãs na fé podiam apoiar (e com fervor) alguém que demonstrava tanta falta de autocontrole e tanta mesquinhez. Seu caráter e sua moralidade exemplificavam exatamente aquilo que a direita religiosa havia condenado e considerado absolutamente inaceitável em todas as eleições anteriores. Agora, porém, em lugar de desaprovar, esses mesmos grupos defendiam esse candidato que, por fim, se tornou presidente.

No entanto, Eugene fazia a maior parte de seus comentários enfurecidos em cartas pessoais, conversas e anotações no diário. Ele simplesmente não tinha desejo de contribuir com a controvérsia pública. Esse posicionamento se devia, em parte, a sua personalidade. Eugene evitava os holofotes e qualquer coisa que desse até mesmo a mais vaga impressão de sensacionalismo, e tinha convicção de que, em nosso tempo de ânimos tão exacerbados, uma forte controvérsia pública não ajudaria em nada. Ademais, acreditava que os cristãos deviam lidar com desavenças de modo relacional, e não em diatribes abertas ou acusações públicas. Acreditava que o poder devia ser exercido por mãos sensíveis. Acreditava que a mudança de mentalidade se dá por meio de braços abertos, e não de punhos cerrados. (Talvez a surra que ele deu em seu primeiro convertido tenha servido de remédio para o resto da vida.)

Temos um vislumbre bastante revelador na afinidade de Eugene com um conceito que ele assimilou do poeta vencedor do prêmio Nobel Czeslaw Milosz: *ketman*. Eugene lia Milosz de modo contemplativo e frequente. Sob o regime opressor comunista na Polônia, Milosz sobreviveu por meio de *ketman*: "Um posicionamento de aquiescência exterior, mas de dissensão interior". Milosz parecia submisso às autoridades, mas seu exterior manso escondia sua independência ideológica subversiva.

Em certo sentido, Eugene empregou sua versão de *ketman* ao evitar (como ele explicou para um amigo) *ser "pego" pelas pessoas no meio das quais trabalho e às quais tenho esperança de ainda prover alguma influência, a saber, os evangélicos e os cismáticos. [Diante da polarização] na igreja e na política na América do Norte [...] consegui sobreviver ao não fazer provocações e não chamar a atenção para os posicionamentos inegociáveis da direita. [...] Dou um (meio) sorriso e lembro que tenho outro compromisso em seguida. Sempre me senti covarde e um tanto culpado. Agora, porém, tenho um nome para isso:* ketman! *Sinto quase como se fizesse parte de uma sociedade secreta.*

Quando um escritor cristão explicou para Eugene suas tentativas de escrever de maneira fiel a suas convicções sem colocar o pescoço na guilhotina da multidão "calvinista e irada", Eugene se solidarizou com ele. Apresentou-lhe Milosz e o conceito de *ketman* e descreveu a corda bamba em que ele próprio andava: *Segui essa linha a vida inteira e fico pasmo de ver que fui aceito por grupos tão diversos que não aceitam uns aos outros.*

Um dos motivos pelos quais Eugene não se envolvia em grandes controvérsias era que, em muitos casos, não havia chegado a um posicionamento categórico. Sentia-se muito mais à vontade que a maioria de nós com a ambiguidade e, em geral, partia do pressuposto (que muitos consideravam ingênuo) de que pessoas de bem podiam chegar a conclusões diametralmente distintas e que simplesmente temos de aprender a viver juntos dentro dessa realidade incômoda. Ademais, no parecer de Eugene, posicionamentos engessados e absolutizados de polos teológicos opostos costumavam dar às conversas uma forma desprovida de sabedoria, de humildade e de um caminho para prosseguir sob a inspiração do Espírito. Tinha a impressão de que havia perguntas melhores e ângulos mais abertos que nossas rusgas intolerantes. Mais que isso, Eugene não tinha nenhum desejo de entrar no jogo do partidarismo. Ao longo de toda a sua vida, talvez como reação ao pentecostalismo faccionário de sua infância, a convicção de Eugene era de que divisão e falta de amor (definido como crer nas coisas de Jesus à maneira de Jesus) eram os maiores pecados do evangelicalismo americano. Queria deixar a porta o mais aberta possível, para o maior número possível de pessoas. Queria manter o diálogo.

* * *

A controvérsia que mais atormentava Eugene e que ele tinha mais dificuldade de entender girava em torno da questão do casamento entre pessoas do mesmo sexo. Como pastor, sempre que Eugene se via na sala de estar

UMA FORMA DESGASTADA, MAS SANTA

de pais confusos com a revelação de que o filho era homossexual, seu principal foco era ajudá-los a amar o filho e manter o relacionamento intacto. *Tenho vários casais do mesmo sexo em minha igreja*, ele escreveu em uma carta, *cristãos devotos e fiéis a seu parceiro. Evangélicos e crentes na Bíblia. Dificilmente se trata de uma questão de "expressão sexual desenfreada". Não que isso não exista aos montes em nossa cultura, mas talvez não mais entre os* gays *que entre os heterossexuais.* Embora Eugene sempre houvesse entendido o casamento da forma histórica, ficava profundamente entristecido pelo número de igrejas que ultrajavam a comunidade *gay* e tratavam seus membros com repugnância e desprezo. Qualquer que seja o posicionamento de uma pessoa em relação à sexualidade, a imagem de Deus em todo ser humano amado e a exortação para que amemos nosso próximo como a nós mesmos formavam a base do ensino de Jesus e da fé cristã. Eugene ficava confuso com uma sexualidade que ele não entendia e com a reação inconcebível dos cristãos. Em uma anotação no diário em 2003, refletiu sobre uma forma de ir além dessa questão. *Deve haver uma abordagem não violenta à [...] homossexualidade: uma inclusão intuitiva, encontrar caminhos para a cura e a graça: atentar para Reynold Price e W. H. Auden e G. M. Hopkins e Henri Nouwen.* (E, então, como que condenando qualquer vestígio de farisaísmo, ele anotou mais uma linha: *E que fique registrado: ontem à noite tomei uma dose de bebida além da conta.*)

Embora a denominação presbiteriana de Eugene tenha se fraturado em virtude da questão de casamento entre pessoas do mesmo sexo, a teologia dele nunca mudou; sua maior preocupação era com divisões. A fidelidade a seus votos de ordenação ("submissão e obediência a meus irmãos mesmo quando discordo") e ao ensino de Jesus sobre a unidade da igreja tinha precedência sobre divergências até mesmo em questões importantes.

> *Não tenho paciência com separatismo. Essa divisão da igreja porque não gostamos de alguns de nossos amigos e vizinhos ou não os aprovamos é uma heresia muito mais séria que qualquer coisa decorrente das questões de mesmo sexo. [...] Quanto mais "pura" a igreja se torna, mais contrária fica à oração de Jesus para que todos nós sejamos um. Acaso esses amigos são o "inimigo"? Pois bem, o que Jesus ordena a respeito dos inimigos? Que os amemos, não é mesmo? Fiz votos à minha denominação e planejo ser fiel a eles. Posso conviver com homens e mulheres dos quais discordo e respeitá-los; é o que venho fazendo há 53 anos. Não é nada de novo. Contudo, essas*

invectivas e essa mesquinhez são novas, e não quero ter nada que ver com elas. Não creio que pastores sejam chamados para ser policiais de Deus.

[Os separatistas] cancelam qualquer verdade em favor da qual eles lutam com o ódio que vomitam no santuário.

Em uma carta de 2011, ele explicou seu modo de pensar:

Primeiro, tenho de dizer que [essa] é a área mais difícil com a qual precisei lidar em toda a vida. E não cheguei a um "posicionamento" claro. Mas tenho algumas reflexões.

Segundo, é evidente que a propensão homossexual, de si mesma, não é pecado. Creio que, a essa altura, as evidências são inequívocas.

Terceiro, não fica claro, de maneira nenhuma, se as citações sobre homossexualidade na Bíblia são abarcadas naquilo que está sendo discutido hoje na igreja. O mundo antigo era cheio de prostitutos masculinos e templos em que vendiam seus serviços. Aquilo que Israel e [a] igreja enfrentavam era a promiscuidade amplamente difundida e associada à religião pagã.

Quarto, questões de sexualidade são, em grande medida, moldadas pela cultura. A poligamia era comum no mundo hebraico. Davi tinha nove esposas! Quanto a "ser fiéis às Escrituras", há uma porção de coisas que costumamos interpretar de forma contextual: as leis alimentares em Levítico, por exemplo; a aceitação da escravidão; a regra para apedrejar adúlteros; a pena de morte por não honrar pai e mãe [...] e, mais recentemente, com base na citação de versículos bíblicos, o adultério (até mesmo para a parte "inocente") desqualificava a pessoa para a liderança na igreja.

Quinto, de acordo com um número considerável de estudiosos da Bíblia e teólogos que são evangélicos e que têm o mais absoluto apreço pela Bíblia, a homossexualidade mencionada nas Escrituras diz respeito à promiscuidade e à religião pagã (como mencionei acima). O mundo bíblico não tinha nenhuma noção daquilo que é proposto hoje, de cônjuges do mesmo sexo comprometidos um com o outro pela aliança de fidelidade do casamento.

E sexto, e creio que isso é o que mais pesa para mim. A igreja evangélica americana tem sido tão mesquinha com os homossexuais — tem os excluído e discriminado, zombado deles e os ultrajado — que não quero, de maneira nenhuma, me associar às discussões e aos preconceitos que se encontram à espreita logo abaixo da superfície de grande parte dessa questão. Os homossexuais dos quais fui pastor sentem, muito legitimamente, que foram tratados como párias. Conheço casais do mesmo sexo profundamente devotos, que seguem a Jesus com fidelidade e alegria.

Reconheço prontamente que não sou entusiástico a respeito da ideia de ordenação. Mas, se nossa igreja escolher esse caminho, aceitarei dentro do espírito de meus votos de ordenação de "sujeitar-me a meus irmãos [...] e [promover] a paz e a unidade na igreja".

Outras cartas revelam o conflito de Eugene e sua resistência a fazer qualquer declaração categórica:

Não tenho um posicionamento a esse respeito. Sim, considerei meticulosamente e em atitude de oração as evidências bíblicas. Contudo, não tenho certeza. Não creio que as evidências bíblicas sejam tão inequívocas quanto afirmam os evangélicos. E [...] fico extremamente ofendido com a retórica de ódio em nome de Jesus. Se eu tivesse de votar, não sei o que faria, mas não tenho de votar.

E mais:

A meu ver, essa é uma questão extremamente difícil de discernir corretamente. [...] Talvez haja mais coisas acontecendo com os cristãos no âmbito sexual hoje em dia do que compreendo. Estou disposto a viver com a incerteza, sem "assumir um posicionamento" (mas, ao mesmo tempo, unido a meus irmãos em Cristo que, reconheço abertamente, não compreendo).

Em um campo tão importante e tão polarizado, talvez seja difícil imaginar um homem circunspecto e de grande sabedoria no crepúsculo de sua vida — um homem que amava as Escrituras e amava aqueles que sofriam à margem (o que incluía as pessoas que escreviam para ele) — confessar que não tinha certeza. E, no entanto, Eugene reconhecia abertamente a ambiguidade. *[Essas coisas] são tão nebulosas para mim quanto para você. Não tenho "respostas" incontestáveis e definidas. Creio que a diferença entre nós nesse ponto é que não considero necessário ter clareza a fim de viver de modo honesto como pastor.* A correspondência de Eugene com pessoas LGBTQ e outros (bem como uma sessão de perguntas e respostas gravada no Seminário Teológico Western em 2014) revela o pensamento cada vez mais nuançado de

Eugene. Em uma carta, ele contou a história de um amigo pastor ("tão ortodoxo, devoto e 'correto' quanto se pode imaginar"). A filha de seu amigo ("uma cristã evangélica firme na fé") pediu ao pai que fizesse o casamento dela com uma pessoa do mesmo sexo. "E ele fez. Depois de mais de vinte anos, ela continua casada e continua evangélica e devota." Quando Eugene ouviu essa história de seu amigo, escreveu para mim em uma carta: *Respeito imensamente a decisão de meu amigo, mas não creio que conseguisse fazer o mesmo.* Dois anos depois, contudo, ao contar essa história novamente em outra carta para mim, ele fez um acréscimo: *Quanto mais penso nesse assunto, mais creio que poderia fazer e faria o mesmo se minha filha (ou um de meus filhos) me convidasse a participar dessa intimidade.*

Mesmo aqui, Eugene não formulou nenhuma argumentação abrangente a favor de casamento entre pessoas do mesmo sexo; antes, continuou a considerar essa questão uma "mixórdia", termo que tomou emprestado do artigo de Thomas W. Currie, professor do Seminário Presbiteriano Union, cujo título era "No meio da mixórdia", publicado na revista *Presbyterian Outlook*, um artigo do qual Eugene gostou e que passou adiante para seus amigos. Currie descreveu uma reunião do presbitério de Charlotte em que se viu "emudecido de surpresa, igualmente perplexo e, em vários momentos, ofendido por aqueles com os quais concordo e por aqueles dos quais discordo". Ele asseverou a validade da interpretação histórica do casamento, mas, ao mesmo tempo, declarou que "uma leitura fiel das Escrituras indica que Jesus parece muito mais interessado nos angustiados que naqueles que pensam contar com o apoio das Escrituras". Ao tentar entender a sabedoria bíblica, Eugene imaginou o rosto de pessoas reais (sua família) e suas histórias específicas e concluiu que ele ofereceria bênção pastoral ainda que não a entendesse plenamente.

* * *

À medida que Eugene se afastou da esfera pública, contudo, a controvérsia se moveu cada vez mais para a margem. Ele raramente aceitava convites para falar, e seus textos eram produzidos a conta-gotas. A exceção eram os pedidos de endossos, que chegavam aos montes. Embora Eugene recusasse a maioria, ainda lia e recomendava um grande número de manuscritos e, em geral, acrescentava uma linha abaixo do endosso: "Fiquem à vontade para editar".

UMA FORMA DESGASTADA, MAS SANTA

Eugene dedicava a maior parte de seu tempo a observar pássaros, corresponder-se com amigos e ficar com a família. O casamento de Eric com Elizabeth acrescentou três pequeninos (Grace, Isaac e Eli) à família, e Eugene estava ansioso para ver crianças cheias de energia correndo pela casa novamente. Ele também releu velhos favoritos, como os romances de Wallace Stegner, Wendell Berry, Marilynne Robinson e George Bernanos, bem como um bocado de poesia: Denise Levertov, Billy Collins, George Herbert, Mary Oliver. "Prefiro ler poetas a ler pastores", ele dizia. Eugene gostava da obra notável de Jim Harrison e Ted Kooser, *Braided Creek: A Conversation in Poetry*, "uma declaração a favor da poesia e contra credenciais". Preocupado com a crise ambiental, Eugene leu Terry Tempest Williams e Rick Bass, que morava no Vale Yaak, região isolada no noroeste de Montana onde Jan e Eugene tinham amigos que gostavam de visitar.

E, todos os domingos, ele se sentava no banco da Igreja Luterana Eidsvold. Andrew Wendle, pastor de Eidsvold, relatou que visitantes por vezes comentavam com ele depois do culto: "Pensei que Eugene Peterson frequentasse essa igreja".

"Ele frequenta, sim", respondia o pastor Andy. "Foram Eugene e Jan que levaram vocês até seu banco."

* * *

No final de 2015, a saúde de Eugene estava em declínio. Ele tinha prolapso de uma das válvulas do coração, e na idade dele não havia muito a ser feito além do uso de medicamentos. Seus joelhos, depois de anos de corrida, doíam constantemente. Os médicos lhe davam injeções de cortisona e ele usava joelheiras especiais para artrite, mas não adiantavam muita coisa. Durante quinze anos, ele havia pedido, sempre sem graça, para que o colocassem na classe executiva em voos, pois os poucos centímetros a mais entre os assentos proporcionavam algum alívio. Ainda assim, em uma de minhas visitas, ele se ajoelhou para pegar a prensa francesa no armário. "Você precisa do seu próprio café", ele disse, com expressão de dor ao se levantar. E tinha dificuldade de ganhar e manter peso. O café da manhã predileto de Eugene desde a época na Johns Hopkins era mingau e linguiça com maçãs fritas. Agora, porém, todas as manhãs Jan acrescentava ao mingau uma xícara de creme de leite orgânico. Em uma das raras ocasiões em que Eugene viajou, teve dificuldade de colocar sua pequena bagagem de mão no compartimento sobre os assentos. Uma senhora de 60 anos se ofereceu para ajudá-lo e colocou a mala no compartimento. *Coisas desse tipo têm acontecido com frequência.*

E não era apenas seu corpo. Há algum tempo, sentia fragilidade na alma. *Sempre tomei por certo que, à medida que ficasse mais velho, minha fé se tornaria mais firme*, ele escreveu em uma carta para seu antigo pastor em Vancouver.

> *Não foi o que aconteceu. Jan me antecedeu nesse aspecto. Alguns anos atrás, ela começou a expressar dúvidas, sua sensação daquilo que chamou "absurdo". Na verdade, não eram dúvidas debilitantes, mas também não estava mais presente a confiança como de uma criança à qual ela estava acostumada. E, então, o mesmo começou a acontecer comigo. Não foi uma crise, mas um desgaste nas bordas. Menos, em vez de mais. Ou menos do que eu esperava. Por vezes, ocorre-me que são minhas expectativas que precisam mudar, mas isso ainda não aconteceu.*

E, ainda assim, persistia o desejo que o acompanhou durante toda a vida, de congruência entre aparência exterior e vida interior: *Gostaria de ser, verdadeiramente, aquilo que as pessoas pensam que sou.*

* * *

Nesses dias da velhice, Eugene passava horas sentado em seu escritório. Encontrava contentamento em ler, orar e observar, do alto de seu mosteiro, os pássaros e as montanhas. E, à medida que a luz dele e de Jan desvanecia, os diários revelavam sua forte consciência dessa realidade: *[Estamos entrando] nos anos finais de nossa longa obediência.* Seus diários dessa época mostram um homem que se deleitava em uma tranquila atitude atenciosa, no desejo inexorável por Deus, por santidade, pela Presença. Até mesmo no último caderno que ele usou como diário as páginas em si evidenciam clareza, foco e sossego cada vez mais profundos. As linhas são mais retas, a escrita mais limpa. Toda a pressa tinha se esvaído, como se todas as distrações, até o som de uma caneta no papel, dessem lugar à simplicidade, à pureza. Ele havia deixado de ser ocupado.

E embora alguns talvez imaginassem que o mundo de Eugene estivesse se tornando cada vez menor, ele teria discordado com veemência. Eugene estava imerso no mundo de Deus, e havia vastas maravilhas a apenas um ou dois passos de sua porta. Suas caminhadas curtas da casa até a rua de cascalho para buscar o jornal eram peregrinações diárias. Eugene certa vez comentou com seu amigo Bob Jones sobre sua caminhada matinal: "Contei quantos animais eu vi: três cervos, um alce, dois gaviões, 117 minhocas. E eu, participando".

O espírito de Eugene era forte, mas seu corpo e sua mente começaram a falhar. No início de 2016, ele sofreu uma queda grave. Uma hóspede chegou e Eugene, sempre o cavalheiro, insistiu em carregar a bagagem dela até a casa. A mala pesada escorregou, e Eugene foi junto e caiu estirado. A cabeça foi de encontro ao piso de pedra e começou a sangrar. Eugene ficou inconsciente e não conseguiu se lembrar do acidente depois. Uma ressonância não revelou o local exato da lesão, mas esse susto acentuou o declínio cognitivo e físico.

Ele nunca se recuperou de modo pleno do acidente. Não conseguia mais dirigir. As ruas e estradas em que havia conduzido o carro durante setenta anos o confundiam. Tinha dificuldade de guardar nomes e detalhes. Lembro-me do mal-estar dele quando telefonou para mim e esqueceu quase de imediato o motivo da ligação. Eugene tinha períodos de lucidez em que só aqueles que o conheciam bem notavam suas dificuldades, mas havia outras ocasiões em que ficava evidente para qualquer um que ele estava confuso e perdido. Eric e Elizabeth construíram uma suíte ao lado de sua casa, prevendo que, a certa altura, Jan não conseguiria cuidar dele sozinha. Quando Jan e Eugene declararam que desejavam ficar na casa junto ao lago, Eric e Leif fizeram questão de instalar um gerador de emergência para o inverno rigoroso em que podia faltar energia por vários dias. Depois que Eugene caiu no chuveiro (duas vezes), Leif e Eric fizeram alterações no banheiro.

Uma tarde, quando estávamos em pé na cozinha fazendo café na prensa francesa, Eugene me disse devagar: "Você me pegou no fim da linha, na última hora". Em uma carta para amigos, Eric descreveu o estado geral de seu pai:

Meu pai, avançado em sua oitava década, não se encontra em seu melhor estado cognitivo ultimamente. Leva mais tempo para processar informações, esquece com mais facilidade e, por vezes, fica confuso. Ao mesmo tempo, mostra-se ainda mais bondoso e gentil e continua a ser a pessoa mais santa que conheço.

FOGO EM MEUS OSSOS

Uma tarde, no final de 2017, Jan, Eugene e eu estávamos sentados ao redor da mesa depois de um almoço de sanduíches e frutas.

— Quanto tempo você calcula que vai levar para escrever a biografia dele? — Jan perguntou.

— Creio que uns três anos — respondi.

Jan se inclinou para Eugene, e apertou a mão dele.

— Você aguenta mais três anos?

Eugene sorriu, soltou um leve suspiro e disse:

— Com certeza vou tentar.

Eugene e Jan permaneceram ali, sentados de mãos dada no silêncio, enfrentando juntos o desconhecido, rumando para as sombras.

* * *

Ainda estavam a caminho, porém, alguns momentos de fortes emoções. *As Kingfishers Catch Fire* [Como arirambas se iluminam], livro que Eugene havia terminado de editar vários anos antes, foi lançado. Durante anos, ele recusou a maioria das entrevistas, mas a editora entrou em contato com Jonathan Merritt, conhecido jornalista da agência Religious News Service. A princípio, Merritt hesitou, pois imaginou que um livro de sermões de um pastor idoso geraria pouco interesse. No entanto, quando foi anunciado que *Kingfishers* seria a última obra de Eugene, considerou que uma entrevista com palavras finais dele teria forte impacto.

Essa entrevista estava fadada a ser um dos mais profundos desgostos de Eugene. Merritt ligou para ele de seu apartamento no Brooklyn, fez perguntas a respeito de *Kingfishers* e sobre a saída de Eugene da vida pública. Perguntou, também, se ele tinha medo da morte. Pediu que Eugene comentasse sobre o presidente Trump, ao que Eugene respondeu: "Para mim, o presidente Trump é o inimigo. Ele não tem moralidade. Não tem integridade". Duas perguntas no final da entrevista, porém, foram as fagulhas que deram início a uma conflagração.

RNS: Você é presbiteriano, e sua denominação está lidando com algumas questões bastante difíceis em nossa sociedade. Refiro-me, especialmente, à homossexualidade e ao casamento de pessoas do mesmo sexo. Sua perspectiva a esse respeito mudou ao longo dos anos? Qual é seu posicionamento a respeito da moralidade de relacionamentos entre pessoas do mesmo sexo?

EP: Não tenho muita experiência com essa questão. Mas quando era pastor assistente, trabalhei em igrejas em que havia várias lésbicas. Ninguém fazia muito caso. Eu as visitava e não era tema de discussão. Partíamos do pressuposto de que elas eram tão cristãs quanto todos os outros membros da igreja.

Em minha igreja (quando saí, havia cerca de quinhentas pessoas), também não creio que fizéssemos muito caso disso. Quando saí, a responsável pelo ministério de música, que tinha estado lá tanto tempo quanto eu, também saiu. E a igreja teve de encontrar outra pessoa para cuidar desse ministério. Um dos rapazes que havia crescido na igreja durante meu pastorado era professor do ensino médio e músico. Quando ele soube dessa vaga, apareceu na igreja um dia e disse: "Gostaria de me candidatar para o cargo de coordenador do ministério de música, e sou *gay*". Não tínhamos *gays* na congregação. Quer dizer, ninguém que fosse abertamente *gay*. Mas eu fiquei muito feliz com a reação dos membros. Ninguém fez perguntas a esse respeito. E ele era excelente músico.

Eu não teria dito isso vinte anos atrás, mas agora conheço muitos *gays* e lésbicas que parecem ter uma vida espiritual tão boa quanto a minha. Creio que essa discussão sobre lésbicas e *gays* acabou. Quem condena, provavelmente procurará outra igreja. Estamos, portanto, em uma transição, e a meu ver é uma transição para melhor, para o bem. Não creio que seja algo para ostentar, mas, para mim, não é uma questão de certo ou errado.

Surpreso com a franqueza de Eugene, Jonathan fez outra pergunta, que não havia planejado:

RNS: Só para encerrar esse tema: Se você estivesse pastoreando hoje e um casal *gay* de sua igreja, cristãos firmes, pedisse que você realizasse a cerimônia de casamento deles, você aceitaria?

EP: Sim.

Uma palavra. Merritt desligou, aturdido. Foi até a sala de estar e disse a um amigo: "Isso muda tudo". Seguiram-se dias de angústia em que ele refletiu sobre o que devia fazer. "Eu sabia o que aconteceria se eu publicasse a entrevista. Ele seria crucificado. Mas, se não publicasse, daquele dia em diante não poderia mais me considerar jornalista." Na semana seguinte, depois de Merritt sair da aula de escrita criativa que ele dava na universidade, entrou no *site* da Religious News Services e publicou a última parte da entrevista. Horas depois, quando olhou seu telefone, a tela estava cheia de notificações de *tweets* e mensagens de texto e áudio. Um furor tomou conta da internet. Cristãos e líderes conservadores condenaram Eugene. Cristãos progressistas se regozijaram.

Poucas horas depois, a LifeWay (na época, a maior rede de livrarias dos Estados Unidos) deu um ultimato: ou Eugene esclarecia seu posicionamento, ou todos os seus livros seriam retirados das lojas da rede. O telefone de Eugene tocava sem parar. Amigos ligaram e descreveram a situação caótica: ele estava sendo trucidado, ou aplaudido, por vinte milhões de pessoas. Eugene ficou aturdido. Um homem que mal sabia abrir seus *e-mails* não tinha como compreender o turbilhão das redes sociais nem como sua entrevista (da qual ele se recordava apenas de alguns trechos) havia gerado tanta repercussão. Quando Rick Christian ligou, explicou a situação para Eugene e deu alguns exemplos de toda a gama de *tweets* e postagens nas redes sociais. Eugene, que sempre tinha evitado controvérsias e divisões, havia, de algum modo, lançado uma granada.

Confuso e aflito, com a mente enevoada, Eugene tentou entender o que estava acontecendo e o que devia fazer. Rick lhe disse que ele poderia permanecer de fora e deixar que outros levassem a discussão adiante ou poderia fazer uma declaração. "Foi horrível ver Eugene ser tratado dessa forma no fim de sua vida", Rick explicou. "Uma postagem com uma palavra só, sem contexto, desencadeou o alerta de heresia da LifeWay. E, de repente, um homem cuja palavra profética é estimada ao redor do mundo foi empurrado pelos valentões para um canto em que recebeu exatamente o tipo de atenção que ele sempre havia evitado. Nenhum diálogo. Nada de arrazoar juntos. Apenas grande pressa em condenar." Metralhado com perguntas, Rick percebeu que o caos precisava de algum tipo de resposta. Mas Eugene, o homem que havia escrito milhões de palavras, não conseguia imaginar como começar a primeira frase. Concordou em deixar que outros esboçassem um rascunho que ele pudesse analisar. Don Pape, amigo dos Petersons, da NavPress, que também recebeu inúmeras críticas em virtude da associação da editora com a Bíblia *A Mensagem*, trabalhou junto com um de seus editores, David Zimmerman, para começar o rascunho. "Não tínhamos absolutamente nenhuma intenção de colocar palavras na boca de Eugene", Pape disse. "Queríamos apenas tentar ajudá-lo

UMA FORMA DESGASTADA, MAS SANTA

ao expressar por escrito aquilo que, em nosso parecer, eram as ideias dele, algo com que ele pudesse trabalhar." Entregaram o esboço para Rick e descreveram o texto como "cimento molhado". Eugene podia ficar à vontade para "jogar tudo fora e começar do zero". Rick explicou que qualquer declaração feita seria nas palavras de Eugene. Por telefone, Eugene pediu que Rick editasse um trecho, e ele seguiu essa instrução.

Em seguida, Rick publicou uma declaração revisada com a seguinte linha central:

> Desejo esclarecer que apoio o conceito bíblico de casamento: um homem com uma mulher. Apoio o conceito bíblico de todas as coisas.

A declaração prosseguia:

> Ao ser pressionado por um entrevistador, disse sim naquele momento. Mas, ao refletir e orar sobre essa questão, gostaria de me retratar. Não é algo que eu faria, por respeito à igreja local e à igreja de modo mais amplo, bem como ao conceito cristão e ensino bíblico acerca do casamento. Esse casal seria bem-vindo à minha mesa, como qualquer outra pessoa é.

A forte reação foi excruciante. Para cristãos não heterossexuais que haviam sentido alívio e acolhimento quando um gigante tomou partido deles foi como se tivessem, um dia depois, levado um soco na cara. Concluíram que Eugene os havia abandonado por autopreservação, ganância, ou medo da máquina evangélica. Ou, pior ainda, que o descaso de Eugene por eles e por seu sofrimento era tanto que podia jogar (e retirar) palavras sem a mínima consideração pela difícil situação deles. Quando Eugene percebeu, vagamente, a angústia que havia causado à comunidade LGBTQ, ficou ainda mais perplexo. Eric, irado com a confusão toda, escreveu uma carta aberta: "Embora, creio eu, [a revisão] tenha sido uma tentativa bem-intencionada de acalmar as águas, em vários aspectos não reflete de modo exato as convicções dele. Em muitos sentidos, nem soa como ele". Em seguida, Eric descreveu sua maior preocupação:

> Remover, efetivamente, o apoio pastoral de Eugene à comunidade *gay* e lésbica seria perpetuar o estrago feito a uma das partes mais vulneráveis e marginalizadas de nossa igreja e de nossa sociedade. Meu pai e eu temos

FOGO EM MEUS OSSOS

profundo apreço pelas pessoas da comunidade LGBTQ: consideramos vários desses indivíduos nossos amigos chegados e, muitos deles, nossos irmãos e irmãs em Cristo. Seria extremamente lamentável se algum deles duvidasse de nosso apoio ou do amor incondicional de Deus por eles.

A transcrição da entrevista mostra apenas uma palavra, "sim", em resposta à pergunta: "Se você estivesse pastoreando hoje e um casal *gay* de sua igreja, cristãos firmes, pedisse para você realizar a cerimônia de casamento deles, você aceitaria?". O que a transcrição não revela é a longa pausa entre a pergunta e a resposta. Posso até estar enganado, mas tenho certeza de que, nessa pausa, Eugene estava pensando em uma de suas netas, pensando no que ele faria se ela pedisse para ele fazer seu casamento. Depois de passar a vida inteira imerso nas Escrituras e dedicado ao caminho da oração, depois de 59 anos de ministério pastoral, só havia uma resposta sincera. E, embora a complexidade da pergunta certamente pudesse ter sido beneficiada por uma conversa bem mais longa e refletida, sua resposta, naquela ocasião e agora, está tão próxima da verdade e é tão congruente com suas convicções e crenças quanto possível: *sim*.

Muitos acusaram Merritt de fazer papel de agitador ou de explorar Eugene, sem levar em conta uma vida inteira em que ele tratou de assuntos sensíveis por meio do diálogo, com nuanças e profundidade, e sem investigar a questão em mais detalhes, como seria apropriado tendo em conta a seriedade da conversa. Merritt imaginou que estivesse simplesmente realizando seu trabalho como jornalista: fazer perguntas incisivas e deixar que o entrevistado falasse. "O que mais me incomoda", Rick disse, "é que não houve mais diálogo, mais perguntas a respeito do que Eugene queria dizer com sua resposta ou sobre o que havia influenciado a mudança em seu modo de pensar." Merritt concordou: "Meu principal erro", disse, "foi não ter feito mais perguntas depois, não ter pedido que ele explicasse de que maneira a Bíblia norteava seu posicionamento. Eugene é conhecido como estudioso da Bíblia. Ele explicou as Escrituras para muitos. Não acredito que não fiz mais perguntas, mas ele me pegou de surpresa. E a entrevista simplesmente morreu ali. Arrependo-me disso." Merritt escreveu um artigo sobre a entrevista e seus resultados e encerrou com uma palavra gentil: "As opiniões de Peterson sobre casamento entre pessoas do mesmo sexo (quer ele seja a favor ou contra) não afetam meu respeito por ele e por seu ministério".

UMA FORMA DESGASTADA, MAS SANTA

Nesse episódio trágico, ninguém saiu ganhando. O resultado foi apenas confusão e dor. Cristãos LGBTQ sofreram, mais uma vez, perdas em uma guerra polemizada. Cristãos que adotam um conceito histórico do casamento (entre eles, alguns cristãos LGBTQ) ficaram confusos com as palavras vacilantes de um pastor que admiravam. Merritt sofreu, pois recebeu uma enxurrada de correspondência cheia de ódio, acusando-o de pegar Eugene propositadamente em uma cilada. "Tive de lidar, por um bom tempo, com a vergonha que senti por causa desse episódio", disse Merritt.

E Eugene sofreu. Nas semanas subsequentes à controvérsia, sua demência se agravou, embora ele só tenha recebido um diagnóstico oficial dois meses depois. Durante o ano anterior, eu havia observado seu declínio cognitivo, e a verdade é que Eugene não deveria ter dado nenhuma entrevista.

Em meio ao furor depois da retratação, Eric conversou com o pai por telefone para tentar identificar qual devia ser o próximo passo. "Sinto-me tão incompetente", Eugene disse várias vezes. Ele se confundia repetidamente a respeito de quem havia feito o que no meio do tumulto. Sua demência se manifestou com força total. Eric percebeu que, mesmo que tivessem ocorrido imprecisões e mal-entendidos, naquele momento, seu pai e sua mãe precisavam ser protegidos. O estrago estava consumado, e não havia mais nada que Eugene, confuso e triste, pudesse fazer.

Por isso, Eric guardou sua carta aberta e não a publicou. No entanto, escreveu para um pequeno círculo de amigos:

Nos últimos dias, creio que vi a igreja em sua pior forma. Meu pai foi alvo de ataques maldosos, foi chamado de uma porção de coisas irônicas e desdenhosas e taxado de herege; tudo isso causou grande mágoa e desânimo. Pior, e muito mais importante, foi um péssimo testemunho do evangelho de Jesus Cristo e um reflexo negativo sobre a natureza do Corpo de Cristo. Devo lembrá-los de que o mundo está nos observando, e muito daquilo que ele tem visto não leva os descrentes a dizer: "Vejam como eles amam uns aos outros!". No mínimo, foram exibidos comportamentos indignos dos batizados. A igreja pode e deve se sair melhor como Corpo encarnado de Cristo diante de diferenças individuais, especialmente quanto a questões adiáforas.

Em contrapartida, também fico feliz de dizer que, na última semana, a família Peterson vivenciou a igreja de Jesus Cristo em sua melhor forma, repleta de graça. Muitos nos deram um voto de confiança; houve exercício

FOGO EM MEUS OSSOS

de comedimento, bem como demonstrações de paciência. Houve quem escolhesse crer no melhor a respeito de meu pai diante de informações confusas e contraditórias. A essas pessoas digo que sua alta consideração por ele é justificada, e que nossa família está extremamente agradecida por seu bondoso apoio.

É trágico que, no momento público final de Eugene, ele tenha sofrido tanta dificuldade debaixo do peso daquilo que ele colocou como alvo de toda a sua vida (e a respeito do que ele escreve na introdução de *Kingfishers*): congruência. Eugene entrou em seus últimos dias confiante de que seus muitos anos e a vasta abrangência de sua vida e de seu trabalho contariam a história final.

* * *

Ao longo dos quinze meses seguintes, Eugene esmoreceu à medida que sua demência vascular se intensificou.

Costumava pegar exemplares de seus livros e sublinhá-los, como se tentasse lembrar o que ele havia escrito, quem ele era. Quando um amigo lhe perguntou sobre *Kingfishers*, ele abriu o livro e leu com uma voz firme e clara, como se alguém tivesse reacendido brasas antigas. Em seguida, fechou o livro e falou ao amigo, em tom de quem conta um segredo: "O autor desse livro era pastor".

Eugene passou por testes cognitivos simples e fracassou cabalmente. A enfermeira pediu que ele desenhasse um relógio às 3h30. Ele amontoou todos os números e, depois, desenhou os ponteiros do lado de fora do círculo, em outra parte da página. A enfermeira leu para ele uma história simples e, depois, fez algumas perguntas básicas ("De quem a história fala?", "Quantas crianças havia?"). Eugene cerrou as pálpebras, esfregou as mãos nas pernas e respondeu: "Não sei". "Ele tirou nota zero nos testes", Eric recordou, "mas não ficou estressado. Estava em paz."

Certo dia, Eric encontrou Eugene sozinho na sala de estar, com um olhar distante, segurando uma caneca de café.

— E aí, pai, como você está?

— Sinto-me tão confuso — Eugene respondeu.

— A gente conversou sobre isso, não é mesmo? — Eric pôs a mão no ombro do pai. — Sua mente não está funcionando como antes. Mas não tem problema — Eric apertou o ombro dele com afeto e pronunciou a primeira linha da bênção de Juliana de Norwich: "Tudo ficará bem, e tudo ficará bem, e toda sorte de coisa ficará bem".

Eugene olhou para Eric como se uma luz houvesse se acendido, e as palavras vieram à tona, do mais recôndito da memória e de longo hábito.

— Toda sorte de coisa ficará bem — Eugene respondeu.

"Papai não tinha consciência de seu estado de saúde", Eric refletiu, "não sabia que ano era, não sabia que tinha construído a casa em que estava, e não sabia quem era o presidente. Mas ele conhecia, no mais recôndito de sua alma, a realidade inabalável da presença de Deus." E, nesse estado confuso e desnorteado, Eugene manteve uma consciência santa em seu cerne, em um lugar interior plenamente intacto, que a demência não atingiu. "Essa vida de oração ficou gravada de modo profundo dentro de meu pai, e ele teve pleno acesso a ela até o dia em que morreu. Creio que naqueles últimos dias, papai estava simplesmente descendo cada vez mais para as profundezas desse mundo interior que ele havia construído com Deus ao longo de toda a vida; só que não tínhamos como acessar esse mundo junto com ele."

Talvez essa realidade interior simples fosse algo que ainda estivesse sendo revelado a Eugene naqueles dias finais. Quando, certa vez, alguém lhe perguntou quais eram, a seu ver, as características de um santo, ele respondeu: "Primeiramente, humildade. Despretensão; não fazer ideia de que se é um santo".

A luz derradeira estava esmorecendo. No último final de semana de Eugene, Leif e Amy, Eric e Elizabeth fizeram vigília na casa junto ao lago. Eric e Leif mantinham a lamparina do deque acesa 24 horas por dia, luz que bruxuleava sobre a água escura. Eugene estava de cama, em um declínio visível. Jan segurava a mão dele enquanto períodos de consciência iam e vinham, uma caminhada no limiar precário entre dois modos de existência.

Nesse lugar tênue, Eugene murmurava palavras que fugiam à compreensão, melodiosas e estranhas, mas de entonação conhecida. Talvez hebraico, ou, voltando ao fogo pentecostal de sua mãe, a glossolalia pela qual ele tanto havia ansiado na infância. De tempos em tempos, ele abria os olhos, levantava a cabeça do travesseiro e estendia a mão, como se quisesse tocar alguém, interagindo com pessoas muito reais para ele, mas que ninguém mais conseguia ver.

FOGO EM MEUS OSSOS

Eugene deu um susto na enfermeira de cuidados paliativos quando se sentou de supetão e começou a se levantar. "Vamos lá!", ele disse em tom enérgico. Foi coincidência ele usar as mesmas duas palavras que dão início ao poema de Levertov que ele havia, durante tanto tempo, considerado uma descrição dele próprio: o cão que se move de forma "decididamente acidental", farejando o rasto da graça, "cada passo, uma chegada"? Foi coincidência que, no final, as palavras que vinham inevitável e rapidamente a seus lábios moribundos fossem poesia?

Poesia e gratidão. Naqueles dois últimos dias, ele dizia "obrigado" repetidamente. Quando alguém ajeitava seu travesseiro ou ajudava-o a beber água: "Obrigado". Com frequência, simplesmente murmurava baixinho: "Obrigado". E era gratidão permeada de alegria. Uma tarde, Eric, Elizabeth, Leif e Amy estavam sentados de um lado da cama dele. Eugene abriu os olhos, levou alguns momentos para focalizar e logo os reconheceu. Seu olhar ganhou brilho, e ele abriu um sorriso largo: "Uau!", exclamou.

Naquelas horas finais, Elizabeth sentou-se com ele, segurando sua mão e cantando hinos. Ao sentir que o fim estava próximo, ela chamou Eric. Então, o momento: o último fôlego, novas lágrimas, a transição para um lugar mais amplo, um chamado de uma voz profunda, conhecida, um chamado vindo de uma margem que vai além de nossa vista. *Vamos lá*. Era hora de partir.

Últimas palavras, quase indiscerníveis: *Muito obrigado*.

E, sem pressa, de modo tranquilo, Eugene se foi.

Às 6h30 de segunda-feira, 22 de outubro de 2018, a lamparina do deque se apagou. Eric colocou a mão sobre a cabeça do pai e pronunciou uma bênção: "Juntos, somos testemunhas desse alegre fato: de que na absoluta certeza da ressurreição para a vida eterna por meio de nosso Senhor Jesus Cristo, declaro que o batismo de Eugene Hoiland Peterson agora está completo. 'Felizes os que morrem no Senhor', diz o Espírito, 'pois descansarão de seu trabalho árduo; porque suas boas obras os acompanharão.'"

Leif, em meio a lágrimas, acrescentou: "É muito bom ter um sacerdote na família".

* * *

Eric voltou a sua oficina para construir o caixão de seu pai. Cortou e lixou as tábuas de pinho, usou cordas brancas para as alças e, na tampa, colocou

UMA FORMA DESGASTADA, MAS SANTA

uma pequena cruz de madeira do Mosteiro de Cristo no Deserto. Os netos, que carregaram o caixão, levaram-no pelo corredor central da igreja e o colocaram diante da pia batismal. A galeria do coral estava lotada de pastores do país inteiro, todos vestidos com estolas ou colarinhos clericais em homenagem a Eugene (como parte de sua "irmandade de pastores"). Eric se colocou em pé e, com a voz embargada, chamou a congregação para adorar. Enquanto amigos compartilhavam memórias, Jan permaneceu sentada no primeiro banco, tristeza quebrada por momentos de riso. Enxugava as lágrimas com um lenço e, quando trocava olhares com amigos, abria um sorriso. Mas trazia dentro de si uma dor difusa. Pela primeira vez em sessenta anos, estava sozinha na igreja, sem Eugene.

Debaixo dos céus sombrios de Montana, os familiares se reuniram junto à sepultura, todos próximos uns dos outros para se proteger do vento gélido. Drew pegou o banjo e, acompanhado pelo cântico da família, tocou "Salve o Cristo Pescador", poema-canção que Eugene escreveu em uma de suas muitas caminhadas de verão em Montana. Ele cantava essa canção com frequência para os filhos e, depois, para os netos.

Depois das palavras finais, desceram o caixão ao solo e jogaram terra sobre as tábuas de pinho.

E a vida de Eugene disse *amém*.

Coda

Onze de novembro de 2019. Faz pouco mais de um ano que Eugene atravessou aquele tênue limiar e foi recebido de braços abertos na comunhão dos santos. Um ano desde que Eric mergulhou a mão na pia batismal e derramou água sobre o caixão de Eugene, pronunciando uma bênção final. Adiei por meses escrever sobre a morte de Eugene, não apenas porque a narrativa daquelas horas finais proporciona uma conclusão natural. Mais que isso, penso que empurrei para longe essa parte do texto porque ainda não estava pronto para me despedir de Eugene. Enquanto continuasse a escrever, enquanto não houvesse registrado na página essas palavras dolorosas, Eugene estaria, de algum modo, vivo no relato. Sua presença assomava, ainda próxima.

E este é o detalhe que me incomodou repetidamente durante o trabalho de escrever: Como transmitir *presença*? Como explicar a vastidão que se abria em minha alma naqueles momentos que eu passava sentado com Eugene em silêncio vagaroso? De que maneira descrever como era estar imerso nos ritmos corriqueiros (cozinhar, encher os comedouros para os pássaros, sentar na varanda ao sol da tarde) e, por fim, entender sem nenhuma explicação o que os antigos queriam dizer quando falavam de vida de oração? De que maneira relatar como era estar diante da janela da cozinha de Jan e Eugene, olhando com ele para o lago, em direção aos montes, tentando enxergar o que ele via e perceber que esse ato em si — do olhar, do silêncio — oferecia a verdadeira essência? Eugene viveu de acordo com as linhas poéticas que ele próprio escreveu:

> *Leva um tempo vagaroso. Então,*
> *Lá está: ausências se tornam Presença.*

Como ajudar você a ter um encontro com a presença dele? Será que é possível?

Poderia lhe falar de minha primeira conversa relevante com Eugene. Estávamos em Juneau, Alasca, sentados nos bancos estofados e revestidos de tecido azul do restaurante no hotel Travelodge, com pratos de ovos e *bacon* diante de nós. Eugene vestia a combinação de camisa *jeans* e botas que eu vim a apreciar. Pediu café, mas tomou apenas alguns goles. Eu era um pastor jovem e ansioso; abri meu diário com capa de couro e fui marcando a sequência de perguntas irritantes que havia preparado. Eugene sorria, ouvia e respondia com simplicidade. Em seguida, continuava a sorrir e ouvir. Não me lembro exatamente de nenhuma das perguntas que fiz, e não me recordo de nenhuma das respostas. Mas, terminado o café da manhã, meu turbilhão de ansiedades — todas as perguntas e temas que pareciam tão importunos apenas algumas horas antes — havia se dissipado. Eugene não disse nada inédito, não fez nenhum pronunciamento brilhante, mas me acolheu em um âmbito que só consigo descrever como imensamente humano e profundamente sagrado.

Poderia lhe falar de como Eugene me levou, anos depois, pelas escadas de pedra, passando pelos caiaques, até o depósito debaixo da casa no Lago Flathead. Aquela caverna abrigava caixas de livros, brinquedos aquáticos infláveis e várias ratoeiras não muito eficazes espalhadas pelo chão. Estantes se curvavam sob o peso de edições com capa de couro de *A Mensagem* e pilhas de cópias de *Coma este livro* em capa dura, todos roídos pelos ratos que entenderam literalmente o conselho do título. Eugene se curvou para passar pela porta baixa, ligou o interruptor, e uma lâmpada de cem *watts* piscou e acendeu. Ele apontou para dois arquivos de metal que continham milhares de cartas (Eugene sempre grampeava sua resposta à carta original e colocava as duas em um envelope pardo), manuscritos, agendas e recortes do ensino médio, da faculdade e de décadas na Igreja Cristo Nosso Rei. Naquela gruta escura estavam milhares de sermões, livros *best-sellers* e notas de admiração (e crítica também) de figuras proeminentes. E, no entanto, sempre que eu voltava para a casa depois de horas no porão, Eugene perguntava: "E então, Winn, encontrou algo que valha a pena?". Eu abria um sorriso radiante. Rapaz, eu havia encontrado *muita coisa* que valia a pena. Ele balançava a cabeça, perplexo. "Não sei por que alguém se interessaria. Isso tudo foi apenas um presente." É impressionante encontrar uma pessoa de substância e descobrir, em seu mundo mais recôndito, gratidão e humildade verdadeiras. Eugene não tinha falsa modéstia, não procurava fazer pouco de suas realizações, nem parecer pequeno. Ele

CODA

simplesmente vivia em um mundo grande (o mundo *de Deus*) e, nessa vastidão, tudo, quer fosse corriqueiro ou maravilhoso, despertava admiração. Por que destacar sua vida se há milhares de esplendores refulgentes? Para Eugene, as dádivas eram inexauríveis: o brilho da luz que desvanecia sobre o lago, uma linha de Mary Oliver, um beijo de Jan, uma boa piada, uma ideia de Barth, uma tigela de sorvete de nozes. E, na companhia de Eugene, eu comecei a reparar como as coisas mais comuns rutilavam com nova e inesperada beleza.

Poderia lhe falar da noite do funeral de Eugene, do céu escuro de Montana e do ar cortante de novembro. Caminhei pela Primeira Avenida Oeste, a mesma rua pela qual Eugene havia circulado com sua bicicleta Schwinn, e parei diante da varanda de uma casa vitoriana não muito distante do açougue em que ele tinha empunhado um cutelo. Sofás marrons confortáveis circundavam a sala de estar aberta, com janelas amplas, piso de tábua corrida e cadeiras tiradas da mesa de jantar. Alunos da Faculdade Regent e um pequeno grupo de outros amigos se reuniram para contar histórias, recordar, chorar e rir. Embalagens de comida chinesa enchiam a cozinha, e uma garrafa de uísque escocês envelhecido era passada de mão em mão. Houve lágrimas. E uma sucessão de relatos. Mas não ouvi quase nada sobre os livros de Eugene ou sua presença em grandes palcos, nada sobre os prêmios que ele recebeu e nada sobre seus amigos influentes. Ouvi relatos de conversas incomuns, feitas quase sempre mais de silêncio que de palavras. Ouvi histórias de noites ao redor da mesa da cozinha dos Petersons, acompanhadas de tigelas de sopa, ou longas conversas diante do fogão a lenha depois das orações noturnas. Ouvi comentários sobre os abraços de Eugene e Jan, sobre a cura que tantos sentiram no lago, um lugar que muitos chamavam afetuosamente Rivendell.

Poderia lhe falar de como era subir as escadas até o escritório de Eugene, passando por uma pequena gárgula de expressão endiabrada, agachada no terceiro degrau, pela foto em preto e branco de Eugene assentado em um banco debaixo da cruz no santuário da Cristo Nosso Rei e pela foto de uma moça orando no Muro das Lamentações. Uma passadeira bege de material grosso cobria as escadas e abafava meus passos. E, então, uma pausa diante da porta do escritório. Deve ter sido uma pequena amostra daquilo que Eric sentiu, quando menino, ao espiar pela porta entreaberta e ver seu pai ajoelhado, orando. Eugene sentava-se na cadeira de balanço, uma manta de lã no encosto. Ficava de frente para a água, olhos fechados, o sol aquecendo

FOGO EM MEUS OSSOS

seu rosto. Nenhum movimento. Nenhum som. Inteireza. Contentamento. *Santidade.* Essa era sua cela monástica. Essa era sua catedral.

A história de Eugene lança sombras longas. Esse filho de açougueiro. Esse menino que acompanhava a mãe até acampamentos cobertos de pó de serra, onde, em centros comunitários, Evelyn pregava o amor de Deus a lenhadores e desordeiros. Esse homem de voz séria que ouvia, com sorriso sincero e alma terna, quem quer que estivesse sentado diante dele. Esse homem que gostava de ver o sol nascer na Serra Mission e de ver as águias pescadoras sobrevoarem a baía. Esse homem que conhecia o nome de cada árvore e de cada flor que viviam junto dele e de Jan no mosteiro em Montana. Esse homem que se tornou uma voz sábia e confiável em uma era de incredulidade. Importantes canais da mídia como a estação de rádio NPR procuravam Eugene em momentos de crise nacional; foi o que aconteceu, por exemplo, depois do horrível tiroteio na escola Sandy Hook. Uma obra acadêmica o avaliou de forma elogiosa: "Eugene Peterson talvez seja o mais influente escritor teológico da igreja em nossos dias". Inúmeras instituições lhe deram títulos de doutorado *honoris causa.* A Faculdade Regent criou a Cátedra Eugene e Jan Peterson em Teologia e Artes. Sem falar em sua brilhante carreira literária. Durante a vida de Eugene, ele vendeu aproximadamente 22 milhões de exemplares de 38 livros, traduzidos para línguas do mundo inteiro.

No entanto, o que importava para mim (e para tantos de nós que o conhecíamos e amávamos) era algo mais profundo. Algo que nenhum de nós consegue explicar de modo claro. Você teria de sentar-se com ele para entender. Teria de receber seu calor, seu acolhimento, a hospitalidade de seu silêncio. Teria de experimentar a forma que ele *conhecia* Deus.

No dia antes do sepultamento, sentei-me na pequena capela da funerária Johnson-Gloschat, em que Eugene repousava no caixão de pinho. Estávamos em três, distantes um do outro na capela, cada um em seu banco de madeira. As pesadas cortinas douradas, o carpete marrom e a cornucópia de flores teriam provocado claustrofobia em Eugene, mas ele teria amado a quietude. Levantei-me do banco, caminhei pelo corredor curto. Permaneci ali, junto ao corpo de Eugene. Meus olhos estavam marejados.

"Obrigado", eu disse. "Obrigado."

Agradecimentos

Quando embarcamos em uma empreitada audaz, nunca sabemos de quanta ajuda precisaremos para completá-la. Eu precisei de um bocado de ajuda. Meu bom amigo John Blase me disse, depois do que pensei que fosse a última visita a Eugene, que eu precisava ser aquele que escreveria essa história. Dei ouvidos a ele, como também o fizeram Jan e Eugene. John foi meu editor durante quase três anos e me ajudou a dar forma a frases robustas. John, admiro suas poesias e histórias há anos (você é, verdadeiramente, um de meus escritores prediletos). Portanto, obrigada por dedicar sua proficiência a estas páginas.

Em seguida, Paul Pastor tomou sobre si o manto de editor e abordou o manuscrito com olhar habilidoso e caneta afiada. Obrigado, Paul, por me ajudar a escrever um livro digno de Eugene. Agradeço a Kathy Mosier e Helen Macdonald pela correção de meus muitos erros (quaisquer erros ainda presentes são inteiramente meus). Sou grato pelos conselhos lúcidos e pelo apoio de minha agente Andrea Heinecke. As fotografias nessas páginas nos permitiram *ver* Eugene, parte essencial para entender seu caráter humano. Os fotógrafos Martyn Taylor e Todd Holden foram especialmente generosos em seu trabalho. E, para Emily Pastor: que coisa maravilhosa seu desenho do Vale Flathead. É tudo o que eu esperava. Eugene e Jan teriam amado esse mapa, e tenho certeza de que uma cópia permanecerá por muitas décadas na Casa Selah.

Uma das alegrias de pesquisar a história de Eugene foi o grande número de conversas que tive com pessoas diversas e gentis — cada uma delas afetuosa, íntegra e atenciosa. Perdi as contas de quantas vezes saí de uma ligação ou de um almoço e pensei: *Eugene e Jan tinham amigos incríveis. Fico muito feliz de poder conhecer essas pessoas.* E, o que é melhor ainda, alguns amigos deles se tornaram meus amigos também. Que presente inesperado!

Portanto, aos muitos amigos de Eugene e Jan com os quais encontrei, a tantos outros que ajudaram a pesquisar, vasculhar arquivos e compartilhar cartas, a todos que separaram tempo para longas conversas e, depois, *e-mails*, meus agradecimentos: Sarah Arnold, David Bauer, Dan Baumgartner, Maria Bitterli, Arthur Boers, Scott Bolinder, Byron Borger, Bruce Bryant, Tracie Bullis, Julie Canlis, Matt Canlis, Alex Chai, Debbie Christian, Rick Christian, Jack Craft, Charles Davidson, Jim Dresher, Craig Fee, Charles Fensham, Karen Finch, Miles Finch, Sister Constance Fitzgerald, Ryan Flanigan, Lu Gerard, Daniel Grothe, David Hansen, Miranda Harris, Peter Harris, Kenneth Henke, Jim Hoover, Dale Irvin, Peb Jackson, Kristen Johnson, Trygve Johnson, Bob Jones, Richard Kew, Toni Kim, Walter Kim, Gisela Kreglinger, Carol Rueck Mann, Mickey Maudlin, Adrienne Meier, Jonathan Merritt, Cherith Fee Nordling, Cuba Odneal, Glenn Packiam, Don Pape, Joyce Peasgood, Drew Peterson, Elizabeth Peterson, Eric Peterson, Karen Peterson, Ken Peterson, Leif Peterson, Sadie Peterson, Dean Pinter, Steven Purcell, Darrin Rodgers, Peter Santucci, Luci Shaw, Simon Steer, Bob Stiles, Jon Stine, David Taylor, Steve Trotter, Walter Wangerin Jr., Prescott Williams III, Jeffrey Wilson, Jonathan Wilson-Hartgrove, Jim Wolff, David Wood, Philip Yancey, Geordie Ziegler e David Zimmerman.

Agradeço à família de Eugene e Jan, e especialmente a Eric, Leif e Karen, por terem confiado a mim essa tarefa. Vocês foram amados. Não importa o que mais eu tenha aprendido por meio da vida de seu pai e dos diários dele, descobri uma coisa: vocês foram amados.

Minha esposa, Miska, é minha verdadeira companheira e alma gêmea, e tudo o que eu faço leva consigo não apenas minha esperança e meu coração, mas dela também. Obrigado por fazer de mim um homem melhor, Miska. E Wyatt e Seth, nossos dois filhos. Ao longo deste projeto exaustivo, os dois disseram para mim: "Papai, estamos orando por você" ou "Papai, você consegue". Essas palavras vão fundo no coração de um pai. Amo vocês, Wyatt e Seth.

Notas

Introdução

11 A epígrafe foi extraída de William Blake, *The Illuminated Books*, ed. David Bindman, vol. 1, *Jerusalem: The Emanation of the Giant Albion*, ed. Morton D. Paley (Princeton, NJ: Princeton University Press, 1991), p. 201. [No Brasil, *Visões de William Blake: Imagens e palavras em* Jerusalém a emanação do gigante Albion. Campinas, SP: UNICAMP, 2009.]

Capítulo 1: Montana

15 A epígrafe foi extraída de Rick Bass, *Winter: Notes from Montana* (Boston: Mariner, 1991), p. 5.

15 **Em 1902**: De acordo com a família, a imigração ocorreu em 1900, mas um registro do censo indica 1902. Além disso, o nome do avô de Eugene era Endre Endressen Hoiland, e aparece dessa forma até o registro do censo de 1920. Em algum momento, porém, a família alterou Endre para Andre.

15 *Norge,* **ou na** *Thingvalla*: Ou, talvez, tenham navegado no *Angelo* ou no *Hekla (2)*; os registros de passageiros daquele período se perderam em um incêndio.

16 **"quatro empórios"**: Harry Stanford, "Kalispell in 1892: A Lusty Infant", in: Henry Elwood, *Kalispell, Montana and the Upper Flathead Valley*, 2ª ed. (Kalispell, MT: Thomas, 1989), p. 55.

16 **como pastor**: O jornal de Kalispell, *Daily Inter Lake,* faz referência ao "Rev. Andrew Hoiland" em um artigo de 19 de julho de 1917.

17 **"Execução de Fred LeBeau"**: Elwood, *Kalispell, Montana*, p. 84.

17 **"o jardim do Éden"**: Elwood, *Kalispell, Montana*, p. vii.

17 **"vales da Suíça"**: Elwood, *Kalispell, Montana*, p. 2.

17 **aquilo que contemplamos**: William Blake, *The Illuminated Books*, ed. David Bindman, vol. 1, *Jerusalem: The Emanation of the Giant Albion*, ed. Morton D. Paley (Princeton, NJ: Princeton University Press, 1991), p. 201. [No Brasil, *Visões de William Blake: Imagens e palavras em* Jerusalém a emanação do gigante Albion. Campinas, SP: UNICAMP, 2009.]

FOGO EM MEUS OSSOS

17 **"à procura de pontas de flechas"**: Eugene Peterson, "Eugene Peterson: The Bible, Poetry, and Active Imagination", entrevista com Krista Tippett, *On Being*, 22 de dezembro de 2016, <https://onbeing.org /programs/Eugene-peterson-the-bible-poetry-and-active-imagination-aug2018/#transcript>.

18 **"município de Jackson, Missouri"**: David McCullough, "The Unexpected Harry Truman", in: Robert A. Caro et al., *Extraordinary Lives: The Art and Craft of American Biography*, ed. William Zinsser (Boston: Houghton Mifin, 1988), p. 28.

18 **"operando na criação"**: Paul Evdokimov, *Orthodoxy*, trad. Jeremy Hummerstone e Callan Slipper (Hyde Park, NY: New City, 2011), p. 23.

18 **"*santas* águas"**: Eugene H. Peterson, *The Pastor: A Memoir* (New York: HarperOne, 2011), p. 13. [No Brasil, *Memórias de um pastor*. São Paulo: Mundo Cristão, 2011.]

18 **"dito em oração e posto em prática"**: Peterson, *Pastor*, p. 12.

18 **"geografia de minha imaginação"**: Peterson, *Pastor*, p. 11.

19 **"ainda me pergunto se é o caso"**: Peterson, *Pastor*, p. 10-11.

Capítulo 2: Mãe: aqueles domingos de inverno

20 A epígrafe foi extraída de Wallace Stegner, "Letter, Much Too Late", in: *Where the Bluebird Sings to the Lemonade Springs: Living and Writing in the West* (New York: Modern Library, 2002), p. 33.

21 **"sem o menor constrangimento"**: Eugene H. Peterson, *The Pastor: A Memoir* (New York: HarperOne, 2011), p. 28. [No Brasil, *Memórias de um pastor*. São Paulo: Mundo Cristão, 2011.]

22 **"alguns dos melhores trechos"**: Peterson, *Pastor*, p. 29.

22 **"os palavrões mais arrepiantes"**: Peterson, *Pastor*, p. 33.

22 **"para o pastorado"**: Peterson, *Pastor*, p. 28.

23 **"para que não se mova"**: Jeremias 10.3-4, KJV.

24 **"a árvore de Natal"**: Esse relato completo está em Peterson, *Pastor*, p. 50-55; Eugene H. Peterson, "Christmas Shame", *Christianity Today*, 20 de dezembro de 2006, <www.christianitytoday.com/ct/2006/decemberweb-only/151-32.0.html>.

25 **"inúmeras fronteiras"**: Eugene Peterson, anotação em seu diário, 6 de fevereiro de 2003.

25 **"amor e alegria"**: Eugene Peterson, anotação em seu diário, 6 de fevereiro de 1993.

Capítulo 3: Filho do açougueiro

26 A epígrafe foi extraída de William Kittredge, *Hole in the Sky: A Memoir* (New York: Vintage Books, 1992), p. 28.

NOTAS

27 **"na boca do moedor"**: Eugene H. Peterson, *The Pastor: A Memoir* (New York: HarperOne, 2011), p. 36. [No Brasil, *Memórias de um pastor*. São Paulo: Mundo Cristão, 2011.]

28 **"com respeito e reverência"**: Peterson, *Pastor*, p. 36.

28 **"Matador"**: Peterson, *Pastor*, p. 38.

28 **"linguagem sofisticada"**: Eugene H. Peterson, *Subversive Spirituality* (Grand Rapids, MI: Eerdmans, 1997), p. 205. [No Brasil, *Espiritualidade subversiva*. São Paulo: Mundo Cristão, 2009.]

28 **"que um comércio"**: Peterson, *Pastor*, p. 39.

29 **"gente esquisita e desajustada"**: Peterson, *Subversive Spirituality*, p. 205.

29 **"local santo de trabalho"**: Peterson, *Pastor*, p. 39-40.

31 **como presente para Eugene**: Peterson, *Pastor*, p. 263.

32 **"eram meu avô"**: Peterson, *Pastor,* p. 263.

Capítulo 4: A natureza da busca

34 A epígrafe foi extraída de Walker Percy, *The Moviegoer: A Novel*, 1ª ed. internacional Vintage (New York: Vintage Books, 1998), p. 13.

36 **"nunca mais teve notícias dela"**: Essa história se encontra em Eugene H. Peterson, *The Pastor: A Memoir* (New York: HarperOne, 2011), p. 57-58. [No Brasil, *Memórias de um pastor*. São Paulo: Mundo Cristão, 2011.] Vários detalhes são fornecidos nos arquivos de 1917 do *Daily Inter Lake*.

37 **"reduzir outros a estereótipos"**: Peterson, *Pastor*, p. 59-60.

37 **"o cerne de meu ser"**: Eugene Peterson, anotação em seu diário, 10 de março de 2007.

39 **"tentava imitar"**: Peterson, *Pastor*, p. 47. Essa história é relatada em *The Pastor*, p. 46-49 e em vários outros lugares. Eugene chamou Cecil Zachary de Garrison Johns nessa obra.

39 **"dar a outra face"**: Romanos 12.14; ver Mateus 5.39.

40 **"primeiro convertido a Cristo"**: Peterson, *Pastor*, p. 48.

40 **"seis semanas antes, tinha falecido"**: Obituário, Cecil Zachary, *Daily Inter Lake*, 16 de outubro de 2006.

43 **"reviravoltas espetaculares"**: "Flathead Slates Track Meet with Falls Team", *Daily Inter Lake,* 26 de abril de 1950.

43 **"Key Club"**: "Sports About Town", *Daily Inter Lake*, 7 de maio de 1950.

44 **"quem me tornei"**: Eugene Peterson, anotação em seu diário, 13 de setembro de 2006.

44 **"exilado que vive à margem"**: Eugene Peterson, anotação em seu diário, 5 de agosto de 1990.

FOGO EM MEUS OSSOS

45 **"totalmente perplexo"**: Eugene H. Peterson, *Subversive Spirituality* (Grand Rapids, MI: Eerdmans, 1997), p. 203-4. [No Brasil, *Espiritualidade subversiva*. São Paulo: Mundo Cristão, 2009.]

45 **"tentando imitá-lo"**: Peterson, *Subversive Spirituality*, p. 203-4.

46 **"como seria"**: Peterson, *Pastor*, p. 74.

46 **"E ainda é"**: Peterson, *Pastor*, p. 77.

Capítulo 5: Horizonte promissor em Seattle

48 A epígrafe foi extraída de Maria Semple, *Where'd You Go, Bernadette?* (New York: Back Bay Books, 2019), p. 325. [No Brasil, *Cadê você, Bernadette?* São Paulo: Companhia das Letras, 2014.]

48 **"dentro de mim"**: Gene Peterson, "Prexy's Pen", *Falcon*, 3 de junho de 1954, p. 2.

49 **"uma característica aprendida"**: Ken Peterson e Miles Finch, conversa com o autor, 27 de junho de 2017.

49 **"esse tipo de pessoa"**: Gene Peterson, "Prexy's Pen", *Falcon,* 12 de novembro de 1953, p. 2.

49 **"usa esse apelido"**: Eugene gostava de explicar seu nome do meio. Sempre que alguém via *Eugene H. Peterson* e perguntava o que era o "H.", ele dizia: "Hoiland era o sobrenome de solteira de minha mãe, um sobrenome antigo, ligado à fazenda da família (Highland) que seus pais deixaram para trás, o lar de várias gerações anteriores". Então, fazia uma pausa antes de terminar a explicação: "Jan diz que eu inventei essa história. De acordo com ela, o 'H' é de *hipérbole*".

50 **Ken Foreman**: Ken Foreman, *A Coach's Journey: From a Sand Lot to the Olympic Stadium* (Mustang, OK: Tate, 2010). Ken foi técnico na SPU durante quarenta anos; enviou seis atletas para os Jogos Olímpicos e treinou cem atletas de alto nível. Foi técnico da equipe olímpica feminina de 1980 e da equipe que disputou o Campeonato Mundial de Helsinki em 1983 e os Jogos da Amizade em Moscou em 1986.

51 **"*melhores* que eu"**: Eugene Peterson, "Incurably Pentecostal", *Pentecostal Evangel*, 29 de abril de 1956, p. 6.

51 **"caso foi conduzido"**: "Death's Price Is Lowered", *Daily Inter Lake*, 13 de setembro de 1951, p. 1.

51 **"Aceitaremos isso calados?"**: "Poor Sentencing", *Daily Inter Lake*, 18 de setembro de 1951, p. 12.

52 **"justificam sua ação"**: Eugene Peterson, "Schroeter Acted Brilliantly", *Daily Inter Lake*, 17 de setembro de 1951, p. 6.

NOTAS

53 **"colegas de quarto de Eugene"**: Ed Dillery trabalhou no Departamento de Estado, ocupou um cargo importante nas Nações Unidas e foi embaixador em Fiji durante o governo Reagan. Don Goertzen e Jim Bellmore dividiam o segundo quarto. Bellmore foi pastor bastante respeitado e exerceu o ministério durante quase meio século antes de se aposentar. Goertzen se tornou estimado diretor de uma escola, e o jornal *Seattle Times* se referiu a sua esposa, Irma, administradora do Centro Médico da Universidade de Washington, como "a primeira mulher no país a administrar um centro de ensino de alto nível" (Jonathan Martin, "Longtime TV Anchorwoman Kathi Goertzen Dies After Battle with Tumors", *Seattle Times,* 13 de agosto de 2012, <www.seattletimes.com/seattle-news/longtime-tv-anchorwoman-kathi-goertzen-dies-after-battle-with-tumors>). Kathi, filha de Don e Irma, tornou-se a respeitada âncora de noticiário da rede ABC em Seattle e a primeira repórter local a noticiar, junto à Porta de Brandenburg, a queda do muro de Berlim (Camille Troxel, "New WSU Building Named for Seattle News Anchor Kathi Goertzen", KXLY.com, 12 de setembro de 2013, <www.kxly.com/new-wsu-building-named-for-seattle-news-anchor-kathi-goertzen>). Elmer Bradley e Finney Stiles ocupavam o terceiro quarto. Bartley construiu partes extensas da cidade de Tempe, no Arizona e foi prefeito dali. Finney passou trinta anos na Ásia construindo estações de rádio para a Far East Broadcasting Company e, depois, teve uma carreira bem-sucedida como empreiteiro.

54 **"não aguentava mais"**: Essa história foi extraída de conversas pessoais, bem como da obra de Eugene *Under the Unpredictable Plant: An Exploration in Vocational Holiness* (Grand Rapids, MI: Eerdmans, 1992), p. 184-85. [No Brasil, *A vocação espiritual do pastor: Redescobrindo o chamado ministerial*. São Paulo: Mundo Cristão, 2006.]

55 **"uma atitude de curiosa admiração"**: Essa história foi extraída de conversas pessoais e da obra *Under the Unpredictable Plant*, p. 182-86.

56 **"1953 se tornasse realidade"**: *Tawahsi* (Seattle: Seattle Pacific College, 1953), p. 92.

56 **na máquina de escrever**: Posteriormente, Ben escreveu diversos livros, entre eles, *Balthazar: The Black and Shining Prince* (Westminster, 1974).

56 **"tão logo o sol se pôr"**: Gene Peterson, "Prexy's Pen", *Falcon*, 11 de fevereiro de 1954, p. 2.

56 **"uma garota afetuosa e cordial"**: Eugene Peterson, carta, janeiro de 1955.

57 **o fazendeiro seguiu viagem**: Foreman, *Coach's Journey*, p. 138-39.

58 **"manter o ritmo dos remadores"**: Gene Peterson, "Prexy's Pen", *Falcon*, 15 de janeiro de 1954, p. 2.

FOGO EM MEUS OSSOS

59 **"assinado com sangue"**: Gene Peterson, "Prexy's Pen", *Falcon*, 7 de janeiro de 1954, p. 2.

61 **sua mente era voraz**: Por vezes, Eugene dizia que havia se formado em "religião e filosofia" e, em outras ocasiões, em "filosofia e literatura", embora o histórico da universidade registre oficialmente apenas filosofia. Esse equívoco foi resultado da passagem de muitos anos e de uma memória enevoada, pois em um artigo que Eugene escreveu dois anos depois de se formar na universidade, ele foi claro: "Formei-me em filosofia" (Eugene Peterson, "Incurably Pentecostal", *Pentecostal Evangel*, 29 de abril de 1956, p. 6.) Seu histórico da universidade também mostra que ele fez vários cursos de religião e literatura, muito além do mínimo necessário para se formar. Ao que parece, ele criou para si o equivalente a uma formação dupla (filosofia e religião, com uma boa dose de literatura) e, com o passar das décadas, se esqueceu dos detalhes de seu diploma. De modo semelhante, Ben Moring disse certa vez ao repórter de um jornal que havia se formado em filosofia e religião, mas seu bacharelado era oficialmente em religião. Tudo indica que esses dois estudantes extremamente dedicados elaboraram seus currículos em conjunto. De qualquer modo, a área de concentração de Eugene foi filosofia, e não religião.

61 **"nada de chato!"**: Além das colunas "Prexy's Pen" de Eugene, extraí essa história de conversas com ele, bem como de sua entrevista para a revista *Response*, da SPU: "Cultivating the Imagination: A Conversation with Eugene Peterson", *Response*, <https://spu.edu/depts/uc/response/new/2011-autumn/features/cultivating-the-imagination.asp>.

61 **"na companhia de Chaucer"**: Gene Peterson, "Prexy's Pen", *Falcon*, 1º de abril de 1954, p. 2.

Capítulo 6: Vá para o leste, rapaz

63 A epígrafe foi extraída de Denise Levertov, "Overland to the Islands", in: *The Collected Poems of Denise Levertov*, ed. Paul A. Lacey e Anne Dewey (New York: New Directions, 2013), p. 65.

63 **cão que fareja o vento**: Veja Eugene Peterson, anotação em seu diário, 17 de maio de 2009.

64 **253 mil rapazes**: "Induction Statistics", Selective Service System, <www.sss.gov/About/History-And-Records/Induction-Statistics>.

69 **"sobre mim, morrerei"**: *The Autobiography of Charles G. Finney: The Life Story of America's Greatest Evangelist—in His Own Words* (Bloomington, MN: Bethany, 1977), p. 21-22. Pat Robertson, em sua autobiografia, destacou essa passagem de Finney e disse que a tinham lido nas semanas antes da viagem em que acamparam perto do local em que Finney nasceu.

NOTAS

69 **"como havia feito sobre Finney"**: Pat Robertson e Jamie Buckingham, *Shout It from the Housetops! The Autobiography of Pat Robertson* (Alachua, FL: Bridge-Logos, 1972), p. 63-64.

70 **"Não é exagero"**: Eugene H. Peterson, prefácio de *Inductive Bible Study: A Comprehensive Guide to the Practice of Hermeneutics*, de David R. Bauer e Robert A. Traina (Grand Rapids, MI: Baker Academic, 2011), p. xi.

70 **"palavras eram sagradas"**: Peterson, prefácio de *Inductive Bible Study*, p. xi-xii.

71 **"Bíblia em inglês"**: Eugene H. Peterson, *The Pastor: A Memoir* (New York: HarperOne, 2011), p. 89. [No Brasil, *Memórias de um pastor*. São Paulo: Mundo Cristão, 2011.]

71 **George Buttrick**: Certa vez, Eugene escreveu para sua mãe: "Ouvi a senhora pregar sermões do mesmo nível que muitos daqueles da Quinta Avenida", Eugene Peterson, carta, 17 de março de 1957.

72 **"igreja presbiteriana de Nova York"**: Epígrafe, "The Life of Jesus Christ: In Ten Pictures and One Thousand Words", *Life*, 28 de dezembro de 1936, p. 44.

72 **de acordo com a revista *Life***: "Great Preachers: These 12—and Others—Bring Americans Back to the Churches", *Life*, 6 de abril de 1953, p. 126-32.

73 **apitando**: Se você fizer uma escavação nos arquivos empoeirados no sótão da Igreja Presbiteriana da Avenida Madison, encontrará fotos em preto e branco da equipe de basquete, com jovens trajando calções curtos demais e se digladiando debaixo da cesta.

73 **"um só clichê passar por seus lábios"**: Embora Eugene tenha feito referência a um "ano de domingos", na verdade foram mais precisamente quatro ou cinco meses. Eugene começou o estágio na Igreja Presbiteriana da Avenida Madison no segundo semestre de 1954, e Buttrick pregou seu primeiro sermão (com o título "A pressa do homem e a paciência de Deus") na Igreja Memorial de Harvard em 2 de janeiro de 1955. Agradeço ao biógrafo de Buttrick, Charles N. Davidson, por reunir e colocar em ordem esses detalhes. Esse curto período destaca ainda mais a força do impacto de Buttrick.

73 **"orgia de repreensões"**: George A. Buttrick, *Jesus Came Preaching: Christian Preaching in the New Age* (New York: Charles Scribner's Sons, 1931), p. 163.

73 **"ainda mais marcante"**: Frederick Buechner, citado em Ben Patterson, "Door Interview: Frederick Buechner", *Wittenburg Door*, dezembro de 1979–janeiro de 1980, p. 17.

73 **"quando falava"**: John Killinger, "George A. Buttrick: Discipline and Style", *Christian Century*, fevereiro de 1990, p. 147.

73 **"voz de uma velha ama-seca"**: Frederick Buechner, *The Alphabet of Grace* (New York: HarperCollins, 1970), p. 44.

74 **homem sedento anseia por água**: O artigo de Chad Wriglesworth, "George A. Buttrick and Frederick Buechner: Messengers of Reconciling Laughter", in: *Christianity and Literature* 53, nº 1 (outono de 2003), foi de grande ajuda para entender o relacionamento de Buechner com Buttrick e me encaminhou para várias fontes.

74 **"tocavam tão profundamente"**: Frederick Buechner, *The Sacred Journey: A Memoir of Early Days* (New York: HarperCollins, 1982), p. 108-9. Há mais detalhes sobre a gratidão de Buechner a Buttrick em Frederick Buechner, *Now and Then: A Memoir of Vocation* (New York: HarperCollins, 1983).

74 **"e grande riso"**: Buechner, *Alphabet of Grace*, p. 44.

75 **"tivesse sido esbofeteada"**: Buechner, *Alphabet of Grace*, p. 44.

75 **vista majestosa do Central Park**: Na recordação de Eugene, essa cobertura era a casa de Buttrick, pertencente à igreja. No entanto, de acordo com o biógrafo de Buttrick, Charles N. Davidson, o filho de Buttrick explicou que a Igreja Presbiteriana da Avenida Madison nunca teve um imóvel na Quinta Avenida, embora vários membros da igreja morassem ali. É provável que as reuniões de domingo à noite organizadas por Buttrick acontecessem na casa de um membro da igreja e que esse fato tenha escapado à memória de Eugene. Ou é possível que Eugene se recordasse de participar de reuniões na casa de Buttrick no número 21 da Rua 79 Leste, apenas uma quadra da Quinta Avenida, local com uma linda vista do parque, embora não ficasse exatamente na famosa avenida.

75 **"língua que responde"**: Peterson, *Pastor*, p. 86-87.

76 **"as coisas estavam 'nebulosas'"**: Eugene Peterson, carta, data indisponível.

77 **"desobrigado do compromisso"**: Eugene Peterson, carta, data indisponível.

Capítulo 7: Vivência

79 A epígrafe foi extraída de Eugene Peterson, carta, 13 de fevereiro [sem ano].

80 **"sementes já lançadas"**: Eugene Peterson, carta, 13 de fevereiro [sem ano].

80 **"professor assistente"**: Eugene H. Peterson, *The Pastor: A Memoir* (New York: HarperOne, 2011), p. 162. [No Brasil, *Memórias de um pastor*. São Paulo: Mundo Cristão, 2011.]

81 **"de volta ao mundo real"**: Eugene Peterson, carta, data indisponível.

81 **"antes de liderá-las?"**: Eugene Peterson, carta, data indisponível.

81 **"acompanhado de xícaras de café"**: Eugene Peterson, carta, data indisponível.

82 **"igreja acabasse comigo"**: Peterson, *Pastor*, p. 163.

NOTAS

82 **"espremido dele toda a misericórdia"**: Peterson, *Pastor*, p. 164, expandido por uma conversa com Eugene.

83 **"viver essas coisas"**: Peterson, *Pastor*, p. 90.

83 **"todas as práticas religiosas"**: Eugene Peterson, "Incurably Pentecostal", *Pentecostal Evangel*, 29 de abril de 1956, p. 6. Essa foi a primeira vez que deparei com o uso, por Eugene, da palavra *earthy* ["rústico"], com uma medida de desdém. Posteriormente, ele passou a usar esse termo com frequência e com grande afeição, para dar a ideia de algo "pé no chão", sem artificialidade.

84 **"um culto pentecostal"**: Peterson, "Incurably Pentecostal", p. 6.

84 **"da forma que os escrever"**: Eugene Peterson, carta, 20 de fevereiro [sem ano].

85 **"não é mesmo?"**: Eugene Peterson, carta, 14 de janeiro [sem ano].

86 **"a esse respeito"**: Eugene Peterson, carta, 14 de janeiro [sem ano].

86 **Harald Bredesen**: Eugene descreveu o encontro com Bredesen, "pastor luterano que teve experiências extraordinárias sob a direção do Espírito Santo. Conversou conosco por umas três horas e relatou circunstâncias espetaculares". Enquanto Bredesen (que teve papel marcante na orientação de Pat Robertson e Pat Boone) falava, "houve grande anseio pelo batismo por parte da maioria dos presentes ali naquela noite". No final do encontro, Bredesen "perguntou se gostaríamos de realizar um culto de espera pelo Espírito Santo na quinta-feira à noite. Todos responderam que sim". Eugene relatou mais detalhes e registrou como cada pessoa presente estava preparada para que "o Espírito Santo [...] fosse derramado de maneira grandiosa". Entre os presentes estavam Bob Walker ("editor-chefe da revista *Christian Life*, que recebeu o batismo e tem se dedicado a pregar a seu círculo de convívio"), Pat Robertson ("formado em Yale [...] agora aluno do Seminário Bíblico [...] em busca do batismo"), Donn Crail ("ansioso para receber o Espírito Santo") e Dick Simmons ("presbiteriano, confuso, desanimado e inteiramente aberto para a vinda da presença do Espírito"). Eugene Peterson, carta, 12 de maio de 1957.

87 **"aguardem as manchetes"**: Eugene Peterson, carta, 12 de maio de 1957.

87 **"em que ainda acreditava"**: Peterson, *Pastor*, p. 214.

88 **"alargado exponencialmente"**: Eugene relatou essa história em uma conversa comigo e em *Pastor*, p. 87-89.

89 **"comunhão mística da igreja cristã"**: Eugene Peterson, carta, 25 de novembro de 1956. Essa ideia de espiritualidade radical ou intensa também aparece em outras cartas.

89 **silêncio como antídoto essencial**: Agradeço a Trygve Johnson, que me ajudou a ver essa ligação.

FOGO EM MEUS OSSOS

89 **"maneiras revolucionárias"**: Eugene Peterson, carta, 25 de novembro de 1956.

90 **"a neve é sem graça"**: Eugene Peterson, carta, 28 de fevereiro [sem ano].

91 **"um pouco mais tranquilo"**: Eugene Peterson, carta, data indisponível. A linha na carta em que Eugene diz que está ansioso para pastorear contraria sua insistência de que nunca quis ser pastor e de que só considerou essa possibilidade muito tempo depois. Será que Eugene escreveu dessa forma para sua mãe (sempre indicando o ministério pastoral como possibilidade) porque imaginou que essa fosse a expectativa ou esperança dela? Ou Eugene tinha mais desejos ambíguos nessa época do que ele se recordava depois?

92 **"convencer o mundo!"**: Eugene Peterson, carta, 5 de fevereiro [sem ano].

92 **"para lobos solitários"**: Adaptado de Peterson, *Pastor*, p. 91.

93 **"nada de gravatas, por favor"**: Eugene Peterson, carta, 5 de maio de 1957.

93 **"estudo do Oriente Próximo"**: Wikipedia, s.v. "William F. Albright", última alteração em 3 de fevereiro de 2020, <https://en.wikipedia.org/wiki/William_F._Albright>.

95 **"vibrava de tanta energia"**: Peterson, *Pastor*, p. 64.

95 **"aulas e palestras"**: Peterson, *Pastor*, p. 64.

Capítulo 8: Casados de longa data

99 A epígrafe foi extraída de Thomas Merton, *The Seven Storey Mountain* (New York: Harcourt, Brace, 1976), p. 150. [No Brasil, *A montanha dos sete patamares*. Petrópolis, RJ: Vozes, 2010.]

101 **"o cidadão mais progressista de Delta"**: "Vincent G. Stubbs, Delta, Victim of a Vicious Horse", *York Daily*, 29 de setembro de 1905, p. 6.

101 **"na varanda"**: Janice Peterson, *Becoming Gertrude: How Our Friendships Shape Our Faith* (Colorado Springs: NavPress, 2018), p. xiv.

101 **Faculdade Estadual do Alabama**: Essa é a atual Universidade de Montevallo.

103 **no jipe de Bob**: Esse relato vem de conversas com Eugene e Jan e de trechos de *The Pastor: A Memoir* (New York: HarperOne, 2011), p. 94. [No Brasil, *Memórias de um pastor*. São Paulo: Mundo Cristão, 2011.]

104 **"tanta burrice em minha vida"**: Eugene H. Peterson, *Pastor*, p. 94.

106 **"afetuoso e inteligente"**: Eugene Peterson, carta, 20 de janeiro de 1958.

107 **"reunião deste presbitério"**: Eugene Peterson, carta, 2 de junho de 1958.

109 **"que tirassem ano sabático"**: Peterson, *Pastor*, p. 19.

110 **Wiseman**: Jerry Van Marter, "Bill Wiseman Is Dead at 91: Tulsa Pastor Mentored Generations of Justice, Peace Advocates", Presbyterian Church (USA), 15 de julho de 2010, <www.pcusa.org/news/2010/7/15/bill-wiseman-dead-91>.

NOTAS

110 **"orações pastorais"**: "Dr. William Johnston Wiseman, S.T.D., D.D.", *Tulsa World*, 16 de julho de 2010, <www.tulsaworld.com/archive/dr-william-johnston-wiseman-s-t-d-d-d/article_253e3563-5c19-52de-8b58-7b01eea6820f.html>.

112 **"calçada apinhada de gente"**: Peterson, *Pastor*, p. 21.

112 **"waffles e iogurte"**: Peterson, *Pastor*, p. 68.

113 **"sectarismo sufocante"**: Peterson, *Pastor*, p. 69.

113 **"com as quais cantar e orar"**: Peterson, *Pastor*, p. 96-97.

114 **"atraente sem Jan"**: Peterson, *Pastor*, p. 97.

Capitulo 9: Acho que sou pastor

115 A epígrafe foi extraída de Frederick Buechner, *Wishful Thinking: A Seeker's ABC* (New York: HarperCollins, 1973), p. 73.

117 **"andar descalça"**: Eugene H. Peterson, *The Pastor: A Memoir* (New York: HarperOne, 2011), p. 114-15. [No Brasil, *Memórias de um pastor*. São Paulo: Mundo Cristão, 2011.]

117 **o mais tênue sinal de interesse**: Peterson, *Pastor*, p. 105-6.

119 **"serviços financeiros"**: Peterson, *Pastor*, p. 112.

119 **"vocês usarão para pregar"**: Baseado em vários relatos e conversas.

120 **"embaçavam e distorcia"**: Peterson, *Pastor*, p. 114.

123 **a ficção que ele havia criado**: Boa parte desse relato se encontra em Peterson, *Pastor*, p. 198-200, bem como em Eugene H. Peterson, *Under the Unpredictable Plant: An Exploration in Vocational Holiness* (Grand Rapids, MI: Eerdmans, 1992), p. 77-80. [No Brasil, *A vocação espiritual do pastor: Redescobrindo o chamado ministerial*. São Paulo: Mundo Cristão, 2006.]

123 **"com minha vocação"**: Peterson, *Under the Unpredictable Plant*, p. 80.

123 **"hino do mês"**: Esse é um conjunto de notas diversas das cartas circulares *Amen!* de 1975.

124 **era fã de Elvis**: Para proteger confidências pastorais, Eugene, ao escrever, alterava a identidade de alguns indivíduos. Fiz o mesmo em algumas ocasiões.

124 **"arranhando um quadro negro"**: Peterson, *Pastor*, p. 121.

124 **"Não cabia a mim escolher"**: Peterson, *Pastor*, p. 128.

125 **"para adorar a Deus"**: Peterson, *Pastor*, p. 136, 141.

127 **"não é mesmo? Ha!"**: Jan Peterson, carta, 13 de fevereiro de 1965.

Capítulo 10: No mesmo lugar

128 A epígrafe foi extraída de Scott Russell Sanders, *Staying Put: Making a Home in a Restless World* (Boston: Beacon, 1993), p. 54.

FOGO EM MEUS OSSOS

129 **"minha corrente sanguínea"**: Eugene H. Peterson, *The Pastor: A Memoir* (New York: HarperOne, 2011), p. 202-3. [No Brasil, *Memórias de um pastor*. São Paulo: Mundo Cristão, 2011.]

130 **"um pastor fracassado?"**: Peterson, *Pastor,* p. 203-7.

131 **"Deus os revigorou"**: Eugene Peterson, carta, 28 de março de 1968.

132 **"você não enxergue"**: Eugene Peterson, carta, 13 de maio de 1968.

133 **"longas corridas no campo"**: Peterson, *Pastor*, p. 233.

133 **"nem dizer nada"**: Peterson, *Pastor*, p. 234.

133 **"corre na maratona"**: Jay Apperson, "He Preaches on Sunday, Runs in Marathon Monday", *Harford Sun*, 15 de abril de 1984, p. 18.

134 **"a impressão que eu tinha"**: Peterson, *Pastor*, p. 234.

135 **"pastor contemplativo"**: Peterson, *Pastor*, p. 210-12.

136 **"essa porcaria de igreja"**: Peterson, *Pastor*, p. 145.

137 **"perdiam o interesse"**: Peterson, *Pastor*, p. 148.

137 **"participante dessa história"**: Peterson, *Pastor*, p. 227.

138 **"autobiográficas para mim"**: Peterson, *Pastor*, p. 200.

Capítulo 11: Misericórdia pura

139 A epígrafe foi extraída de Annie Dillard, *Holy the Firm* (New York: Harper & Row, 1977), p. 62.

139 **Karen havia contado**: Eugene H. Peterson, *The Pastor: A Memoir* (New York: HarperOne, 2011), p. 277. [No Brasil, *Memórias de um pastor*. São Paulo: Mundo Cristão, 2011.] Em *A vocação espiritual do pastor*, Karen diz que são 38 noites, mas em *Memórias de um pastor* são 27.

141 **e saiu da sala**: Esse relato é constituído de trechos de conversas e de conteúdo de *Pastor*, p. 277-79.

143 **"filhos dos Rhoads foram embora"**: Eugene Peterson, carta, 23 de dezembro de 1969.

144 **"cultura de hospitalidade"**: Peterson, *Pastor*, p. 258.

144 **"pequeno armário no corredor"**: Os reconhecimentos foram muitos: diversos prêmios Medalhão de Ouro e Livro de Platina, um prêmio Livro da Década, um prêmio Escolha dos Leitores, vários prêmios de Livro do Ano e Autor do Ano, Ex-aluno do Ano da SPU, e o prêmio David Steele de Autor de Distinção, entre tantos outros.

145 **Newman respondeu**: Peterson, *Pastor*, p. 224.

145 **"a serem resolvidos"**: Peterson, *Pastor*, p. 226.

147 **"só nós dois"**: Eugene Peterson, carta, 16 de abril de 1968.

147 **"tomar uma Coca"**: Eugene Peterson, carta, 27 de maio de 1969.

NOTAS

150 **"chegar antes dele"**: Eugene Peterson, carta, 14 de abril de 1980.

152 **"se corresponderam"**: Eric Peterson publicou essas cartas em *Letters to a Young Pastor: Timothy Conversations Between Father and Son* e em *Letters to a Young Congregation: Nurturing the Growth of a Faithful Church* (ambos da NavPress, 2020), com cartas de Eric para sua congregação, a Igreja Presbiteriana Colbert.

153 **"estou vivenciando"**: Eric Peterson, carta, 25 de abril de 1991.

153 **"Uma segunda chance"**: Eric Peterson, carta, 26 de abril de 1991.

154 **"ele não me viu"**: Eugene H. Peterson, *Traveling Light: Modern Meditations on St. Paul's Letter of Freedom* (Colorado Springs: Helmers & Howard, 1988), p. 148.

155 **"fiquem bem durante o inverno"**: Jan Peterson, carta, 23 de agosto de 1974.

156 **"maneira incomum em mim"**: Eugene Peterson, carta, 6 de fevereiro de 1968.

Capítulo 12: Palavras encarnadas

157 A epígrafe foi extraída de Barry Lopez, citado em Fred Bahnson, "The World We Still Have: Barry Lopez on Restoring Our Lost Intimacy with Nature", *Sun*, dezembro de 2019, <www.thesunmagazine.org/issues/528/the-world-we-still-have>.

157 **"vocação era bipolar"**: Eugene H. Peterson, *Under the Unpredictable Plant: An Exploration in Vocational Holiness* (Grand Rapids, MI: Eerdmans, 1992), p. 48. [No Brasil, *A vocação espiritual do pastor: Redescobrindo o chamado ministerial*. São Paulo: Mundo Cristão, 2006.]

157 **"tua glória. Amém"**: Eugene Peterson, anotação em seu diário, 7 de janeiro de 1986.

158 **"como viver!"**: Peterson, *Under the Unpredictable Plant*, p. 47.

159 **"oferecidos na época"**: Peterson, *Under the Unpredictable Plant*, p. 57.

159 **"fazer acontecer"**: Peterson, *Under the Unpredictable Plant*, p. 60.

159 **"não é dado a análises"**: Luci Shaw, "A Conversation with Eugene Peterson", *Image*, nº 62, <https://imagejournal.org/article/conversation-Eugene-peterson>.

160 **"aplicações claras"**: Stephen Board, carta para Eugene Peterson, 16 de dezembro de 1975.

160 **"trabalhar nesse ensaio"**: Harold Lindsell, carta para Eugene Peterson, 12 de fevereiro de 1976.

160 *Crescendo com o seu filho adolescente*: Em inglês, *Growing Up with Your Teenager*. Hoje, a Eerdmans publica esse livro sob o título *Like Dew Your Youth: Growing Up with Your Teenager*. [No Brasil, *Crescendo com o seu filho adolescente*. Curitiba: Palavra, 2007.]

FOGO EM MEUS OSSOS

160 **"tenho de vendê-lo"**: Anos depois, a Eerdmans republicou *Five Smooth Stones*. [No Brasil, *O pastor que Deus usa: Cinco pilares da prática pastoral*. São Paulo: Mundo Cristão, 2008.]

162 **"alvo de atenção!"**: Eugene Peterson, anotação em seu diário, 29 de outubro de 1984.

162 **"não uma realização"**: Eugene Peterson, anotação em seu diário, 25 de fevereiro de 1985.

163 **"não senti liberdade total"**: Eugene Peterson, anotação em seu diário, 6 de outubro de 1984.

163 **"que eu fique sabendo"**: Eugene Peterson, anotação em seu diário, 7 de outubro de 1984.

163 **"ideias e informações"**: Eugene Peterson, anotação em seu diário, 8 de outubro de 1984.

164 **"muito mais intencional"**: Eugene Peterson, anotação em seu diário, 8 de outubro de 1984.

164 **"toco meu banjo"**: Eugene Peterson, anotação em seu diário, 1º de janeiro de 1985.

164 **"mais que suficiente"**: Eugene H. Peterson, *The Pastor: A Memoir* (New York: HarperOne, 2011), p. 293. [No Brasil, *Memórias de um pastor*. São Paulo: Mundo Cristão, 2011.]

165 **"sonho bom, integrativo"**: Eugene Peterson, anotação em seu diário, 18 de maio de 1989.

166 **"vocação pastoral"**: Peterson, *Pastor*, p. 28.

166 **"da forma que ele os expressou"**: Eugene Peterson, anotação em seu diário, 21 de junho de 1993.

166 **"abarrotado, sem criatividade"**: Eugene Peterson, anotação em seu diário, 10 de janeiro de 1985.

166 **"quer que eu faça?"**: Eugene Peterson, anotação em seu diário, 28 de março de 1985.

166 **"quase cem países"**: Steve Chawkins, "Russ Reid Dies at 82; Creator of Pioneering World Vision Infomercials", *Los Angeles Times*, 14 de dezembro de 2013, <www.latimes.com/local/obituaries/la-xpm-2013-dec-14-la-me-russ-reid-20131215-story.html>.

167 **"por meio de oração"**: Eugene Peterson, carta, 28 de agosto de 1985.

Capítulo 13: Vida à margem

168 A epígrafe foi extraída de Wendell Berry, *The Memory of Old Jack* (Washington, DC: Counterpoint, 1999), p. 143.

NOTAS

168 **"integração de mundos"**: Eugene Peterson, anotação em seu diário, 6 de abril de 1985.

169 **"embora temporário"**: Eugene Peterson, anotação em seu diário, 18 de maio de 1985.

169 **"outra coisa bem diferente"**: Eugene H. Peterson, *Working the Angles: The Shape of Pastoral Integrity* (Grand Rapids, MI: Eerdmans, 1987), p. 9-11. [No Brasil, *O pastor segundo Deus: A integridade pastoral vista por vários ângulos.* São Paulo: Cultura Cristã, 2017.]

170 **"e com meu cérebro!"**: Eugene Peterson, anotação em seu diário, 18 de maio de 1985.

170 **"não me *sentir* melhor"**: Eugene Peterson, anotação em seu diário, 2 de junho de 1985.

171 **"de volta à obediência"**: Eugene Peterson, anotação em seu diário, 1º de janeiro de 1986.

172 **"até conseguir fazer direito"**: Eugene Peterson, anotação em seu diário, 29 de janeiro de 1986.

172 **"choupos e salgueiros"**: Eugene Peterson, anotação em seu diário, 9 de outubro de 1986.

172 **"no meio de uma comunidade de fé"**: Eugene Peterson, anotação em seu diário, 9 de outubro de 1986.

173 **"pelo menos alguns"**: Eugene Peterson, anotação em seu diário, 24 de maio de 1985.

175 **"me sinta mais em casa"**: Eugene Peterson, anotação em seu diário, 21 de agosto de 1988.

175 **"ser um santo"**: Eugene Peterson, anotação em seu diário, 13 de julho de 1988.

175 **"sobre nosso vocabulário"**: Eugene Peterson, anotação em seu diário, 23 de outubro de 1994.

175 **"vemos em ação"**: Eugene Peterson, anotação em seu diário, 15 de outubro de 1992.

176 **"da Cristo Nosso Rei"**: Eugene Peterson, anotação em seu diário, 15 de julho de 1988.

176 **"por muito tempo"**: Eugene Peterson, anotação em seu diário, 15 de agosto de 1988, combinado com anotação adicional.

177 **"feridas abertas de solidão?"**: Eugene Peterson, anotação em seu diário, 21 de julho de 1988.

177 **"troca infeliz estão fazendo?"**: Eugene Peterson, anotação em seu diário, 14 de maio de 1990.

FOGO EM MEUS OSSOS

177 **"número máximo é quinhentos"**: Eugene Peterson, anotação em seu diário, 2 de julho de 1990.

178 **"como este, insuportável"**: Eugene Peterson, anotação em seu diário, 11 de março de 1989.

Capítulo 14: A longa obediência

179 A epígrafe foi extraída de Wallace Stegner, *The Spectator Bird* (New York: Vintage Books, 1976), p. 203.

179 **"mais fofo do mundo?"**: Agradeço a Tracie Bullis por essa história divertida.

180 **"decisão refletida"**: Eugene Peterson, anotação em seu diário, 27 de julho de 1988.

180 **"minha companheira e meu ícone"**: Eugene Peterson, anotação em seu diário, 23 de agosto de 1988.

180 **"em nós, em mim"**: Eugene Peterson, anotação em seu diário, 17 de julho de 1990.

181 **"o emissário do céu"**: Eugene Peterson, anotação em seu diário, 1º de agosto de 1988.

181 **"alimentá-las tanto"**: Eugene Peterson, anotação em seu diário, 5 de julho de 1990.

182 **"atrás de Eugene"**: Essa observação difere das anotações no diário de Jan, segunda as quais, a seu ver, a mulher não tinha malícia nem estava tentando causar divisão em seu casamento ou fazer algo sórdido.

182 **"de mim mesmo para mim mesmo?"**: Eugene Peterson, anotação em seu diário, 14 de maio de 1990.

182 **"de seus entusiasmos"**: Jan Peterson, anotação em seu diário, 28 de novembro de 1990.

183 **"censuro a mim mesmo"**: Eugene Peterson, anotação em seu diário, 22 de novembro de 1992.

183 **"sobre o precipício?"**: Jan Peterson, anotação em seu diário, 27 de novembro de 1990.

184 **"em gelo fino"**: Eugene Peterson, anotação em seu diário, 25 de janeiro de 2005.

184 **"de rejeição, de divórcio"**: Eugene Peterson, anotação em seu diário, 25 de janeiro de 2005.

184 **"o que teria acontecido"**: Jan Peterson, anotação em seu diário, 28 de dezembro de 1990.

184 **"a graça que o salvou"**: Eugene Peterson, anotação em seu diário, 15 de setembro de 2005.

NOTAS

184 **"e me amar"**: Jan Peterson, anotação em seu diário, 1º de junho de 1991.

186 **"esperanças e expectativas"**: Eugene Peterson, anotação em seu diário, 9 de julho de 1988.

187 **"formas de santidade"**: Eugene Peterson, anotação em seu diário, 15 de agosto de 1988.

187 **"nessa caneta"**: Eugene Peterson, anotação em seu diário, 22 de julho de 1988.

187 **"não consigo viver"**: Eugene Peterson, anotação em seu diário, 4 de fevereiro de 1988.

187 **"de escrever *bem*?"**: Eugene Peterson, anotação em seu diário, 5 de abril de 1989.

188 **"Ambicioso demais? Orgulhoso?"**: Eugene Peterson, anotação em seu diário, 5 de junho de 1989.

188 **"quanta energia uma igreja requer"**: Eugene Peterson, anotação em seu diário, 18 de abril de 1991.

190 **"no dia de Jesus Cristo"**: Eugene Peterson, *Amen!*, 24 de julho de 1991.

190 **"se cumprisse minha vocação"**: Eugene Peterson, anotação em seu diário, 24 de julho de 1991.

190 **"da mente e do corpo"**: Eugene Peterson, anotação em seu diário, 28 de novembro de 1992.

Capítulo 15: Tão sortudo

193 A epígrafe foi extraída de Eugene Peterson, anotação em seu diário, 21 de junho de 1994.

195 **"outra parte de minha vida?"**: Eugene Peterson, anotação em seu diário, 24 de maio de 1990.

195 **"inglês americano coiné"**: Eugene Peterson, carta, 9 de outubro de 1990.

198 **"vale a pena fazer nesse caso"**: Eugene Peterson, anotação em seu diário, 6 de outubro de 1990.

198 **"Que bela companhia!"**: Eugene Peterson, anotação em seu diário, 10 de outubro de 1990.

199 **"fazer isso sem problemas"**: Eugene Peterson, anotação em seu diário, 29 de março de 1992.

199 **"não saiam no prejuízo"**: Eugene Peterson, anotação em seu diário, 19 de abril de 1992.

200 **"trabalhar no 'canto'"**: Eugene Peterson, anotação em seu diário, 10 de setembro de 1992.

FOGO EM MEUS OSSOS

200 **"formar uma democracia"**: Richard Foster, citado em "The Chrysostom Society: A Brief History", 28 de setembro de 1999, não publicado.

201 **"dão frutos"**: Eugene Peterson, anotação em seu diário, 3 de março de 1993.

202 **"guruíte"**: Eugene Peterson, anotação em seu diário, 12 de setembro de 1990.

202 **"nosso casamento e nossa vocação"**: Eugene Peterson, anotação em seu diário, 17 de dezembro de 1992.

202 **"caminhada para Moriá"**: Eugene Peterson, anotação em seu diário, 28 de dezembro de 1992.

202 **"encontrarei algo assim?"**: Eugene Peterson, anotação em seu diário, 28 de dezembro de 1992.

206 **"orassem por nós"**: W. David O. Taylor, "A Prayer for Beginnings and Endings", *Diary of an Arts Pastor* (blog), 17 de abril de 2016, <https://artspastor. blogspot.com/2016/04/a-prayer-for-beginnings-and-endings.html>.

207 **"entravam na equação"**: W. David O. Taylor, "In Memory of Eugene Peterson (1932–2018)", *Diary of an Arts Pastor* (blog), 24 de outubro de 2018, <https://artspastor.blogspot.com/2018/10/in-memory-of-Eugene-peterson-1932-2018.html>.

208 **"nunca se mostrava indiferente"**: Taylor, "Prayer for Beginnings and Endings".

209 **"o bivaque, o perigo"**: Eugene Peterson, anotação em seu diário, 3 de maio de 1993.

209 **"com a imaginação"**: Eugene Peterson, carta, 12 de abril de 2001.

209 **"não reconhecimento"**: Eugene Peterson, anotação em seu diário, 17 de abril de 1993.

210 **"maior sucesso"**: Eugene Peterson, anotação em seu diário, 5 de julho de 1993.

210 **"não professor"**: Eugene Peterson, anotação em seu diário, 12 de novembro de 1995.

210 **"um quê de despersonalização"**: Eugene Peterson, anotação em seu diário, 3 de dezembro de 1993.

210 **"do que coloco em prática"**: Eugene Peterson, anotação em seu diário, 24 de julho de 1996.

210 **"lecionar sobre o assunto"**: Eugene Peterson, anotação em seu diário, 30 de janeiro de 1997.

210 **"fora de circulação"**: Eugene Peterson, anotação em seu diário, 20 de abril de 1996.

211 **"se estou interessado"**: Eugene Peterson, anotação em seu diário, 6 de junho de 1996.

NOTAS

212 **"decisão Jim Beam"**: Eugene Peterson, anotação em seu diário, 9 de março de 1992.

212 **"tornar esse voto algo sério!"**: Eugene Peterson, anotação em seu diário, 12 de março de 1992.

212 **"é a abstinência?"**: Eugene Peterson, anotação em seu diário, 12 de abril de 1993.

212 **"pode acontecer comigo"**: Eugene Peterson, anotação em seu diário, 31 de outubro de 2009.

213 **"aguçado ou de prontidão"**: Eugene Peterson, anotação em seu diário, data indisponível.

213 **"de corpo"**: Eugene Peterson, anotação em seu diário, 31 de dezembro de 1994.

213 **"descanso noturno"**: Eugene Peterson, anotação em seu diário, 16 de julho de 1995.

214 **"*éthos* evangélico"**: Eugene Peterson, anotação em seu diário, data indisponível.

214 **"levanta muros demais"**: Eugene Peterson, anotações em seu diário, 13 e 14 de novembro de 1993.

214 **"demais para meu gosto"**: Eugene Peterson, anotação em seu diário, 25 de maio de 1995.

215 **"presentes com reverência"**: Eugene Peterson, carta, 11 de maio de 2005.

215 **"como alguém que está morrendo"**: Eugene Peterson, anotação em seu diário, 5 de agosto de 1997.

Capítulo 16: Mosteiro em Montana

216 A epígrafe foi extraída de T. S. Eliot, "Little Gidding", in: *Collected Poems: 1909–1962* (New York: Harcourt, Brace, 1963), p. 208.

217 **"sensibilidade poética"**: Eugene Peterson, anotação em seu diário, data indisponível.

218 **"coloquial e vernáculo"**: Eugene Peterson, carta, 9 de dezembro de 2006.

218 **"se infiltrar, melhor"**: Eugene Peterson, carta, 6 de setembro de 2000.

218 **"o que bem entendiam"**: Juízes 21.25, *A Mensagem*.

219 **"programa *Jeopardy!*"**: A pergunta era: "A Bíblia *A Mensagem* traz 'uma novilha bem gorda' no lugar de uma expressão conhecida. Qual é essa expressão?".

219 **"Tchau"**: Carta para Eugene Peterson, 5 de agosto de 2002.

220 **"feiticeiras, etc."**: Eugene Peterson, *e-mail*, 2 de junho de 2015.

220 **"do seu lado"**: Eugene Peterson, anotação em seu diário, 15 de março de 1994.

220 **"de Paulo e de Jesus"**: Eugene Peterson, carta, 14 de agosto de 2002.

FOGO EM MEUS OSSOS

221 **"terminar seus estudos"**: Eugene Peterson, *e-mail*, 2 de junho de 2015.

221 **"o tempo todo"**: Eugene Peterson, anotação em seu diário, 7 de setembro de 2006.

221 **"húmus de Montana"**: Eugene Peterson, anotação em seu diário, 3 de setembro de 2009.

223 **"cão vira-lata"**: Eugene Peterson, anotação em seu diário, data indisponível.

223 **"no meio deles"**: Eugene Peterson, anotação em seu diário, data indisponível.

223 **"santidade madura"**: Eugene Peterson, anotação em seu diário, 16 de junho de 1993.

223 **"proporciona aos sentidos"**: Rodney Clapp descreveu essa mesma cena de Eugene com a qual eu (e, por certo, muitos outros) deparamos.

224 **"de Deus, oro..."**: Eugene Peterson, anotação em seu diário, 1º de agosto de 2005.

224 **"preparar-me para morrer"**: Eugene Peterson, anotação em seu diário, 18 de março de 1997.

225 **"ser *ela mesma*?"**: Eugene Peterson, anotação em seu diário, 12 de abril de 1993.

225 **"marido/pai/escritor/pessoa que ora"**: Eugene Peterson, anotação em seu diário, 21 de junho de 1993.

225 **"os próximos anos"**: Eugene Peterson, anotação em seu diário, 14 de março de 1992.

225 **"mesmo de sempre?"**: Eugene Peterson, anotação em seu diário, 30 de junho de 2006.

226 **"acampamento na floresta!"**: Eugene Peterson, anotação em seu diário, 6 de agosto de 2005.

227 **"meu *banjo* para Drew"**: Eugene Peterson, anotação em seu diário, 1º de janeiro de 2010.

228 **"que vem dele"**: Eugene Peterson, anotação em seu diário, 12 de setembro de 1993.

228 **"Meu filho, meu filho..."**: Eugene Peterson, anotação em seu diário, data indisponível.

229 **"em sua equipe!"**: Eugene Peterson, carta, 8 de março de 2002.

230 **"não menos, provável"**: Bono, prefácio para *The Message 100*, Eugene H. Peterson (Colorado Springs: NavPress, 2015).

230 **"livros foram escritos"**: "People of the Year: Bono", *Rolling Stone,* 16 de novembro de 2001, <www.atu2.com/news/article/people-of-the-year-bono.html>.

230 **"desbocado Bono"**: Eugene Peterson, carta, 23 de janeiro de 2002.

NOTAS

231 **ensurdecedoras da plateia**: Eugene Peterson, entrevista com Dean Nelson, Writer's Symposium by the Sea, Point Loma Nazarene University, 23 de fevereiro de 2007, vídeo do YouTube, 13:33–13:56, <www.youtube.com/watch? v=FaaIui7cESs>.

232 **"uma celebridade"**: Eugene Peterson, anotação em seu diário, 3 de outubro de 2009.

232 **cobrindo os ouvidos**: Embora *shows* de rock fossem novidade para Eugene, ele sempre teve grande amor por música. Desde o cornetim até o banjo, bem como as muitas noites que Jan e Eugene passaram ouvindo orquestras sinfônicas, a música sempre foi essencial. "A meu ver, é impossível exagerar o papel da música...", Eugene escreveu, "música como expressão artística dos sentimentos, pensamentos e da cultura dos seres humanos." Anotação em seu diário, data indisponível.

232 **"não é importuno"**: Eugene Peterson, anotação em seu diário, 13 de outubro de 2009.

233 **"ouvido moderno"**: Bono continuou a falar sobre *A Mensagem*. Em uma entrevista depois de seu acidente grave de bicicleta, ele se referiu a um trecho do salmo 18: "Um daqueles salmos de Davi traduzido para a linguagem moderna por um homem chamado Eugene Peterson, um grande escritor". Jann S. Wenner, "Bono: The Rolling Stone Interview: U2's Frontman on the State of His Band, the State of the World and What He Learned from Almost Dying", *Rolling Stone*, 27 de dezembro 2017, <www.rollingstone.com/music/ music-features/bono-the-rolling-stone-interview-3-203774>.

Capítulo 17: Uma forma desgastada, mas santa

235 A epígrafe foi extraída de Eugene Peterson, anotação em seu diário, 5 de fevereiro de 2008.

235 **"momentos de lazer"**: Eugene Peterson, anotação em seu diário, 21 de outubro de 1995.

236 **"conversa com outros"**: Eugene Peterson, carta, 21 de abril de 2008.

236 **"e não de ciência"**: Eugene Peterson, anotação em seu diário, 24 de dezembro de 1994.

236 **"neste viver"**: Eugene H. Peterson, *Christ Plays in Ten Thousand Places: A Conversation in Spiritual Theology* (Grand Rapids, MI: Eerdmans, 2005), p. 3. [No Brasil, *A maldição do Cristo genérico: A banalização de Jesus na espiritualidade atual*. Mundo Cristão: São Paulo, 2007.]

237 **"da vida comum"**: Eugene Peterson, carta, 23 de maio de 2002.

237 **lecionado na Regent**: Uma editora procurou Eugene e sugeriu que ele reunisse e editasse suas anotações de aula, mas ele não se interessou pela

FOGO EM MEUS OSSOS

proposta. Permitiu que o texto de *O pastor descartável*, escrito com Marva Dawn, fosse extraído das notas e não gostou do resultado. Disse: "Posso escrever algo melhor".

237 **"para a espiritualidade"**: Eugene Peterson, carta, 22 de agosto de 2000. [Títulos conforme as edições em português, com exceção de *Practice Ressurrection*, não publicado no Brasil. No original: *Christ Plays in 10,000 Places*, *Practice Ressurrection*, *Follow the Leader*, renomeado posteriormente como *The Jesus Way*, *Tell It Slant* e *Eat This Book*.] Depois de Eugene completar esse projeto monumental, ele forneceu contexto retrospectivo para a "reorientação abrangente" que havia sido seu objetivo: "(1) Uma estrutura teológica trinitária para todas as coisas; (2) uma orientação bíblica rigorosa nos textos do AT e do NT; (3) um enfoque em Jesus, especialmente em sua encarnação; (4) uma hermenêutica que leva a sério como metáfora e narrativa trabalhavam em contraste com o aspecto literal ao qual os evangélicos se apegam com frequência; (5) uma imersão na realidade da igreja (não do indivíduo) como contexto em que tudo isso é realizado. E tudo em linguagem coloquial e relacional que qualquer leigo possa entender". Eugene Peterson, carta, 14 de novembro de 2013.

238 **acréscimos e ajustes**: Eugene leu a seguinte citação em *Emperor of the Earth* e sentiu que harmonizava com sua tentativa de contar sua história: "Tive de voltar a mim mesmo, tive de aprender a descrever minhas convicções escondidas, minha fé real e, com isso, dar testemunho. Foi um trabalho e tanto, e ainda não aprendi a fazê-lo". Czeslaw Milosz, *Emperor of the Earth: Modes of Eccentric Vision* (Berkeley: University of California Press, 1977), p. 14.

239 **"mas despercebido"**: Eugene Peterson, anotação em seu diário, 29 de agosto de 2009.

240 **"renovo minha determinação"**: Eugene Peterson, anotação em seu diário, 12 de junho de 2009.

241 **"mais nós mesmos"**: Eugene Peterson, carta, 6 de setembro de 2006.

241 **"um toque de absurdidade"**: Eugene Peterson, carta, 5 de setembro de 2004.

242 **"solidão era inevitável"**: Eugene Peterson, carta, 2 de janeiro de 2012.

242 **"da alma e de Cristo"**: Eugene Peterson, carta, data indisponível.

242 **"sentir-se bem"**: Eugene Peterson, carta, data indisponível.

242 **"notarem vocês, melhor"**: Eugene Peterson, anotação em seu diário, 9 de agosto de 2006.

242 **"hoje em dia"**: Eugene Peterson, carta, 20 de março de 2008.

243 **"envie para mim"**: Eugene Peterson, carta, 2 de dezembro de 2008.

244 **"gestos e alusões"**: Eugene Peterson, carta, data indisponível.

NOTAS

244 **"apressar almas"**: "The Business of Making Saints: An Interview with Eugene H. Peterson", *Leadership Journal*, Primavera 1997, p. 23, 26-27, <www.christianitytoday.com/pastors/1997/spring/7l220a.html>.

244 **"maior parte do tempo"**: Eugene Peterson, carta, data indisponível.

245 **"preparado para lidar"**: Eugene Peterson, carta, 5 de junho de 2013.

246 **era o que devia fazer**: Essa asserção não deve ser interpretada equivocadamente como se Eugene imaginasse que cada um podia fazer o que bem entendesse. Uma palestrante bastante dinâmica que falou em um congresso junto com ele o perturbou. Eugene escreveu: "Eu insisti na necessidade de levar a sério todas as nossas experiências, quaisquer que sejam, de honrar e de dar dignidade a tudo o que entre em nossa vida. No entanto, essa não é uma ordem investida de autoridade para nosso modo de viver; somente Deus é a autoridade soberana. Entrementes, em outras palestras, ela insistiu que nossas experiências são nossa autoridade [...] e que as Escrituras precisam ser confrontadas com essa autoridade e sujeitadas a ela". Eugene Peterson, carta, 11 de fevereiro de 2000.

246 **"não dogmático"**: Eugene Peterson, carta, data indisponível.

247 **"Gregório de Nissa e Agostinho"**: Eugene Peterson, carta, data indisponível.

247 **"em álgebra"**: Eugene Peterson, carta, 24 de outubro de 2006.

248 **"Sinto muito"**: Eugene Peterson, carta, 14 de abril de 2008.

248 **"nessa briga"**: Eugene Peterson, anotação em seu diário, 27 de janeiro de 2010.

249 **"pedras dogmáticas"**: Eugene Peterson, carta, 18 de março de 2011.

250 **"ele nos atrai"**: Eugene Peterson, carta, 22 de março de 2000.

250 **"pastores maduros"**: Eugene Peterson, carta, 5 de setembro de 2006.

250 **"fossem boicotados"**: Eugene Peterson, carta, 22 de fevereiro de 2000.

250 **"seja nosso líder"**: Eugene Peterson, carta, 23 de fevereiro de 2016.

251 **"Czeslaw Milosz:** *ketman*": Eugene aprendeu esse conceito com a obra de Milosz *A mente cativa*. Explorou-o em vários lugares, mas sua conversa mais profunda e demorada sobre esses temas foi com Arthur Boers.

251 **"dissensão interior"**: Agradeço a Arthur Boers por seu resumo conciso desse conceito complexo.

252 **"sociedade secreta"**: Eugene Peterson, carta, data indisponível.

252 **"aceitam uns aos outros"**: Eugene Peterson, carta, 23 de junho de 2012.

253 **"entre os heterossexuais"**: Eugene Peterson, carta, data indisponível.

253 **"bebida além da conta"**: Eugene Peterson, anotação em seu diário, 14 de outubro de 2003.

254 **"policiais de Deus"**: Eugene Peterson, carta, 6 de março de 2012.

FOGO EM MEUS OSSOS

254 **"no santuário"**: Eugene Peterson, carta, 8 de janeiro de 2010.

254 **"unidade na igreja"**: Eugene Peterson, carta, 18 de março de 2011.

255 **"não tenho de votar"**: Eugene Peterson, carta, 20 de julho de 2011.

255 **"não compreendo"**: Eugene Peterson, carta, 17 de julho de 2011.

255 **"honesto como pastor"**: Eugene Peterson, carta, 8 de outubro de 2012.

256 **"apoio das Escrituras"**: Thomas W. Currie, "Muddled in the Middle: Reflections on a Presbytery Vote", *Presbyterian Outlook* 193, nº 9, 27 de junho de 2011, <https://pres-outlook.org/2011/06/muddled-in-the-middle-reflections-on-a-presbytery-vote/>. A conclusão de Currie foi diferente da maioria: "Os da 'direita' que 'têm apoio das Escrituras' sabem de algo importante, algo que nem sempre articulam ou expressam bem: seguir a Jesus Cristo tem um preço. Eles também têm razão de suspeitar do modo que a igreja se conforma à cultura da permissividade sexual. Talvez não percebam tão claramente as maneiras que o uso das Escrituras por eles ou mesmo suas atitudes em relação à sexualidade também estão atreladas à cultura. Nós, presbiterianos, até mesmo nós presbiterianos conservadores, temos muitos divórcios em nosso meio. Temos relacionamentos extraconjugais. A maior parte do abuso sofrido por mulheres e crianças não é instigada por homossexuais. Não há espaço para atirar pedras. E os da esquerda também sabem de algumas coisas importantes, entre elas, que as Escrituras nunca são suficientes, que a Palavra se tornou carne, não um princípio desencarnado ou uma ideia moral, mas carne, e a igreja não é um grupo de debate ou um conjunto de justos, mas a família disfuncional que Cristo insiste em chamar seu corpo. Essas questões nunca estão 'resolvidas' e têm a capacidade de causar mágoa ainda mais profunda e grande amargura".

257 **casamento de Eric com Elizabeth**: Depois do divórcio de Eric e Lynn, Eric se casou com Elizabeth.

257 **"contra credenciais"**: Ted Kooser and Jim Harrison, *Braided Creek: A Conversation in Poetry* (Port Townsend, WA: Copper Canyon, 2003), quarta capa.

258 **"acontecido com frequência"**: Eugene Peterson, carta, data indisponível.

258 **"ainda não aconteceu"**: Eugene Peterson, carta, 20 de fevereiro de 2006.

258 **"pensam que sou"**: Eugene Peterson, anotação em seu diário, 27 de maio de 2007.

258 **"nossa longa obediência"**: Eugene Peterson, anotação em seu diário, 20 de junho de 2009.

259 **"pessoa mais santa que conheço"**: Eric Peterson, carta, 17 de julho de 2017.

260 **"Não tem integridade"**: Jonathan Merritt, "Eugene Peterson on Donald Trump and the State of American Christianity", Religion News Service, 11 de

NOTAS

julho de 2017, <https://religionnews.com/2017/07/11/eugene-peterson-on-donald-trump-and-the-state-of-american-christianity>.

261 **"EP: Sim"**: Jonathan Merritt, "Eugene Peterson on Changing His Mind About Same-Sex Issues and Marriage", Religion News Service, 12 de julho de 2017, <https://religionnews.com/2017/07/12/Eugene-peterson-on-changing-his-mind-about-same-sex-issues-and-marriage> .

264 **"quanto possível: *sim*"**: Eric Peterson, carta, 17 de julho de 2017.

264 **"por seu ministério"**: Jonathan Merritt, "RNS Best of 2017: Eugene Peterson Backtracks on Same-Sex Marriage", Religion News Service, 31 de dezembro de 2017, <https://religionnews.com/2017/12/31/Eugene-peterson-backtracks-on-same-sex-marriage-2>.

267 **"se é um santo"**: *Peterson: In-Between the Man and the Message*, dirigido por Greg Fromholz, produzido por Emma Good e Nathan Reilly, produtor executivo Don Pape (Colorado Springs, CO: NavPress, 2016), YouTube, 18:43, <www.youtube.com/watch?v=LaMgIvbXqSk>.

267 **interagindo com pessoas**: "Minha interpretação", disse Eric, "é que ele estava em um lugar muito tênue, e o véu entre terra e céu havia sido removido. As nuvens se abriram para ele, e ele viu pessoas que, podemos supor, estavam lhe dando as boas-vindas no paraíso."

268 **"cada passo, uma chegada"**: Denise Levertov, "Overland to the Islands", in: *The Collected Poems of Denise Levertov*, ed. Paul A. Lacey e Anne Dewey (New York: New Directions, 2013), p. 65.

269 **"o Cristo Pescador"**: O texto dessa canção, "Heigh Ho to the Fisher Christ", aparece em *Holy Luck,* em que o título do poema foi alterado para "Ballad to the Fisher King" [Balada para o Rei Pescador]. Eugene H. Peterson, *Holy Luck* (Grand Rapids, MI: Eerdmans, 2013), p. 74-75.

Coda

271 **"ausências se tornam Presença"**: Eugene H. Peterson, "Hospitality", in: *Holy Luck* (Grand Rapids, MI: Eerdmans, 2013), p. 46.

274 **"igreja em nossos dias"**: Jason Byassee e L. Roger Owens, eds., *Pastoral Work: Engagements with the Vision of Eugene Peterson* (Eugene, OR: Cascade Books, 2014), quarta capa.

Compartilhe suas impressões de leitura,
mencionando o título da obra, pelo e-mail
opiniao-do-leitor@mundocristao.com.br
ou por nossas redes sociais

Esta obra foi composta com tipografia Minion Pro
e impressa em papel Pólen Natural 70 g/m² na gráfica Imprensa da Fé